新潮文庫

国家の罠

―外務省のラスプーチンと呼ばれて―

佐藤　優著

新潮社版

8303

国家の罠《わな》——外務省のラスプーチンと呼ばれて◇目次

序章　「わが家」にて

第一章　逮捕前夜

第二章　田中眞紀子と鈴木宗男の闘い

第四章　「国策捜査」開始

第五章　「時代のけじめ」としての「国策捜査」

第三章　作られた疑惑

※文中に登場する人物の肩書きは、特に説明のないかぎり当時のものです。

国家の罠

外務省のラスプーチンと呼ばれて

序章 「わが家」にて

拘置所グルメ案内

二〇〇二年九月十七日、火曜日、午後四時過ぎ。東京地方裁判所での初公判を終えて、私は東京拘置所に戻ってきた。新北舎三階で、私は手錠と捕縄を解かれた。付き添いの職員が、「一名連行しました」と大きな声で申告する。われわれ囚人が普段「担当の先生」と呼んでいるこの階の責任者が敬礼し、「ごくろう」と答える。

担当は、「どうだった」と私に尋ねる。

「私だけが否認なので、途中で、手錠をかけられて法廷から出されちゃいました。友だちがたくさん来ていたので懐《なつ》かしかったです」と答える。

担当はニコニコ笑いながらうなずき、独房まで私を案内する。担当は小声で私に囁《ささや》きかける。

「あんたは頑張ってるから、初公判でも保釈にならないんだ」

「そうなんです。もうしばらく先生方のお世話になります。たぶん正月もここで迎えることになると思います」

「わかったよ。できるだけのことをするから、遠慮なく言ってね」

「いつもほんとうにありがとうございます」

私は楽しい「わが家」に戻ってきた。裁判の間は、東京地方裁判所地下二階にある「仮監《かりかん》」という独房に閉じこめられる。この檻《おり》は水洗トイレ、洗面所を入れて二畳、それに座布団《ざぶとん》がない。

東京拘置所の独房は、三畳のたたみ部分に一畳のコンクリート床の洗面所と水洗トイレがついている。部屋には買い置きの食料品や文房具があり、それに知り合いが差し入れてくれた分厚い座布団がある。座布団の有無といったちょっとした差が獄中生活では決定的な意味をもつ。

独房生活は四カ月を超えていた。この生活にもすっかり慣れた。人間の順応性は高いものだと思った。拘置所の夕食は早い。職員と雑役担当の懲役囚が仕事を午後五時までに終えないとならない関係だ。今日は夕食に間に合った。懲役囚が大声で叫ぶ。

「配盒（はいご〜お）！」

独房の隅の小窓からやかんを出すと懲役囚がそれに茶をつぎ、白米七割、大麦三割の麦飯入り弁当箱を渡してくる。その後、合成樹脂製の皿を三枚渡すとおかずが次々と載せられる。今日の夕食は、青椒肉絲《チンジヤオロース》（牛肉と筍《たけのこ》・ピーマンの炒《いた》め）、野菜と小海老《こえび》の中華スープに高菜だった。

未決勾留者《こうりゆうしや》は、昼食、夕食を自費か官費支給（つまりタダ）で選ぶことができる。自費は一食五百二十五円の典型的なコンビニ弁当だ。御飯が白米というのが「売り」だが、どうも白米が光るように油を振っているようで、おいしくない。それにひきかえ、官費支給はおかずもおいしいし、麦飯も慣れると風味があってなかなかのものだ。

「日朝首脳会談」の報

拘置所ではラジオが貴重な情報源であり、娯楽だ。ニュースは、NHKの朝七時のニュースが正午に、正午のニュースが午後七時に約十分間放送されるが、東京拘置所で取り調べが行われている事件については検閲で放送が削除されることもある。平日は、午後五時から九時の就寝時までラジオが流れる。

九月十七日も通常ならば独房のラジオからは、午後五時から大相撲中継が六時まで流れる予定だった。正直言って私は大相撲やプロ野球の中継はあまり好きではないので、看守に頼んでボリュームを下げてもらっていた。ラジオのスイッチとボリュームは独房の外側についているのだ。

しかし、この日、相撲中継の替わりに私の耳に飛び込んで来たのは衝撃的な臨時ニュースだった。小泉純一郎総理が北朝鮮を日帰り訪問して、金正日《キムジヨンイル》総書記と会談したというのだ。あわてて看守に頼んでラジオの音量を最大にしてもらった。こうして時折飛び込んでくる臨時ニュースに関しては検閲は行われない。新聞購読が認められずニュースに飢えている私は、一言一句聞き逃すまいと、全身の神経を集中してラジオに聞き入った。メモを取りながら、血が騒いでくるのを感じた。そして、私は小机に向かい、次のようなレポートを一気に書き上げたのだった。

〈「日朝首脳会談について」

たいへんなことになった。拉致《らち》された日本人のうち五人の生存は確認されたが、八名の死亡が北朝鮮政府から伝えられた。金正日が謝罪すれば済むような問題ではない。私は最近まで日露間の「密室外交」に携わっていた経緯があるので、今回の日朝外交の見えない部分についても類推することができる。本件が首相官邸からの特命事項であることは間違いない。完全情報をもっているのは、外務事務次官、政務担当外務審議官、総合外交政策局長、条約局長、アジア大洋州局長、朝鮮半島担当アジア大洋州局審議官、北東アジア課長の七名に過ぎず、そこで絞り込まれた情報が総理大臣、官房長官、外務大臣、更に本件に関心の強い安倍《あべ》（晋三《しんぞう》）官房副長官に届けられているのであろう。

今回は「密室外交」としては情報管理が甘かった。私にとっては、拘置所のラジオで半日遅れで聞くＮＨＫニュースが唯一《ゆいいつ》の情報源であるが、それでも官邸筋が、拉致問題について首脳会談で北朝鮮側から何らかの情報が得られるとの見通しをリークしていることがわかった。本来ならば北朝鮮を刺激するので、首脳会談前には慎重になる筈《はず》の不審船引き上げを急いだことも、「このような行動をとっても、北朝鮮側から拉致問題についての成果は得られる」との確証を官邸・外務省がもっていたことを窺《うかが》わせる。

なぜこのタイミングで小泉首相が外交的「賭《か》け」に出たのか。日朝国交正常化に向けて宰相としての強い想《おも》いがあることに疑問の余地はないが、日本経済に改善の兆《きざ》しが見えないことに対する焦《あせ》りから、国民的人気を飛躍させるためには内政・経済のみでは不十分との認識を抱き、外交的成果を狙《ねら》ったのであろう。外務省としては、松尾事件（内閣官房報償費［機密費］詐欺《さぎ》）、浅川事件（プール金詐欺）、更に鈴木宗《むね》男《お》衆議院議員絡《がら》みの私の事件（背任・偽計業務妨害）、瀋陽《しんよう》総領事館における北朝鮮人亡命未遂事件など一連の失態を日朝首脳会談カードで挽回しようとしたのであろう。

この外務省の目論見《もくろみ》が、吉とでるか凶とでるかについて云々《うんぬん》するのは時期尚早だ。拉致問題で日本ナショナリズムという「パンドラの箱」が開いたのではないか。ナショナリズムの世界では、より過激な見解がより正しいことになる。日本ナショナリズムが刺激されれば、日露平和条約（北方領土）交渉も一層困難になる。ナショナリズムは経済が停滞した状況では昂揚《こうよう》しやすい。日朝首脳会談の成果が日露関係にもつながることを、何人の外交専門家が気付いていているであろうか〉

いったい何のために私はこんなレポートを作っているのだろうか。私は情報屋としては終わった人間だ。もう外交の現場に戻ることもない。私はそのことをよく自覚している。しかし、十年以上かけてついた職業的習性はそう簡単にはとれない。

今日で独房暮らしも百二十七日目だ。いつになったら外に出ることができるのだろうか。モスクワで親しくしていたソ連時代の政治犯のことばを思い出す。

「強い者の方から与えられる恩恵を受けることは構わない。しかし、自分より強い者に対してお願いをしてはダメだ。そんなことをすると内側から自分が崩れる。矯正収容所生活は結局のところ自分との闘いなんだよ」——。

役に立った「宗教」と「神学」

独房の小机に向かっていると、いろいろなことを思い出す。今日はモスクワ時代の記憶が次々と甦《よみがえ》ってくる。

一九九一年八月十九日早朝、ソ連国営タス通信が「ゴルバチョフ大統領が病気のため執務不能になり、ヤナーエフ副大統領が大統領代行に就任した」と発表した。ソ連共産党守旧派によるクーデターの勃発《ぼっぱつ》だ。全世界の関心がゴルバチョフの生死に集まった。当時、ソ連の政界は、中道改革のゴルバチョフ派、クーデターを起こした共産党守旧派、急進民主改革のエリツィン派に分かれていた。私は在ソ連邦日本国大使館三等書記官で、内政と民族問題を担当していた。

大使館幹部たちがゴルバチョフ派を重視していたので、私は「落ち穂拾い」として、共産党守旧派とエリツィン派、つまり左右両極と深い付き合いをしていた。そのなかで守旧派の牙城《がじょう》と言われていたロシア共産党のナンバー・ツーであったイリイン中央委員会第二書記（ソ連共産党中央委員兼ソ連最高会議議員）が私のことを非常に可愛《かわい》がってくれた。外交儀礼上は、大使か公使としか会わない人物であるが、「非公式」という理由で、私とときどき会ってくれた。

私の経歴は外交官としてはちょっと変わっている。一九六〇年東京生まれであるが、育ったのは埼玉県大宮市（現さいたま市）だ。県立浦和高校を卒業した後、京都の同志社大学神学部と大学院で組織神学を学んだ。具体的にはチェコスロバキアにおける共産党政権とプロテスタント教会の関係を研究テーマにした。

八五年に外務省に専門職員で入省した理由も、ほんとうのことを言うとチェコ語の専門家となり、チェコの民族思想と神学を研究したかったからだ。しかし、外務省からはロシア語を学ぶことを命じられた。外交官の仕事を始めてみるとそれはそれなりに面白い。この仕事を一生続けてもいいと思うようになった。もっとも、社会人になってからも神学と哲学の勉強は続けていた。

八八年にロシアへのキリスト教導入千年を契機に、ソ連のゴルバチョフ政権は、宗教政策を改めた。ソ連ではマルクスが『ヘーゲル法哲学批判序論』で述べた「宗教は人民のアヘンである」という規定を基本に科学的無神論教育を徹底していたので、共産党幹部のキリスト教に関する知識はひじょうに浅薄なものだった。

ソ連共産党幹部にゴルバチョフ派が多かったのに対し、ロシア共産党幹部はより保守的で、正統派マルクス・レーニン主義を旗印に掲げていたが、もはやそれがイデオロギー的有効性を失っていることを深く自覚していた。

イリイン第二書記やジュガーノフ・イデオロギー担当書記（現ロシア共産党議長）、ソコロフ農業担当書記は、ロシア正教の遺産を再評価することで、共産主義イデオロギーを再活性化できるのではないかと考えていた。しかし、宗教や神学について、簡潔に説明できる専門家が共産党関係者にいない。

私と親しくしていたリトアニア共産党の幹部が、ソ連共産党中央委員会の特別ホテルで行われた共産党守旧派グループの飲み会に私を誘ってくれ、その時、キリスト教社会主義やロシア正教会とカトリック教会、プロテスタント教会の関係について、神学専門家としてはごく初歩的な説明をしたら、共産党幹部たちは文字通り目を輝かせて関心を示し、それから私はロシア共産党幹部にときどき「お茶を飲みに来い」と誘われるようになった。

実際には、紅茶もでるのだが、それよりもキャビア、イクラ、チョウザメの薫製《くんせい》などとウオトカやコニャックの出る飲み会だった。その中で、クーデターで大統領代行に就任したヤナーエフ副大統領やマホフ・ソ連共産党中央統制委員長などにも紹介された。ロシア共産党守旧派の政治家たちは、日本の自民党の政治家に似ている。人間関係を大切にし、物事は何であれ事前に根回しをする体質をもっていた。

九一年春頃には、「赤の広場」からそれ程遠くないスターラヤ・プローシャチにあるロシア共産党中央委員会の幹部執務室やソ連共産党中央委員会が経営する一般人の入場が制限されている「オクチャーブリ（十月）第二ホテル」（現在はロシア大統領総務局が直営する「プレジデント・ホテル」）への出入りもほぼ自由になり、「共産党守旧派人脈につよい不思議な西側外交官」という噂《うわさ》がたった。

率直に言ってゴルバチョフ派の党官僚は好きになれなかった。「ペレストロイカ（改革）」、「グラースノスチ（公開性）」とか「人類共通の価値」というゴルバチョフが演説で使う用語を多用するが、ことばが浮いている。ゴルバチョフ派の党官僚には信念がなく、時流を見るのに長《た》けた連中が多すぎる。霞《かすみ》が関《せき》の小狡《こずる》い官僚に似ている。

これと比較して、「ソ連共産全体主義体制を叩《たた》きつぶすのだ」と公言するバルト諸国の民族主義者やエリツィンの周囲に集まっていた急進民主改革派の人々はことばと行動が分離していないので好感がもてた。

私はモスクワ大学留学中に反体制学生運動活動家やバルト諸国の民族主義者と交遊を深めた。これらの人々が私が大使館で勤務するころには議員やジャーナリストになり、反ソ運動の指導的役割を果たすようになっていた。彼らに誘われモスクワの秘密アジトで行われる研究会に参加したり、バルト諸国に「観光旅行」した際にモスクワ大学時代の友人の紹介で民族独立運動の中心となった人民戦線幹部たちとの人脈が広がっていった。

同時に、政治的には急進改革派やバルト諸国の民族主義者と対極に位置する共産党守旧派の人々は、ソ連型共産主義の理念を心底信じていた。この人々にとっての共産主義とはソ連国家に対する愛国主義と同義であった。国のために生命を捨てる覚悟のできている人々という印象を私はもった。これら守旧派の人々と私は「国家、民族とは何か」という話もざっくばらんにするようになった。北方領土問題に関する私の説明にも熱心に耳を傾けてくれた。イリイン第二書記があるときこう言った。

「あの戦争で神風攻撃をしたのは日本人とロシア人だけだものな。スターリングラードでロシア人も地雷を背負って戦車に突っ込んだんだよ。

僕たちは国のために命を捨てた神風のパイロットたちを心底尊敬しているよ。北方領土を取り返したいという日本人の気持ちはよくわかる。しかし、僕たちはソ連の愛国者だから、今、ソ連の敵陣営に属する日本に島を渡すことはできない。

でも、君は僕たちに遠慮する必要はない。北方領土を返還しろと熱心に訴え続けた方がいいよ。僕たちロシア人は原理原則を譲らない外国人を尊敬するんだ。ただし日本政府の発言要領を繰り返すだけではダメだ。自分の頭で徹底的に考えて、ロシア人の心に訴えることばを見つけるんだ。そうすれば君の外交官としての人脈は飛躍的に広がる」

私はイリイン氏の助言に従った。これまで遠慮していた北方領土問題に関する日本の考えをロシア人に率直に説明することにした。その結果、守旧派のみならず急進改革派、ゴルバチョフ派にも私の人脈は広がっていった。

「ゴルバチョフ生存情報」

一九九一年八月のクーデターに話を戻そう。

ソ連共産党高官の机には電話が十台近く置かれている。その内の三、四台は交換手を通さないそれぞれ別番号の直通電話で、秘密警察用の電話、友人用の電話、家族用の電話、愛人用の電話をそれぞれ使い分けている。私はイリイン氏から友人用の直通電話番号を教えられていたので、クーデター初日（八月十九日）にイリイン氏と何度も電話で話した。

「イリイン先生、いったい何が起きているのですか。西側ではあなたたちがクーデターを起こしたと言っていますよ」

「サトウさん、電話で話す内容じゃありませんよ」

「ゴルバチョフは生きているんですか」

「それも電話で話す内容じゃありません」

「短時間でも会ってもらえませんか」

「もちろんいいですよ。ただ、政治局の会議が延々と続いているので、いつ時間があくかわからない。しかし、君とは必ず会う。約束するよ」

　イリイン氏は「約束する」と言ったが、私はこの約束を信じていなかった。しかし、私は間違っていた。クーデター二日目（八月二十日）の午前十一時頃、イリイン氏の政務担当補佐官レオーノフ氏から大使館に電話がかかってきた。

「午後一時半にロシア共産党中央委員会の通用門に来てください。イリイン第二書記がお会いする用意があります」

　昼頃からクーデターに反対する自然発生的なデモや集会があちこちで繰り広げられていた。ロシア政府・最高会議建物（ホワイトハウス）にはバリケードが作られ、急進民主改革派を支持する人々が籠城《ろうじょう》をはじめた。モスクワ市内にだんだん不穏な空気が漂ってきた。

外交官ナンバーの車で移動すると目立つし、また、途中で暴動に巻き込まれ、車を放棄しなくてはならない可能性があると考え、ハイヤーを借り上げ、ロシア共産党中央委員会に向かった。

ロシア共産党中央委員会はソ連共産党中央委員会の隣の建物で、二つの中央委員会はつながっている。クーデターの「司令塔」は、クレムリンのヤナーエフ副大統領執務室、ソ連共産党中央委員会、ロシア共産党中央委員会、ソ連政府、参謀本部、KGB（国家保安委員会）に分散していた。共産党中央委員会から一キロ半くらいのところ、ボリショイ劇場のあたりで人混みのため車は先に進めなくなった。私は車を乗り捨て、徒歩で目的地に向かった。

私が探りたい情報は二つあった。

第一はゴルバチョフ大統領の安否である。「ゴルバチョフは裏でクーデター派と手を握っている」、「ゴルバチョフは既に殺された」、「ゴルバチョフはモスクワ郊外のKGB施設に監禁されている」など種々の噂が乱れ飛んでいた。

情報の世界で、ヒュミント（人間からとる情報）の原則は二つである。第一は、情報源がこちら側が関心をもつ情報を知ることができる立場にいるということだ。そして第二に、情報源が自分の得た情報を私に正確に教えてくれるということだ。この場合、ゴルバチョフ氏は外部との連絡を遮断されている。従って、ゴルバチョフ氏の安否について正確な情報をもっているのはクーデターを行っている側だけだ。ゴルバチョフ派、急進民主改革派の情報は憶測か、自己の政治的利害を反映した声明なので、情報としては価値がない。

ロシア共産党のナンバー・ワンはクプツォフ第一書記だった。当時、クプツォフ氏はゴルバチョフから「正統的マルクス・レーニン主義派・守旧派の牙城」ロシア共産党に送り込まれた「お目付役」で、実権はイリイン第二書記が握っているというのが一般的評価だった。イリイン氏はヤナーエフ副大統領、シェイニン書記、パブロフ首相、ヤゾフ国防相など「非常事態国家委員会（ゲー・カー・チェー・ペー＝GKChP）」メンバーの盟友で、今回のクーデターにも積極的に関与していることは確実だった。

第二は、このクーデターの成否についてである。ホワイトハウスを戦車・装甲車が取り囲んでいるが、実力介入をする兆しはない。ホワイトハウスには、武装した「義勇兵」も集まり始めている。エリツィン派は「武装」を否定しているが、籠城しているロシア最高会議議員から私が直接得た情報では、ライフルや火炎瓶が持ち込まれているということだった。

普段は市内の至る所に立っている交通警官も姿を消し、権力の空白が生じつつあることを肌で感じる。テレビ局、タス通信はクーデター派が押さえているが、ラジオ放送「エコー・モスクワ」がホワイトハウスの中から抵抗を呼びかける放送を行っている。また、インターファックス通信がファックスでモスクワの大使館や外国メディアにホワイトハウス内部の状況やクーデターに反対する人々の動きについて情報を流している。クーデター派は妨害電波も流さず、通信も遮断せずに放置していた。

私はバルト三国の友人たちと連絡を取った。エストニア、リトアニアへの電話はつながるがラトビアへの電話が全面的に封鎖されている。この「温度差」はどこから来るのだろうか。モスクワではデモや抗議集会も拡大している。クーデター派が本気になれば電話封鎖や反体制活動家の逮捕は簡単にできる。KGBはいったい何をしているのだろうか。クーデターにしては生温《ぬる》い。クーデター派中枢《ちゆうすう》がどのような感触をもっているのかについて探りたかった。

ロシア共産党中央委員会の通用門ではレオーノフ補佐官が待っていた。警備員、電話交換手、タイピストたちもいつもと同じように勤務しており、特に緊張感は感じられなかった。イリイン氏の執務室に通された。レオーノフ氏が私に伝える。

「サトウさん、イリイン同志は会議中なんで、いま呼び出してきます」

レオーノフ氏は席を外した。

入れ替わりに女性秘書がやってきて「コーヒーにしますか、紅茶にしますか」と尋ねる。ロシアで急進改革派はコーヒーを好むが、共産党守旧派は紅茶を好む傾向がある。私は「紅茶をお願いします」と言った。

秘書が紅茶を運んできたが、私は口をつけずに立ったままイリイン氏を待った。十分くらい経《た》ってであろうか、イリイン氏がやってきた。イリイン氏は身長百九十センチ近く、体重も百キロを越える大柄の人物で、ゆっくりと話す。ロシア北西部のプスコフ州出身で、色白で灰色の瞳《ひとみ》をしている。

「サトウさん、待たせて済まない。さあさあ腰掛けて」

「どういたしまして。お忙しい中、時間を作っていただきありがとうございます」

イリイン氏は電話や公式の会談では丁寧語を使うが、今日は飲み会のときのようなざっくばらんな言葉遣いだ。友人として私を招いているというシグナルだ。レオーノフ補佐官がメモをとろうとすると、イリイン氏が「今日は記録はいらない」と言った。気を利《き》かせてレオーノフ氏が席を外そうとすると「ここにいてくれ」と言って同席させた。

「イリイン先生、端的にお聞きします。これはクーデターなんですか」

「違う。これはクーデターではない。今日（八月二十日）署名する予定になっていた連邦条約のことは君も知っているだろう」

ソ連では、バルト諸国が独立傾向を急速に強める中で、連邦構成共和国の主権を強化する新連邦条約を二十日に調印する予定にしていた。この連邦条約が調印されると、ソ連は「ソビエト社会主義共和国連邦」ではなく「ソビエト主権共和国連邦」と呼ばれるようになり、ロシア語の略称はＣＣＣＰでこれまでと同じだが、国名から社会主義が外されることになる。

「われわれがペレストロイカを進めるのは、社会主義国ソ連を強化するためで、それを解体するためではない。この連邦条約が調印されれば、ソ連はもはやソ連ではなくなってしまう。われわれはゴルバチョフ抜きでペレストロイカを推進することにした。だからこれはペレストロイカ政策の継続であり、決してクーデターではない」

　私の言葉遣いもぞんざいになる。

「ゴルバチョフは生きているの」

「生きている」

「端的に聞くけれど、殺されたんじゃないか」

「違う。生きている。基本的に元気だ」

「ゴルバチョフが病気で執務不能になったということだけど、意識はあるのか」

「ある」

「病名は何か」

「ラジクリートだ」

「ラジクリート?」

「そうだ。しばらく経てば回復する。ミハイル・セルゲービッチ（ゴルバチョフ）は生きている」

イリイン氏が補佐官に「今日は記録はいらない」と言ったのは、私にメモをとるなという意味と受けとめ、私はノートもペンも取り出さずに話を注意深く聞き、記憶に焼き付けた。

「ラジクリート」という単語の意味を私は知らなかったので、大使館に戻ってから辞書を引いた。

「radikulit［医］脊椎《せきつい》神経根炎、ギックリ腰」

大統領が執務不能になった病気がギックリ腰であるというのは噴飯物だが、ゴルバチョフの安否を正確に知りうる立場にいるクーデター派高官から、「ゴルバチョフは生きている」という確度の高い情報をとったことは大きな成果だった。

後にこの情報について当時ソ連課長であった東郷和彦氏から「ゴルバチョフの生存を確認する非常に早い情報だった」と評価された。

因《ちな》みに私が逮捕された後、ある外務省OB（大使経験者）が、ゴルバチョフの安否については「佐藤よりも枝村大使の方が先に掴《つか》んだ」という話をテレビでしていたとの話を聞いたが、枝村純郎《すみお》大使はクーデター勃発《ぼっぱつ》時に休暇で日本におり、パリ経由でモスクワに帰任したのは八月二十日夕刻なので、時系列的にこのOBの話は成り立たない。リスクを冒して日本のために正確な情報を提供してくれたイリイン氏の名誉のためにこの事実ははっきりさせておきたい。

ここまで話したところで、イリイン氏は「会議に戻るけど、少し待っていてくれればもう一回抜け出してくる」と言って中座した。

イリイン氏の寂しい死

一刻も早く大使館に戻って報告電報を打たなくてはと思ったが、イリイン氏が「もう一度会ってくれる」という以上、それを断るのは失礼だ。秘書が紅茶を淹《い》れ替えてくれた。それを飲み終わらないうちにイリイン氏が戻ってきた。手に書類をもっている。

「サトウさん、この書類を見てごらん」

その書類には「ソ連国民に対する呼びかけ」というタイトルが書かれ、あちこちにペンで加筆や削除がなされたもののコピーだった。

「明日の『ソビエツカヤ・ロシア』紙（ロシア共産党中央委員会機関紙）にこの声明文が掲載されればわれわれは勝利する」

「必ず掲載されるでしょう。僕はあなたたちの勝利をお祝いしたらよいのだろうか」

「いや、状況はそう単純じゃない。いわゆる民主派の策動を許してしまった。これはわれわれが勝つか奴《やつ》らが勝つかという次元ではなく、ソ連邦が生き残るかどうかという死活的問題なんだ。民主派の策動を許してしまったので、どうなるかわからない。サトウさん、明日の『ソビエツカヤ・ロシア』を見れば状況を正確に予測できる」

イリイン氏は最後にこう述べた。

「しばらくは忙しくなるので君に会えないかもしれない。あるいはこれで最後になるかもしれないが、君との話は実に愉快だったよ。成功を祈る」

イリイン氏は私を引き寄せ、右頬、左頬、そして最後に唇にキスをした。

私は共産党中央委員会を出ると駆け足で「赤の広場」に向かった。「赤の広場」の横に巨大な「ロシア・ホテル」があるが、そこの白タク運転手の何人かとは顔見知りなので、彼らならば私を上手に大使館まで運んでくれると思った。

幸い、頼りになる馴染《なじ》みの運転手がいたので、普段、市内の移動は二ドルなのだが、十ドル出すので、大至急大使館に行ってくれと交渉した。運転手はポンコツの「ラーダ」(一九七〇年代初頭のフィアットのコピー)に案内し、「これがあれば大丈夫だ」とトランクから青い救急灯を取り出し、ときおりサイレンを鳴らし、人混みや渋滞を掻《か》き分けて私を大使館に送り届けてくれた。私はワープロのキーボードを大急ぎで叩《たた》き、外務本省に公電で会談内容を報告した。

結論から言うと、翌朝の『ソビエツカヤ・ロシア』にこの声明は掲載されなかった。クーデター未遂事件は三日間で終わった。勝利を宣言したエリツィン・ロシア共和国大統領はロシア共産党とロシア領内におけるソ連共産党の活動を禁止した。ロシア共産党中央委員会の建物はその三分の二を、ロシア最高検察庁に引き渡され、クプツォフ第一書記、イリイン第二書記、ジュガーノフ書記たちは、残り三分の一の建物で残務整理をするとともに連日、クーデターへの関与について検察の厳しい取り調べを受けた。最終的に、エリツィン大統領が刑事責任を追及する対象者をできるだけ限定するとの方針を定めたので、ロシア共産党幹部はいずれも訴追を免れた。

当初、ゴルバチョフ派だったクプツォフ第一書記は、この事件を契機に、守旧派陣営に加わった。後に私はクプツォフ氏とも親しくなったが、この心境の変化についてのクプツォフ氏の説明も説得力があった。

「ゴルバチョフはソ連の理念に殉じるべきだったんだよ。エリツィンなんかに擦り寄らないでね。

僕は確かにゴルバチョフとペレストロイカに賭《か》けた。それでソ連が真の社会主義国になると思ったからだ。そもそもあいつ（ゴルバチョフ大統領）は社会主義を信じていなかったんだよ。そういう奴がソ連共産党のトップになった。そして国が崩壊した。

ロシア共産党がやろうとしていることには、いくつも時代錯誤的なことがあるよ。

それでも人間の平等と尊厳を求める共産主義の理念を掲げ続けることには意味があると僕は考える。僕は共産主義の理念とロシア国家に残りの人生を捧《ささ》げることにしたんだ」

クプツォフ氏、イリイン氏、ジュガーノフ氏たちは、エリツィン氏に対して「命乞《ご》い」はしなかった。しかし、自分の部下たち、特にタイピスト、電話交換手、運転手などの技術職員については、「この人たちは政治と関係がない。だからロシア政府や議会に再就職の道を探してあげてほしい」と頭を下げて、再就職運動を行った。エリツィン政権の幹部たちも旧共産党幹部の高潔さには一目置き、これら技術職員の大多数はロシアの政府機関や議会に再就職した。

クプツォフ氏、ジュガーノフ氏は政治活動を続けた。レオーノフ補佐官は銀行幹部になり、ビジネスマンとして再出発した。共産党幹部からビジネスに進出し、大金持ちになった人々も少なくない。しかし、イリイン氏は政治活動からも距離を置き、ビジネスにも転出せず、名目上はコルホーズ（集団農場）から衣替えしたモスクワ郊外の農業コンツェルンの理事に就任したが、世の中との交わりを避けるようになった。

それでも私はイリイン氏と半年に一回は会って痛飲した。イリイン氏自身は政局から距離を置き、政治情報を集めることをしなかったが、私が集めてきた情報をもとに情勢分析について尋ねると、いつも的確な絵を描いて見せてくれた。イリイン氏にはロシア政治エリートの内在的ロジックが手に取るようにわかるのである。ただし、ソ連の崩壊と共に、イリイン氏の健康も急速に破壊されていくのが淋《さび》しかった。時間の経過と共にイリイン氏の酒量が増え、一人でウオトカ三本、コニャック二本くらいを平気で飲み干す様子を見て、私は少し不安になってきた。

一九九八年初夏、ロシアから知り合いの共産党幹部が訪日した際にイリイン氏が前年に死去したと教えられた。

「最後の二年は、アル中患者専門病院の入退院を繰り返していたよ。家族も見放していた。最後は別荘に別棟を建てることにエネルギーを注いでいたが、改築現場で夕方、ウオトカをたくさん飲んで、その後、敷地を車で乗り回していた。

家族は『また酔っぱらっている』と放って、そのまま寝てしまった。翌朝、奥さんが庭に出てみると夫が車の中で死んでいた。心臓麻痺《まひ》だった。モラルの高い男だったので、自分が崩れていく姿を共産党時代の同僚には見せたくなかったんだと思う。それだからみんなとの交遊を断っていたんだよ。

共産党第二書記時代、サトウさんについては、『ああいう人材が党のイデオロギー部にいれば有り難いんだけど』といつも冗談半分に言って、あなたと会うことを楽しみにしていたよ」

法廷という「劇場」

独房のラジオからは日朝首脳会談に関するニュースが引き続き流れている。これから数日間はこのニュースでもちきりだろう。北朝鮮の牢獄《ろうごく》に捕らえられている政治犯はどのような生活をこの瞬間に送っているのだろうかとふと考える。

それから、イリイン氏を偲《しの》びながら、私は自分自身に「人間はまず内側から崩れる。決して自暴自棄になってはいけない。常に冷静さを失わないことだ。この独房が人生の終着駅ではない。最も重要なのは自分との闘いだ」と言い聞かせた。

今日、法廷で、久しぶりに前島陽《まえじまあきら》外務省元ロシア支援室総務班長、飯野政秀《いいのまさひで》三井物産第四部長の顔を見た。三井物産の島嵜雄介《しまざきゆうすけ》氏の名前と顔が今回はじめて一致した。前島氏、飯野氏はスーツにネクタイを着用していたが、勾留《こうりゅう》中の島嵜氏はセーターにサンダル、そして手錠に捕縄姿だった。

私も手錠に捕縄だが、それに加え、囚人服にそっくりの作業服を着ていた。裁判所、検察に対する「あんたたちは私を刑務所に追い込み、こういう姿にしたいんだろう」という無言のアピールである。私の「囚人服」姿のパステル画が新聞やテレビで報じられたので、それを見たロシア人やイスラエル人たちから「佐藤さんは未決囚なのに強制労働をさせられているのかと思った」との感想が後から伝わってきた。アピール効果は十分あった。

前島、飯野、島寄の三氏はいずれもひどくやつれていた。特に前島氏は首筋に吹き出物がたくさん出ており、痛々しかった。検察官がわれわれの犯罪を弾劾《だんがい》する冒頭陳述書を読み上げる。検察のあまりできのよくないストーリーを三人ともときおり目をつぶったり、下をうつむいたりして神妙に聞いている。ただひとり私だけが元気で、裁判官や検察官の様子を観察したり、傍聴席に誰が来ているかと確認している。

いまここで突然私が立ち上がり、「茶番だ！」と大きな声で叫んだら、どうなるだろうか。きっと退廷させられるだろう。

極東軍事裁判において、脳梅毒で免訴になった大川周明被告は、初公判にパジャマに下駄履きで出廷し、起訴状朗読中に鼻水をたらしながら合掌し、東条英機元首相の禿《はげ》頭《あたま》を平手で叩き、ウエッブ裁判長が休廷を宣告すると「一場のコメディーだ。みんな引き上げろ」と叫んだという。私も隣の拘置所職員の帽子をとりあげ、奇声を発してみようか。こんなことを考えていると思わず笑いが込み上げてきた。ここは「劇場」以外の何物でもない——。

午後九時になり消灯のチャイムが鳴る。就寝の音楽がかかると囚人は大急ぎで小机を部屋の隅に移動し、布団《ふとん》を敷く。寝床に入ってから私は「なぜ私は逮捕され、ここに閉じこめられ、手錠・捕縄姿で裁判所に引き立てられるようなことになってしまったのか」と自問する。今晩もなかなか寝付けそうにない。

第一章　逮捕前夜

打診

二〇〇二年五月十三日、月曜日、午前十時過ぎ。東京・港区麻布台にある外交史料館で机に向かって、いつものように書類に目を通していると、電話が鳴った。受話器を取ると交換手から少しかん高い声で「本省人事課からです」と告げられた。私は事務的に「つないでください」と応える。

電話の相手は大菅岳史《おおすがたけし》首席事務官だった。外務省では、課長の次のポストを首席事務官という。「大菅だけど、実は、検察庁が君から話を聞きたいと言っているんだけれど行ってもらえな〜い」

えらく話し方がなれなれしい。私は専門職（ノンキャリア）、大菅首席は上級職（キャリア）で職種は異なるが同期入省なので面識はある。だが、私はロシア語、大菅首席はフランス語専攻で、これまで親しく話したことはほとんどない。

後で詳しく述べるが、外務省では、語学別に「スクール」というグループがあり、「スクール」を異にすると親しくなる機会はなかなかない。親しくもない人間がなれなれしく話しかけてくるときには何か意図がある。私はできるだけ素っ気なく対応することにした。

「いったい何の件でしょうか」と私が冷ややかに応《こた》えると、大菅首席はこう言った。

「実は、君以外にも何人もの人が行っているんで、協力して欲しいんだけれど、検察庁が支援委員会関係のことで何か聞きたいことがあるんだってさ。東郷さん（東郷和彦元オランダ大使）も検察庁に行っているんだ」

この話はおかしい。東郷元大使が現在日本にいないことを私は知っている。大菅首席はなぜ嘘《うそ》までついて、私を検察庁に行かせようとしているのだろうか。

私は、「それは任意の話なの、それとも強制なの」と少し挑発的に尋ねた。

「任意だよ」

「任意ならば断る。『検察庁が何か聞きたいことがある』だと。とぼけるのもいいかげんにしろ。こっちは連日新聞記者に囲まれて集団登校状態になっているんだ。テルアビブ国際学会の話だろう。話を作り上げて最後に形だけ聞いて捕まえるという絵は見えている」

大菅首席は弱々しい声で懇願してきた。

「そんなことないよ。この件はまだ煮詰まっていないと思うよ。松尾さん（松尾克俊《かつとし》外務省元要人外国訪問支援室長、内閣官房報償費［機密費］詐欺《さぎ》事件で服役中）のときだって、何週間も事情聴取をしてから事件化した。あのときと較《くら》べてもこの話はまだ端緒段階だと思うよ。だから協力してやってくれないか。協力してくれないならば職務命令を出すことを考えなくてはならなくなるんで、そうなると貴兄《きけい》のためにならないよ」

「じゃあ聞くけど、任意の話をどうして命令で強制できるんだい」

大菅首席は暫《しば》く沈黙し、私の質問には答えず、「それじゃ、検察の連絡先の電話番号を言うからそこに電話して」と言った。

「電話するつもりはない」

私がそうはっきり答えると、大菅首席の声色が恫喝《どうかつ》調に変わった。

「検察庁に行った方が貴兄のためだぞ」

「僕のことを心配してくれてありがとう。自分の身の安全は自分で考える。君は君で職務命令を出したらいいじゃないか。拒否してやるから。僕に懲戒免職をかける腹があるかな、君には？」

今度は大菅首席の声は懇願調に変わる。

「そんなこと言わないでよぉ。お願いだから、あなたの携帯電話の番号を教えてよ。いつでも連絡がとれるように」

「僕の携帯電話は役所から支給されたモノじゃないからな。悪いけど教えられない。公私の区別を厳しくしろとの人事課からのお達しもあるからね」

「どうしたら連絡がつくかい」

「勤務時間中は外交史料館にいるぜ。夜は家にいるさ。ただし、最近は脅迫電話が多いので知らない人からの電話には出ないことも多いけどね。話はそれだけかい。こっちも仕事があるから電話を切らせてもらうぜ」

検察の描く「疑惑」の構図

この電話の後、給湯室でインスタントコーヒーをいれて考えた。

挑発はこれで十分だ。大菅首席からどのような反応があるだろうか。斎木《さいき》昭隆《あきたか》人事課長から説得があるとすれば、おそらく、外務省と検察庁の間でまだ折衝が行われているのだろう。何の反応もなければ……。そのときは逮捕が既定方針になっていると見た方がよい。

結局、その後、人事課からは何の連絡もなかった。

この時点で私がその後の展開に関して、何か明確な見通しをもっていたわけではない。情報は断片的だったたし、何しろ、検察という組織のポリシーやそれに基づく取り調べ、立件などに関してこの時はまだ私自身よく分かってはいなかったのだ。

今振り返ってみると、東京地方検察庁特捜部は、この時点ではすでに国際機関である「支援委員会」絡《がら》みの背任容疑で私を逮捕し、そこから鈴木宗男氏につなげる事件を〝作る〟という絵図を描いていたに違いない。

多くの読者は「支援委員会」などといわれても、ピンと来ないに違いない。この支援委員会という組織について簡単に説明しておくことにする。

一九九一年十二月にソ連は崩壊し、旧ソ連邦構成共和国は全《すべ》て独立した。これら諸国にとって社会主義的計画経済から市場経済に向けての構造転換が最重要の課題になった。支援委員会は、バルト三国を除く旧ソ連邦構成共和国（独立国家共同体［CIS］加盟諸国）十二カ国の改革を支援するために九三年一月に作られた国際機関である。そして、同委員会は二〇〇三年四月十八日に廃止されたのだった。

通常、国際機関は各国から拠出金を募り、国際機関が独自の判断で事業を決定するが、支援委員会に関しては、資金を供与するのは日本政府だけで、しかも日本政府が決定した事業を支援委員会が執行するというきわめて変則的な国際機関だった。モスクワの日本大使と外務本省のロシア支援室長が日本政府代表だが、その他諸国政府の代表は空席であるという状態が続いていた。

支援委員会の活動で特筆すべきは、北方領土関連の業務である。北方四島は日本領なので、厳密に言えばロシアに対する支援ではないが、四島住民への人道支援も支援委員会の重要な任務のひとつとなっていた。

それでは、この支援委員会の活動の何を検察は問題視してきたのだろうか。

彼らが目をつけたのは、外務省が改革促進事業の一環として、二〇〇〇年一月にロシア問題の国際的権威であるゴロデツキー・テルアビブ大学教授夫妻を訪日招待したことを端緒とした有識者の国際的な学術交流だった。更に同年四月には、テルアビブ大学主催国際学会「東と西の間のロシア」に日本の学者等七名と外務省職員六名を派遣した。これら二つの事業が支援委員会設置協定に違反し、総計三千三百万円の損害を支援委員会に与えたので、この事業で主導的役割を果たした私を背任罪として刑事責任を追及するというのが検察の論理だった。

大菅首席の言動から判断すると私の持ち時間は少ない。東郷和彦元大使にも危険が迫っている。奥さんに連絡しておかなければならないと考えた。私は、携帯電話で東郷夫人に連絡をとった。

私は東郷夫人に大菅首席との電話のやりとりを説明し、東郷氏にも危険が迫っているとの見立てを話した。電話の向こうの東郷夫人はかなり動揺しているようだった。

私が「東郷大使とは連絡をとられましたか」と尋ねると、夫人は「さっきも電話で話をしたわ。主人はちょっと神経がまいっちゃっているの。私を怒鳴りつけたりするの」と哀《かな》しそうに言って、こう続けた。

「主人がきのう（〇二年五月十二日）、電話で竹内（行夫《ゆきお》）事務次官と話をしたの。主人が『テルアビブ国際学会への学者派遣について支援委員会設置協定解釈上何の問題もないから、そこははっきりさせてくれ』と言ったら、竹内さんも『外務省もテルアビブ国際学会の件は何の問題もないという立場だ』と断言したのよ。それで、主人が『それを次官の記者会見ではっきり言ってくれ』と言ったら、竹内さんは『そうする』と約束したのよ。だから、佐藤さんも心配しなくていいと思うわ」

この見通しは「甘い」と私は感じた。事態はもっとずっと深刻だった。

「奥様、しかし、これまでに竹内さんはそのような記者会見をしていませんよ。今日発売の『週刊現代』に私が逮捕されるとの前触れ記事も出ています。ラスプーチンつまり私と前島君（前島陽元ロシア支援室総務班長・課長補佐）がテルアビブ国際学会への資金不正支出を巡って背任容疑で逮捕されるとの記事で、検察の目的はこれを東郷さん、鈴木さんにつなげていくというストーリーですが、この記事は検察の思惑を正確に反映していると思います。

僕は入口で、敵のターゲットは東郷さんと鈴木さんなので、とにかく用心することです。東郷さんにこの事件のケリがつかないうちは日本に帰ってきてはならないという私の見立てを伝えてください」

夫人の声が震えてくる。

「逮捕だなんて。そんなおかしな話、ないじゃありませんか。私は東郷が日本に戻ってほんとうのことを話せば検察の人たちもわかってくれると思うのだけど、佐藤さんの言うとおりかもしれない。主人にはきちんと伝えます」

「これは政治事件なので、検察はどんな無理でもします。メディアがこのような状況では、東郷さんがいくらほんとうのことを言っても誰も受け入れないでしょう。国際捜査に踏み切るハラはないでしょうから、海外にいれば安全です。当分の間、日本に戻ってはなりません」と私は強調して電話を切った。

「盟友関係」

ここで読者の理解のために東郷大使、前島補佐、私のプロフィールと相互関係について簡単に説明しておきたい。

東郷和彦氏は一九四五年生まれ、祖父は東郷茂徳《しげのり》元外相、父は外務事務次官、駐米大使を歴任した東郷文彦氏である。外務省サラブレッドの家系に生まれた外交官だ。東京大学教養学部を卒業し、外交官（キャリア）試験に合格し、一九六八年に外務省に入省した。

前島陽氏は六五年生まれ、東京大学法学部を卒業し、同じくキャリア試験に合格し、八八年に外務省に入省した。

私は六〇年生まれ、同志社大学大学院神学研究科を修了し、外務省専門職員（ノンキャリア）試験に合格し、八五年に外務省に入省した。

私たち三人は、九四年から九五年にモスクワの日本大使館に勤務するという共通の経験をもっていた。東郷氏は特命全権公使、私と前島氏は政務担当の二等書記官だった。

モスクワ時代、私と東郷氏は親しい関係にあったが、前島氏とはそれほど親しくなかった。私と東郷氏が酒を酌《く》み交わして話をすることが好きなのに対して、前島氏は体質的に酒を受け付けず、社交活動を好まない「ちょっと気むずかしい青年」という印象を私も東郷氏ももっていた。

九五年四月、七年八カ月のモスクワ勤務を終え東京に戻った私は、外務本省国際情報局分析第一課に配置された。それから二カ月ほどして、前島氏が分析第一課の総務班長に就任した。

モスクワ時代から前島氏はロシア語能力が高く、また事務処理も速く、「要領がいい」という印象を私はもっていた。同時に前島氏の、自分の意見を臆《おく》せずに言うスタイルを煙たく思う上司がいたことも事実である。私は情報収集・分析業務をするなかで、前島班長にはたいへんな勉強家で、学識に裏付けられた優れた洞察力があることに気付いた。キャリア職員であるが出世にばかり目を向けるのではなく、日本の国益が何であるかを洞察し、具体的目標を設定し、機転と根気をもって目標実現を達成する資質を前島氏に認めた。

九六年秋、東郷氏が欧亜局審議官（局長に次ぐポスト）に就き、対露外交の司令塔としての機能を果たすようになった。九七年七月、経済同友会における演説で橋本龍太郎総理が日露関係を「信頼」、「相互利益」、「長期的な視点」の三原則によって飛躍的に改善すべきであるという「東からのユーラシア外交ドクトリン」を提示するが、この三原則は東郷審議官が起案したものだ。

この演説を契機に日露関係は、北方領土交渉を含めて大きく動き出す。この頃、前島氏はロシア支援室総務班長（課長補佐）に異動していたが、北方領土問題を解決し、日露関係を戦略的に転換することが日本の国益に貢献すると確信し、いろいろなアイディアを私と率直に話し合うようになっていた。そして、東郷審議官も前島補佐の能力に着目し、目をかけるようになった。

一言でいうと、九七年以降、東郷審議官、前島補佐、私は同じ対露外交戦略で結びついた盟友関係にあったのである。

張り込み記者との酒盛り

午後五時四十五分、勤務時間が終了し、外に出ると三十人以上の記者が待ちかまえていた。マイク、テレビカメラに囲まれ、帰宅する。記者たちも仕事で来ているのだから仕方がない。日没までに逮捕・家宅捜索の可能性があると思ったが、杞憂《きゆう》に終わった。あたりが暗くなっても、四、五人の記者が玄関前で張り番をしている。上司に言われているのだろうが、若い人たちはたいへんだ。記者の仕事は、私がやっていた情報屋の仕事もそうであるが、取材対象から話を聞けてナンボのものだ。少し点を稼がせてあげたいと思った。

それで、その前の週末から熱心に張り番をしている記者二人に声をかけてアパートから徒歩二分の赤坂一ツ木通りのスターバックスに行った。知らないうちに声をかけなかった記者も何人かついてきていた。

記者たちに向かって私は「取材には一切応じないけど、プライベートにコーヒーを飲むんだったらいいよ」と言った。記者たちがレコーダーで録音し、何人かは小型ビデオカメラで隠し撮りをしているのは織り込み済みだ。現場の記者たちは上司に目に見える成果を報告しなくてはならない事情もあるのだろう。

もっとも、私には私なりの計算があった。この種の事件報道は、検察情報を中心に組み立てられる。この基本構造は、捜査の対象となった人物がいくら説明しても、あがいても変わらない。仮に現場の記者とよい関係を作ったとしても、私にとって都合のよい報道がなされる可能性などほとんどない。しかし、記者たちと険悪な関係になれば、報道が極端に感情的になり、私にとってますます不愉快な事態が生じる。そこで私はいちばんしつこく追いかけてくる記者を大切にすることにした。

不思議なことだが、この記者たちとは親しくなった。私が東京拘置所独房に五百十二日間勾留《こうりゅう》されている間にもしばしば差入れをしてくれ、また、公判でも傍聴席でよく顔を見かけた。今でも親しく付き合い、当時の思い出話をしたり、なぜ、あのような「国策捜査」が行われたのかについて、話し合うこともある。「国策捜査」については、後の章でたっぷりと論じるので、ここでは細かい説明は省かせてもらう。

話を逮捕の前日に戻すと、コーヒーだけでは物足りないので、記者たちと一緒におでん屋に行って酒盛りをした。しかし、家に帰ってから、さすがにその日は、なかなか寝付けなかったのを覚えている。

逮捕の日

翌五月十四日朝七時過ぎ、鈴木宗男衆議院議員から電話がかかってきた。過去数年、私は一日一回は鈴木氏と何らかの形で連絡をとることが習慣となっていたが、鈴木バッシングの高まりとともに外務省関係者が鈴木氏から離れていくのを横目で見ながら、逆に私は鈴木氏に毎日二回、電話をすることにした。

この年の二月から私は鈴木氏に会っていなかった。鈴木氏はいつも忙しくしているので、過去二、三年、よもやま話をする余裕はなかった。しかし、この時期にはじめて電話を通じてお互いにいろいろな昔話や個人的な話をした。

人間には学校の成績とは別に、本質的な頭の良さ、私の造語では「地《じ》アタマ」があるということを私はソ連崩壊前後のモスクワで体験を通じ確信するようになった。鈴木氏は類《たぐ》い希《まれ》な「地アタマ」をもった政治家だった。

ロシア、イスラエル、日本で、私はいろいろな政治家や高級官僚と付き合ってきた。その中で鈴木宗男氏にはひとつの特徴があった。恐らく政治家としては欠陥なのだと思う。しかし、その欠陥が私には魅力だった。

それは、鈴木氏が他人に対する恨みつらみの話をほとんどしないことだ。はじめは私の前でそのような感情を隠しているのだと考えていた。しかし、二人の付き合いがいくら深くなってもその類の話がない。また、政界が「男のやきもち」の世界であることを私はロシアでも日本でも嫌というほど見てきたが、鈴木氏には嫉妬心《しっとしん》が希薄だ。他の政治家の成功を目の当《ま》たりにすると鈴木氏はやきもちをやくのではなく、「俺の力がまだ足りないんだ。もっと努力しないと」と本気で考える。

裏返して言えば、このことは他人がもつ嫉妬心に鈴木氏が鈍感であるということだ。この性格が他の政治家や官僚がもつ嫉妬心や恨みつらみの累積《るいせき》を鈴木氏が感知できなかった最大の理由だと私は考えている。そんなことを鈴木氏に率直に話したのもこの時期だった。

それにしてもこんなに朝早く鈴木氏から電話があるのは珍しい。

「佐藤さん、今朝の毎日新聞を見たかい。一面トップでテルアビブ国際学会の話が出ている。決裁書まで写真に出ている。検察も本気だ」と鈴木氏は切り出した。

毎日新聞を買いに行きたいのだが、玄関の覗《のぞ》き口から外を見ると五十人を超える人々が待機している。取材攻勢でもみくちゃにされるので外に出ることは諦《あきら》めた。

とにかくこの取材攻勢は常軌を逸している。風呂《ふろ》に入るとどうも外に人の気配がする。窓を開けると風呂の外壁の下側に座り込んでいる記者がいたのだ。風呂場の窓には鉄柵《てっさく》がついているのだが、それを壊して私が外に逃げるとでも思っているのだろうか。

鈴木氏と電話で話をしながら、検察は私が玄関を出たところで任意同行を求め、それを拒否したら逮捕し、家宅捜索を行うシナリオなのかとふと思う。

「何があっても取り乱してはならない」と自分に言い聞かせた。

午前八時半に自宅を出る。約五十人がワッと押し寄せてきて、文字通りおしくらまんじゅう状態で身動きがとれない。テレビカメラが頭や腕に当たり、とても痛いのだが無言を通す。

親しい記者から、「絶対に無言を通すこと。顔を隠したり、笑ったりしない。無表情を通す。特にどんなことがあっても腕を振り上げてはならない。腕を高い位置に上げただけで、暴力的行為にでたとの編集がなされる」とのアドバイスを受けたので、それを守る。

過去数日、二、三回、食事をして、親しくなった記者たちが、「これじゃ佐藤さんが通れないじゃないか」と大きな声を出し、交通整理をしてくれる。この記者たちは同業者と揉《も》み合いながら、私がけがをしないように守ってくれた。厚情に胸が熱くなるが、顔には出せない。

勤務先の外交史料館に着くと、柵添いには櫓《やぐら》が立ち、テレビ中継車が何台も止まり、百人を遥《はる》かに超える記者が集まっていた。それに野次馬が加わり、縁日のような雰囲気だ。

それに引き替え、外交史料館の中は異様に静かである。午前中は外務本省からも検察庁からも何の連絡もない。

昼前に知り合いの記者が電話で「時事通信が佐藤優元主任分析官逮捕へというフラッシュを流している」と連絡してきた。正午のNHKニュースでは、昨晩の帰宅途上の姿が映され、「東京地方検察庁特捜部が本格捜査へ」と報じている。さて、そろそろお迎えが来るなと思っていると、鈴木宗男氏から再び電話が入った。

鈴木氏は、「今、野中先生（野中広務《ひろむ》元自民党幹事長）と電話で話したんだが、今日の午後がヤマとのことだ。どんなことがあっても早まったまねをしたらだめだぞ。俺や周囲のことはどうでもいいから、自分のことだけを考えてくれよ。俺のためにあんたがこうなってしまい本当に申し訳なく思っている」と言う。

どうやら私が思い詰めて自殺することを心配しているらしい。

私は、「先生、私はこれでもクリスチャンですから自殺はしませんよ。それよりも以前に鈴木大臣が『俺は騙《だま》すより騙される方がいいと考えているんだ』と言ったのに対し、私は『いいや、騙されてはなりません。他人を騙してでも生き残るのが政治家でしょう』と反論しましたが、今、このギリギリの状況で、私は先生の言うことが正しかったと思っています。私は、『政治家は本気では一人しかつき合えない。テーブルは一本脚でもその脚がしっかりしていればいちばん強いんだ』という話をしましたが、これは今でも正しいと思っています。ただ、鈴木大臣を外務省が日露平和条約交渉に巻き込まなければこんなことにならなかったのに。申し訳なく思っています」と答えた。

黒い「朱肉」

しばらくして、外交史料館長が血相を変えて私の側に来て「検事が来る」と耳打ちした。

まずは弁護士への連絡だ。半蔵門法律事務所の大室征男弁護士に電話をかけて「検事がやってきます。いよいよ逮捕です」と伝えると、大室氏は「私は特捜もこんな無茶はしないと見ていたんですがね。仕方がないですね。今日はもう接見（面会）に行けませんから、明日の朝いちばんで東京拘置所に行きます。今晩は経歴についての簡単な取り調べがあるだけで、本格的な取り調べは明日以降になります。自分は何もやっていないのに不当逮捕されたから黙秘するというのもひとつの選択ですが、公判の現状では黙秘は不利です。特に特捜事案では黙秘しない方がよいと思います。事実関係をきちんと話し、否認することです」というアドバイスをしてくれた。これは実に的確なものだったと後々分かった。

当初、私は政治事件に関しては取り調べ段階では完全黙秘を通した方がよいと考えていたが、もしそのような選択を行ったならば、検察がどのような恐ろしい「物語」を作り上げていたかを想像すると、今でも背筋が寒くなる。

次に鈴木宗男氏に電話をして「検事がやってきます。しばらくお別れです」と告げると、鈴木氏からは「あんたが捕まるとはなあ。すぐに俺も行くことになるだろうから。とにかく身体《からだ》に気をつけて。絶対に無理はしないでくれ」と言われた。

私は冗談半分に「プロトコール（外交儀礼）に従い、鈴木大臣より前にお待ちし、鈴木大臣が出られてから私も小菅《こすげ》を後にすることにします」と言って二人で笑った。事実、その通りになり、私は都合二カ月半、鈴木氏より長く拘置所暮らしをすることになった。

その後、母親、外務省、マスメディア、アカデミズムの友人十数名に「数十分以内に逮捕される。これまでの厚情に感謝する。特捜の対応にもよるが、早ければ二十三日、遅くとも三カ月くらいで出てくるだろう」と連絡した。しかし、この「読み」は大きくはずれ、結局、五百十二日間の独房暮らしとなった。

過去に読んだ本から得た情報で、拘置所ではコーヒーを飲むことができないと思っていたので、給湯室でマグカップにインスタントコーヒーをいれ、それを飲みながら検事様御一行の到来を待った。因《ちな》みに、これは誤った認識だった。東京拘置所ではインスタントコーヒーを購入することができることを、後で知ることになる。

午後二時過ぎに検察官たちがやってきたが、外交史料館長室に籠《こ》もり、館長、副館長と打ち合わせをしている。その間に、もう一杯インスタントコーヒーをいれて飲んだ。

外交史料館長が館長室の扉を開け、「佐藤君、ちょっと来てくれ」と言うので部屋に入ると、五、六名の「お客さん」が待っていた。館長は「こちらにおられるのは東京地方検察庁の検事さんだが、佐藤君に話を聞きたいので検察庁に来て欲しいと言っているんだ」と言う。

私は、「任意ならば行きません」とキッパリとした口調で答えた。

すると、検察事務官が「それは佐藤さん、わがままですよ」と興奮して食ってかかってきた。彼の目は血走っていた。

ソファに座っていた検事がその事務官を制して、「失礼致しました。御挨拶《あいさつ》もせずに。西村と申します」と言って名刺を差し出してきた。

名刺には「東京地方検察庁特別捜査部検事・西村尚芳《ひさよし》」と記されていた。

私も名刺を出した。検察事務官にも私は名刺を渡そうとしたが、「あなたは有名だから結構です」と言って名刺を受け取らなかった。そして、ポケットから紙を少しだけ見せ「逮捕状も用意しているんだ」と言い放った。きっと、殺し文句のつもりなのだろう。

検事と事務官は態度を両極端にすることで、役割分担をしているのだろうか。どうも、そうでもなさそうだということが、だんだん分かってきた。

この事務官は経験不足なのか、自己陶酔癖があるのか、仕事に酔って興奮しているだけだ。こういう手合いはたいしたことはない。過去の経験則から、私は利害が激しく対立するときに相手とソフトに話ができる人物は手強《てごわ》いとの印象をもっている。その意味で、この検事の方は相当手強そうだ——。

私の印象が間違っていなかったことは、その後の取り調べで明らかになる。

しばらくやりとりが続いた後に西村検事は、外交史料館長と私の顔を交互にながめながら、「意思は固そうで、任意同行には応じていただけないようですね。それでは逮捕ということになりますが、どこでしましょうか」と問うてきた。

館長は黙っている。検察事務官たちが敵意をもったまなざしで私をにらんでいた。

私が「通常に業務を遂行しているのに捕まるわけですから、執務室の机で捕まえてもらうのが筋でしょう」と答えると、例の目の血走った事務官が何か言いそうになったので、西村検事がそれを遮って、「それだといろいろな人が見ているので、人権上よくないですね。どこかいい場所はないですかね」と言った。

「いまさら僕の人権には配慮しなくてもよいですよ。検察庁はこれまでリークで十分人権侵害をしてくれましたからね。皆さんの見せ場を作るためにプレスの人たちもたくさん来ているので中庭で逮捕したら絵になるんじゃないですか」と私は提案した。

これに対して西村検事は、「いやいや、できるだけ被疑者の人権に配慮するのがうちの流儀なんで、手錠なんかかけた姿がマスコミに見られないように気を遣うんです。そうだ、手錠はかけないで行きましょう」と言うので、私は「そんなに気を遣わないでいいですよ」と答えた。

それでも「どこか会議室はありませんか。そこまで任意で移動して頂いて、そこで逮捕するということでよいですか」と提案してきたので、私は「任意」で三階会議室に移動し、そこで逮捕状の執行を受けた。

検察官によって逮捕状が読み上げられた。

逮捕時の様子は「弁解録取書」という書面にまとめられることになっている。そこには、逮捕された直後に被疑者が「その通りです」とか「事実無根です」とか一言述べた内容が記されるのだが、もちろん否認するにしても、どんな風に答えようかと文案を考えていると、西村検事が、「弁録では、『いま検察官が読み上げた容疑については身に覚えがありません』ということでどうですか」と尋ねてきた。

私が「それでいいです」と答えると、今度は目の血走った検察事務官ではなく、温厚な顔つきをした若い検察事務官が書類を作成し、署名、押印《おういん》を求めてきた。私が鞄《かばん》から三文判を取り出そうとすると、事務官が「佐藤さん、申し訳ないんですけれど、今の瞬間から逮捕されたことになっているので、印鑑は使えないんです。左手人差し指で指印を押してください」と言って黒色の「朱肉」を目の前に出した。

これがその後五百十二日間に恐らく二千回以上押したであろう指印の初体験であった。

外交史料館を出た検察庁のワゴン車は一旦《いったん》東京地検特捜部に立ち寄り、西村検事の執務室で冷たいお茶を一杯ごちそうになった後、所持品の押収手続きを取り、ネクタイ、サスペンダーを取り上げられ東京拘置所に向かうことになった。

今度は検察事務官が私に手錠をかけるというので、両手を差し出すと「検察庁の手錠は片手錠ですので利《き》き手を出してください」と言われた。私が右手を出すと検察事務官は、私の右手と自分の左手をつないだ。いよいよ犯罪者らしくなってきた。

東京地検から小菅の東京拘置所までの道中、検察官が御機嫌伺い兼性格調査の目的で私に話しかけてきたのだが、これは、心理的敵対感を除去し、協力者を獲得する際の諜《ちょう》報《ほう》機関員の手法に似ている。こういうときは、こちらも相手と話をして性格分析をすることが常道だ。

検察官が、「あなたがなかなか来て下さらないので、こちらからお迎えにあがりました」と言うと、私は、「それはお手数をおかけしました。テルアビブ国際学会について真実を知りたいならば、もっと早い段階に呼んでいただければ、喜んで参上申し上げたのですが。ジグソーパズルを周囲から作っていき、最後に真っ黒い穴を残し、『ここに入りなさい』という検察のやり方にはなかなかついていけないもので……」と答えた。

検察官はニコニコ笑いながら、「まあ、そうおっしゃらずに。あまり早くお呼び立てすると、失礼になると思っていただけです。長いお付き合いになるから、お互いによく話をして、折り合いをつけましょう」と言った。

こうして、夕刻、小菅の東京拘置所に着く。このときから、外界とは全く異なる五百十二日間の生活が始まったのである。

第二章　田中眞紀子《まきこ》と鈴木宗男の闘い

「小泉内閣生みの母」

「自民党をぶっ壊す」――。

そんなスローガンを掲げて小泉純一郎内閣が誕生したのは、二〇〇一年四月二十六日のことだった。発足時の支持率は八〇パーセントを超え、森前内閣の不人気で崩壊の危機に瀕《ひん》していているとすら言われた自民党は、小泉総理の言葉とは裏腹に奇跡的な復活を果たしたのだった。

小《お》渕《ぶち》恵三《けいぞう》総理の緊急入院を受けて、自民党の実力者五人の指名により後継総裁となった森喜朗《よしろう》氏だったが、密室で誕生したと批判された森内閣は低支持率に苦しみ、わずか一年で崩壊。同時に自民党自体も危機的な状況に陥ってしまう。

進退窮まった自民党執行部が目をつけたのが、政界では「変人」といわれた小泉氏だった。少なくとも当時は妥協を許さないといわれた小泉氏の政治姿勢は、多くの国民から強い支持を受けた。そして、この時「小泉内閣生みの母」の役目を果たしたのが、田中眞紀子女史だった。

従来の永田町政治のメインストリームからは〝異邦人〟だと見られており、それゆえ人気も高かった小泉・田中の二人が手を組んで登場してきたことで、国民的な熱狂は一大ブームとまでなる。それは、一九九三年に日本新党ブームを巻き起こし、自民党を政権与党から引きずり下ろした細川護熙《もりひろ》内閣誕生の再現を見ているかのようだった。異常な興奮は田中眞紀子女史が小泉新政権において外務大臣という重要閣僚のポストに就いたことで、最高潮に達する——。

それから、約四年を経た今日。小泉首相と田中女史とのコンビは早々に解消され、田中女史の姿は政権内どころか、自民党にすらない。そして、支持率維持を〝最優先課題〟にして場当たり的な印象の強い政治を行ってきた小泉首相の人気にも、いよいよ本格的にかげりが見え始めてきている。

「構造改革なくして景気回復なし」——。

就任当時、小泉首相が何度となく繰り返したこのスローガンを今思い返すと、多くの人々は空々しい気分になるかもしれない。「改革などほとんど実現しなかったではないか」、「小泉政権の公約は空約束のオンパレードだ」という声も聞こえてくる。

確かにそれはその通りだ。小泉首相が改革の俎上《そじょう》にあげた個別の組織や制度に関しては中途半端《はんぱ》な点が目立つのも事実である。

しかし、日本という国の根本的な方針が、小泉政権の登場前と後では大きく変貌《へんぼう》を遂げたというのが、私の分析である。歴史を振り返った時、あの時がターニングポイントとなったという瞬間がある。「小泉内閣の誕生」は、日本にとってまさにそんな瞬間だったのではないだろうか。

それではいったい、何がどう変わったのだろうか。

外務省に話を移そう。小泉政権がスタートしたとき、自民党同様に外務省もまた、未曾有《みぞう》の危機に瀕していた。年明け早々に松尾克俊元要人外国訪問支援室長の内閣官房報償費（機密費）詐取事件が明るみに出たのをきっかけに、「組織ぐるみ」の機密費流用や首相官邸への機密費「上納」などの疑惑は芋づる式に広がった。こうした「腐敗」は世論の猛烈な怒りを買った。

一方、この時期、本業である外交活動でも停滞が目立っていた。特に森前総理とプーチン大統領の間で行われた日露首脳会談について、北方領土問題の解決を遠ざけたのではないかという批判が強まった。二〇〇〇年までに日本とロシア間で平和条約を締結するという外交目標があったのに、結局はその具体的な道筋をつけることができなかったからである。

そんな状況に置かれた外務省に、世論の圧倒的な後押しを受けて、意気揚々と乗り込んできたのが田中眞紀子女史だったというわけだ。

二〇〇一年四月。外務大臣に就任した田中女史は、自民党守旧派の幹部として、また、外交族として同省に影響力を持っていた鈴木宗男氏と鋭く対立。二人は「天敵」同士として泥仕合を繰り広げ、外務省を大混乱に陥《おとしい》れた——。

田中女史が外相のポストにあった約九カ月の間、新聞、テレビや週刊誌など多くのマスコミは基本的にこの構図で二人の関係を取り上げた。しかし、実態はそう単純なものではなかった。そこには外務省内部の権力闘争、「知りすぎた」政治家を排除したいという外務省の思惑、自民党内の内部抗争、また、支持率維持を最優先とする官邸の思惑など、さまざまな要素が複雑に絡《から》み合っていたのである。

当初、鈴木氏は田中女史と対決する気持ちを全くもっていなかった。

実は、後に「宗男対眞紀子の対決」としてマスコミが取り上げた抗争の始まりは、最初の段階では外務省内のひとつの部署のゴタゴタに過ぎなかったと言えるだろう。

四月二十六日深夜、田中眞紀子女史が外相就任会見を行った後、私と東郷和彦欧州局長は、鈴木宗男氏を訪ね、ざっくばらんに話をした。因《ちな》みに外務省では〇一年一月六日に機構再編が行われ、オーストラリアやニューギニアなどの太平洋州諸国が欧亜局からアジア局に移管され、名称もそれぞれ欧州局、アジア大洋州局に変更された。

田中女史は記者会見で、今後の日露関係について「一九七三年の田中（角栄）・ブレジネフ会談が原点だ。（中略）当時は四島一括返還でということだったが、途中で二島を先行して返還してもらうのがいいのではと方向転換している。もう一度原点に立ち返り、しっかり検討したい」と述べたのだが、そのことは、既に日露外交専門家の間では日本政府の外交方針転換に繫《つな》がると大きな波紋を呼んでいた。深夜であるにもかかわらず、在京ロシア大使館幹部からも私のところに「田中外相の真意をどのように理解すればよいのか」と照会の電話があった。

鈴木氏は「東郷さん、田中大臣は事情をよくわからないで、田中角栄に対する強い思い入れであのような発言をしているのだから、あんた、事情を丁寧に説明してやってくれ」と言った。東郷局長は、「私は以前から田中大臣とは面識があるので、私が説明すればきっと理解してくれるでしょう」と楽観的だった。しかし、後になって考えると東郷氏の「説明」が田中眞紀子女史の鈴木宗男氏、東郷和彦局長、私に対する心証を悪化させる端緒になった。

深夜、東郷局長は説明用の書類を作り、翌日、外務大臣室を訪れ、田中眞紀子女史に日露関係について説明した。東郷氏は話術が巧みで、特に政治家に対して複雑な外交案件をわかりやすく説明する才能がある。ただし、気分が高揚すると声が大きくなり、時に机を叩《たた》いたりして熱を込めて説明することがある。このときはそれが裏目に出た。この説明の直後、東郷氏から私のところに電話がかかってきて、「田中大臣は忙しく、今日は十分時間をとることができなかったので、二、三日中にもう一度時間を作ってもらう」と言っていたが、結局、東郷氏が北方領土問題について田中女史に説明する機会はその後永遠にやってこなかった。

その数日後、私は外務省幹部に呼ばれた。この幹部は、ロシア専門家ではないが、戦略的思考に優れているのみならず、口が堅く、腹も据わっているので、私も気を許して、日露関係や情報の世界の話だけでなく、日本の国内政局動向についても見立てを率直に言うような関係だった。

「東郷の大臣への説明はまずかったな。田中大臣は東郷に恫喝《どうかつ》されたと言いふらしているよ。それから、誰が吹き込んだのかわからないが、田中さんは君のことを『ラスプーチン』と呼んでいて、『ラスプーチンを早く異動させろ』と言うんだ。田中さんは『世の中には、家族、使用人と敵しかいない』と公言しているんだけど、君や東郷に対する目つきは敵に対する目つきだ」

私は「仕方ありませんね。現代心理学でもある人が何かを考えることを外部から禁止できないというのが基礎理論ですから、田中さんがそう思っているならば、私はいつでも異動しますよ」と答えると、その幹部は、こう言った。

「まあ、そう言うなよ。君にしたって俺にしたってお国のために仕事をしているんだからな。大臣の使用人じゃないよ。とにかく田中さんは自分のお父ちゃん（田中角栄）は偉い。だから、日露関係でも田中・ブレジネフ会談が原点なんだ。それから自分のお父ちゃんを裏切った経世会（橋本派）は許せないという、この二つの想《おも》いで動いている。鈴木（宗男）さんは、橋本派だし、どうも田中・ブレジネフ会談と違う流れを作ったので、絶対にやっつけてやるという気持ちになっている。まあ、うまく逃げ切ることだ。

君が婆《ばあ》さん（田中眞紀子女史）の言うなりになったら、日本の国のためにならないよ」

日露関係の経緯

小難しい話になって恐縮だが、ここで少し日露関係の経緯について説明しておきたい。一九四五年八月、ソ連は当時有効だった日ソ中立条約を侵犯して、日本に戦争を仕掛けてきた。ポツダム宣言を受け入れ、日本は無条件降伏をしたが、法的には平和条約が締結されてはじめて戦争が終わる。平和条約には、戦争状態が終わり、外交関係が再開されることと、領土・国境問題がある場合には、その解決について記されるのが通例である。アメリカ、イギリスなどほとんどの国とは五一年のサンフランシスコ平和条約で戦争状態は終結した。ロシア（ソ連）との間には、未《いま》だ平和条約が締結されていない。五六年の日ソ共同宣言で、両国間の戦争状態は終結し、外交関係が再開された。しかし、領土問題が解決されないので平和条約は締結されなかったのである。その後、ロシアに対して歯舞《はぼまい》群島、色丹《しこたん》島、国後《くなしり》島、択捉《えとろふ》島の北方四島が日本領であることを確認して平和条約を締結することが日本の国家目標となった。

北方領土問題の絡みで重要な文書は三つある。第一は、今述べた五六年の日ソ共同宣言（鳩山《はとやま》一郎首相、ブルガーニン首相らが署名）で、ソ連は平和条約締結後に歯舞群島と色丹島を日本に引き渡すことを約束している。しかし、六〇年にソ連政府は、日本から《ほ》の全外国軍隊（具体的には米軍）撤退という追加条件を付け、この約束を一方的に反故《ご》にしてしまった。共同宣言という名前ではあるが、これは両国国会で批准《ひじゅん》された国際条約で、法的拘束力をもつ。

第二は、九三年の東京宣言（細川護煕首相、エリツィン大統領が署名）で、北方四島の名前を列挙し、四島の帰属の問題を解決して、平和条約を締結すると約束している。

第三は、二〇〇一年のイルクーツク声明（森喜朗首相、プーチン大統領が署名）で、五六年の日ソ共同宣言を「平和条約締結に関する交渉プロセスの出発点を設定した基本的な法的文書であることを確認」し、同時に東京宣言の内容も確認している。

イルクーツク声明は、戦後の北方領土交渉の成果を最大限に盛り込んだ、日本にとって最も有利な外交文書である。ただし、東京宣言とイルクーツク声明は、重要な政治的合意ではあるが、法的拘束力はもたない。

七三年の田中・ブレジネフ会談では、日ソ共同声明が発表され（同年十月十日）、そこには「双方は、第二次大戦の時からの未解決の諸問題を解決して平和条約を締結することが、両国間の真の善隣友好関係の解決に寄与することを認識し、平和条約の内容に関する問題について交渉した」と記されている。

日本側の理解では、「未解決の諸問題」は北方四島問題のことであり、田中角栄がブレジネフ書記長に「未解決の諸問題には北方四島問題が含まれるか」と質《ただ》したところ、ブレジネフは「ヤー・ズナーユ（私は知っている）」と答え、更に田中氏が念押ししたところ、ブレジネフは「ダー（そうだ）」と述べたという。ところがソ連側はブレジネフはそのような確認はしていないという。私自身が聞いた話だが、この時ソ連側通訳をつとめたチジョフ氏（後の駐日大使）は、ある懇談の席で「ブレジネフは領土問題に関して田中角栄があまりに激しい剣幕なので、驚いてウオー、ウオーとうなっただけで、確認などしていない」と述べていた。

もちろん私は日本側の言うことが歴史的事実だと思う。しかし、外交の世界では、双方が合意した上で文書にきちんと記録したこと以外は「言った、言わない」の水掛け論になった場合、それを解決することは不可能である。田中・ブレジネフ会談以降、日ソ（露）関係は冷え込み、十八年後のゴルバチョフ大統領の訪日まで首脳会談は実現しなかった。外相レベルの平和条約交渉ですら十年以上も中断してしまうのである。

いずれにせよ、田中・ブレジネフ会談は冷戦時代の象徴であり、田中女史がこの会談を今後の日露関係の基礎にすると述べたことをロシア側が小泉新政権の対露外交政策の根本的変化と受け止めたことにはそれなりの根拠がある。

外務省、冷戦後の潮流

ここで、外務省の基本的な外交スタンスとその組織の実態についても言及しておくこ

日露関係年表

1855年2月	伊豆下田で日露通好条約締結
1875年5月	樺太千島交換条約締結
1904年2月	日露戦争始まる
1905年9月	ポーツマス条約締結、日露戦争終結
1917年11月	ロシア革命で帝政ロシア崩壊、ソビエト政権誕生
1941年4月	日ソ中立条約締結
1945年8月	ソ連、日ソ中立条約を侵犯し日本に宣戦布告、終戦
9月	日本、降伏文書に調印
1951年9月	日本、サンフランシスコ平和条約に調印
1956年10月	鳩山一郎首相公式訪ソ、フルシチョフ第一書記、ブルガーニン首相と会談。日ソ共同宣言に署名、日ソ国交回復
1973年10月	田中角栄首相公式訪ソ、ブレジネフ書記長と会談。日ソ共同声明発表
1976年9月	ミグ25函館空港に着陸、ベレンコ中尉亡命事件発生
1991年4月	ゴルバチョフ・ソ連大統領公式来日、海部俊樹首相と会談。日ソ共同声明に署名
12月	ソ連消滅
1993年10月	エリツィン・ロシア大統領公式来日、細川護熙首相と会談。東京宣言に署名
1997年11月	橋本龍太郎首相、クラスノヤルスク（西シベリア）を非公式訪問、エリツィン大統領と会談。「東京宣言に基づき、2000年までに平和条約を締結するよう全力を尽くす」ことで合意（クラスノヤルスク合意）
1998年4月	エリツィン大統領、静岡県伊東市川奈を非公式訪問、橋本首相と会談。「川奈提案」を出す
11月	小渕恵三首相、モスクワを公式訪問、エリツィン大統領と会談。モスクワ宣言に署名
1999年12月	エリツィン大統領辞任
2000年3月	プーチン氏大統領に当選
4月	森喜朗首相、サンクトペテルブルグを非公式訪問、プーチン大統領と会談
7月	プーチン大統領、沖縄サミットに出席、森首相と会談
9月	プーチン大統領公式来日、森首相と会談。日露首脳声明に署名
2001年3月	森首相、イルクーツク（東シベリア）を訪問し、プーチン大統領と会談。イルクーツク声明に署名
2003年1月	小泉純一郎首相、モスクワを公式訪問、プーチン大統領と会談。日露行動計画に合意

とにする。

一般に日本外交は対米追従で、外務省には親米派しかいないという論評がなされる。この論評は、半分はずれていて、半分あたっている。日本外交は常にアメリカに追従しているわけではない。捕鯨問題、軍縮問題、地球温暖化問題など重要問題で日本がアメリカの方針に従わないことも多い。しかし、私を含め、外務省員は全員親米派である。ただし、親米の中味については、日本はアメリカと価値観を共有するので常に共に進むべきであるという「イデオロギー的な親米主義」と、アングロサクソン（英米）は戦争に強いので、強い者とは喧嘩《けんか》してはならないという「現実主義」では、「親米」という結論は同じだとしても、その論理構成は大きく異なる。ここで強調しておきたいのは、外交の世界において、論理構成は、その結論と同じくらい重要性をもつということだ。

東西冷戦期には、「資本主義対社会主義」、「自由主義対共産主義」、「民主主義対全体主義」などの対立項が立てられたが、実はその呼び方は本質的問題ではない。要するに「われわれ（日本、アメリカ、西欧）」は正しく「奴《やつ》ら（ソ連、東欧、中国）」は絶対に間違っているという二項対立の図式が現実性をもっていたということ、それがすなわち冷戦構造の本質だったといっても過言ではない。

従って、共産主義と対抗する上でのイデオロギー的な親米は、現実主義の観点からも日本の国益に適《かな》っていた。しかし、一九九一年十二月にソ連が崩壊し、新生ロシアは自由、民主主義、市場経済という西側と価値観を共有する国家に転換したので、反共イデオロギーに基づく親米路線はその存立基盤を失った。

こうした冷戦構造の崩壊を受けて、外務省内部でも、日米同盟を基調とする中で、三つの異なった潮流が形成されてくる。そして、この変化は外部からは極めて見えにくい形で進行した。

第一の潮流は、冷戦がアメリカの勝利により終結したことにより、今後、長期間にわたってアメリカの一人勝ちの時代が続くので、日本はこれまで以上にアメリカとの同盟関係を強化しようという考え方である。

具体的には、沖縄の米軍基地移転問題をうまく解決し、日本が集団的自衛権を行使することを明言し、アメリカの軍事行動に直接参加できる道筋をきちんと組み立てれば、日本の安全と繁栄は今後長期にわたって保証されるという考え方である。この考え方に立つと日本は中国やロシアと余計な外交ゲームをすべきではないということになる。これを狭義の意味での「親米主義」と名づけておく。

第二の潮流は、「アジア主義」である。冷戦終結後、国際政治において深刻なイデオロギー上の対立がなくなり、アメリカを中心とする自由民主主義陣営が勝利したことにより、かえって日米欧各国の国家エゴイズムが剝《む》き出しになる。世界は不安定になるので、日本は歴史的、地理的にアジア国家であるということをもう一度見直し、中国と安定した関係を構築することに国家戦略の比重を移し、その上でアジアにおいて安定した地位を得ようとする考え方である。一九七〇年代後半には、中国語を専門とする外交官を中心に外務省内部でこの考え方の核ができあがり、冷戦終結後、影響力を拡大した。

第三の潮流は「地政学論」である。「地政学主義」とせず「地政学論」としたのは、この考えに立つ人々は、特定のイデオロギー（イズム＝主義）に立つ外交を否定する傾向が強いからである。その基本的な主張は次のようなものだった。

東西冷戦期には、共産主義に対抗する反共主義で西側陣営が結束することが個別国家の利益に適っていたので、「イデオロギー外交」と「現実主義外交」の間に大きな開きはなかったが、共産主義というイデオロギーがなくなった以上、対抗イデオロギーである反共主義も有効性を喪失したと考える。その場合、日本がアジア・太平洋地域に位置するという地政学的意味が重要となる。つまり、日本、アメリカ、中国、ロシアの四大国によるパワーゲームの時代が始まったのであり、この中で、最も距離のある日本とロシアの関係を近づけることが、日本にとってもロシアにとっても、そして地域全体にとってもプラスになる、という考え方である。

この「地政学論」の担《にな》い手となったのは、冷戦時代、「日米軍事同盟を揺るぎなき核として反ソ・反共政策を貫くべきだ」という「対ソ強硬論」を主張したロシア語を専門とする外交官の一部だった。さらに、彼らは日本にとっての将来的脅威は、政治・経済・軍事面で影響力を急速に拡大しつつある中国で、今の段階で中国を抑え込む「ゲームのルール」を日米露三国で巧みに作っておく必要があると考えたのである。「地政学論者」の数は少なかったが、橋本龍太郎政権以降、小渕恵三、森喜朗までの三つの政権において、「地政学論」とそれに基づく日露関係改善が重視されたために、この潮流に属する人々の発言力が強まった。

同時に、これら三つの異なった潮流とそもそも外務省内部にあった派閥抗争が絡み合う形で、省内抗争は外部の人脈を巻き込みながらより複雑なものへと変貌《へんぼう》していった。

「スクール」と「マフィア」

外務省には、東大閥、京大閥、慶應閥といったいわゆる学閥は存在しない。代わりに、外務省用語では「スクール」と呼ばれる、研修語学別の派閥が存在する。それらは、「アメリカスクール（英米派）」、「チャイナスクール（中国派）」、「ジャーマンスクール（ドイツ派）」、「ロシアスクール（ロシア派）」などに大別される。

さらに、外務省に入ってからの業務により、法律畑を歩むことの多かった人々は「条約局マフィア」、経済協力に関しては「経協マフィア」、会計部門の専門家は「会計マフィア」というような派閥が存在する。また、近年は主要国首脳会議（サミット）のロジ（宿舎、通信、車回しなどの裏方作業）を担当する「サミットマフィア」というグループも頭角を現してきていた。

人事はもっぱら「スクール」や「マフィア」内で行われ、情報もなるべく部外へは漏らさないことで、省内にはいくつもの閉鎖した小社会が形成されることになった。これがよい方向に出れば、専門家集団としての活力を十二分に生かすことができるし、悪い方向に出れば、不正の温床になってしまう。

二〇〇一年に露見した内閣官房報償費（機密費）詐取《さしゅ》事件やタクシー券詐取事件は「サミットマフィア」の体質を解明することなくして理解できない。同様に、鈴木宗男氏を巡る外務省疑惑は、「ロシアスクール」の体質を解明することなくして理解できない。

外務省の場合、対露政策については、欧州局長の指揮下、ロシア課長が具体的戦略を策定し、それが通常日本の外交政策となる。欧州局長なりロシア課長が「ロシアスクール」の有力者で占められているときは特に問題は生じない。しかし、人事の巡り合わせから局長、課長がロシア専門家ではない、あるいは「ロシアスクール」に属していても能力的に劣る人物の場合には、実質的な意思決定が「ロシアスクール」の親分格の人々によってなされることになる。この親分格にあたるのが丹波實《たんばみのる》氏（外務審議官、駐露大使を歴任）であり東郷和彦氏（欧州局長、駐オランダ大使を歴任）だった。

人事についても、公《おおやけ》には人事課に決定権があるのだが、ロシア関係者、中国関係者や会計関係者については、「ロシアスクール」、「チャイナスクール」、「会計マフィア」ががっちりと握っている。組織内部に異なる潮流が存在するのはよくある現象であり、これが組織を活性化する基盤となることも少なくない。そして、同じ考えをもつ人同士がグループ、つまり派閥を作るというのもごく自然な現象である。

派閥があれば必ず抗争が生じ、それはまた必然的に人事と結びつく。しかし、派閥の存在が肥大化すると、往々にして抗争自体が自己目的化しはじめることになる。そうした動きを組織が抑えきれず、組織の目的追求に支障を来《きた》すようになった時、組織自体の存亡にかかわる危機となるのである。

外務省の場合、田中眞紀子外相の登場により、組織が弱体化したことで、それがこれまで潜在していた省内対立を顕在化させることになり、機能不全を起こした組織全体が危機的な状況へと陥った。その際、外務省は、そもそも危機の元凶となった田中眞紀子女史を放逐するために鈴木宗男氏の政治的影響力を最大限に活用した。そして、田中女史が放逐された後は、「用済み」となった鈴木氏を整理した。この過程で鈴木宗男氏と親しかった私も整理された――。

こう見ていくと、実にわかりやすい構図だと言えよう。

「ロシアスクール」内紛の構図

さて、話を元に戻そう。一部の外務省関係者が「佐藤優は、鈴木宗男の意向を受けて外務省を陰で操るラスプーチンだ。組織を健全化させるためには、早く佐藤を追放しなくてはならない」という話を新聞や週刊誌の記者に流しているということは私の耳にも入っていた。既に数種類の怪文書も出回っており、その中には、外務省の「ロシアスクール」関係者しか知らない内容も含まれていたので、この時、田中女史に働きかけて私を追放しようと画策する人々の中心になっていたのが小寺次郎《こでらじろう》前ロシア課長だということは、すぐに分かった。

私は、外務省関係者とは、仕事を離れてはそれ程深い付き合いをしないようにしていた。仕事に絡《から》むことならばいくらでも社交的になるが、もともと人見知りが激しく、本当に気を許すことのできる人以外とは食事や酒を共にしたくないのである。

小寺氏とはモスクワで一緒に仕事をしたことがあった。特に親しくもなかったが、敵対していたわけでもない。小寺氏がロシア課長に就任する前に一度、二人で食事をしたし、課長に就任した後も外務省内の喫茶店で何度も密談をするなど、それなりの関係は維持できていた。それが崩れ、小寺課長と私、そして東郷局長の関係が決定的に悪化したのは二〇〇〇年秋からである。

九七年十一月、橋本龍太郎首相とエリツィン大統領がシベリアのクラスノヤルスクで会って「東京宣言に基づき、二〇〇〇年までに平和条約を締結するよう全力を尽くす」と合意した。東京宣言では、北方四島の帰属問題を解決するということが明記されている。つまり、クラスノヤルスクの合意とは、二〇〇〇年までに北方領土問題を解決するために全力を尽くすという約束を日露両首脳が取り交わしたことに他ならない。そして、九八年四月、静岡県伊東市川奈で橋本首相はエリツィン大統領に対して、北方領土問題を基本的に解決し、平和条約締結が可能になる大胆な秘密提案を行った（「川奈提案」）。

しかし、その後、二〇〇〇年夏時点で、両国の首脳も替わり、年末までに北方領土問題を解決することは非現実的な状況になっていた。プーチン大統領が九月に訪日することが予定されていたが、その際にプーチンが「川奈提案」を正式に拒否することになるという感触を日本側はつかんでいた。

日露関係の停滞を招いてはならないと考えた両国の政治家、外交官は水面下で様々な接触を行った。そして、東郷和彦欧亜局長は、一九五六年日ソ共同宣言に注目して、北方領土問題を「川奈提案」とは別の切り口で解決する道を真剣に探究した。私は東郷氏の腹案について、かなり早い時期、二〇〇〇年の初夏に相談を受けた。その腹案に対して私なりの意見を述べた。そのことについてはまだ読者に紹介するタイミングではないと私は考えている。なぜなら、東郷氏の腹案は、私が見るところ、今もプーチン大統領と嚙《か》み合う形で北方四島問題の解決を図ることのできる実効性をもった戦略だからだ。従って、その手の内を明かすことはできない。ただし、外交秘密に触れない範囲で東郷氏の腹案の大枠について読者に説明することは可能だ。小難しい話になるがお許し願いたい。

巷《ちまた》では東郷氏の考え方は「二島返還論」もしくは「二島先行返還論」で、日本政府の方針から外れているとの批判がなされたが、これらは為《ため》にする批判で、ピントがずれている。一九五六年日ソ共同宣言第九項では、「ソ連邦は、日本国の要望にこたえかつ日本国の利益を考慮して、歯舞群島及び色丹島を日本国に引き渡すことに同意する。ただし、これらの諸島は、日本国とソ連邦との間の平和条約が締結された後に現実に引き渡されるものとする」と規定されている。

前にも述べたが、日ソ共同宣言は、「宣言」という名前だが、両国の国会で批准《ひじゅん》された法的拘束力をもつ国際条約だ。それにもかかわらず、ブレジネフ書記長、ゴルバチョフ大統領は、ソ連が歯舞群島、色丹島を日本に引き渡す義務を負っていることについては頬被《ほおかむ》りをしていた。

エリツィン大統領も五六年日ソ共同宣言の有効性について間接的には認めたが、歯舞群島、色丹島の引き渡し問題には踏み込まなかった。五六年以降、日本政府の立場は四島に対する日本の主権（もしくは潜在主権）を確認することで日露（ソ）平和条約を締結するということで一貫している。平和条約が締結されれば、北方四島の内、歯舞群島、色丹島の二島が日本に引き渡されることについては既にロシア（ソ連）との間で合意している。

従って、日本の立場からすると国後島、択捉島が日本領であるということを確認することが平和条約交渉の要点なのである。日本はまず五六年宣言の二島引き渡しをロシア（ソ連）に認めさせ、その上で国後島、択捉島の日本の主権を認めさせるというのが日本政府の冷戦時代からの伝統的戦略だった。いわば江戸から東海道を通って京都に行こうとするアプローチだ。

しかし、五六年日ソ共同宣言の二島引き渡しという「川」をどうしても渡ることができなかった。九一年四月のゴルバチョフ大統領訪日に関する新聞記事を見れば、五六年日ソ共同宣言を確認できなかったことが関係者に大きなショックを与えたことがわかる。東海道をいくら進んでも大井川を越えることができないので、日本政府は今度は中仙道から京都に行くことを考えた。これが「川奈提案」だ。

四島一括という立場でぎりぎりの譲歩をしたのが「川奈提案」だった。「川奈提案」の内容は今でも秘密にされているので、踏み込んだ説明はできないが、プーチン政権の誕生で、中仙道よりも東海道で京都に行き着く可能性が高まったと東郷氏は考えた。その後、ロシア側の予測される反応について種々の情報を収集した上で、私も東郷氏の考えを心底支持するようになった。東郷氏が「二島返還」で平和条約を締結することを考えたことは一度もない。東郷氏が「二島先行返還」すなわち、歯舞群島、色丹島を先に返還し、国後島、択捉島の帰属が決まらなくても平和条約を締結することができるなどと考えたこともない。歯舞群島と色丹島についてはロシアから日本への引き渡しについて合意しているのだから、「返還の具体的条件」について話し合い、国後島、択捉島については帰属について交渉するという「二+二方式」が日露平和条約交渉を加速する現実的方策と東郷氏は考えたのである。

東郷氏の腹案が、日本政府のこれまでの方針の枠内で構築されたものであることを、私は自らの良心に賭《と》して保証する。当時、小寺課長を含め、外務省関係者は誰ひとりとして東郷局長のこの考え方に異議を唱えなかった。

二〇〇〇年九月のプーチン大統領訪日直前に、大統領訪日時に合意しようとしていた重要文書の日本案が朝日新聞に漏れてしまった。これに対して森喜朗首相が激怒。外務省では東郷氏が中心となりかなり本気で「犯人探し」をしたが、漏洩《ろうえい》者を最終的に特定することはできなかった。

プーチン訪日後、東郷局長は、ロシア課では機微な情報工作を行うことは無理だと判断し、当時私がチームリーダーをつとめ、国際情報局分析第一課内に設けられていた「ロシア情報収集・分析チーム」に対して、いくつかの特命案件の処理を命じた。

この「チーム」は、小渕政権下の九八年夏に官邸からの特命を受けて活動を始め、九九年四月に省内決裁を得て正式に発足したのだった。二〇〇〇年までという期限を設けて日露平和条約の締結を目指すという特殊な事情を背景に、国際情報局長と欧亜局長の指揮・監督の下で、外に見えない形で、機動的に任務を果たすことを求められた。こうした官邸主導の対ロシア外交を政治の側から実務的に支えてきたのが鈴木宗男自民党総務局長だったので、この「チーム」が鈴木氏と行動を共にする機会も少なからずあった。

これまで「チーム」の活動について、職制上はロシア課長に対して報告義務はなかった。しかし、「黒衣《くろこ》」であるわれわれが無用な誤解をロシア課員から抱かれないようにするために、私はロシア課長にはできるだけ「チーム」に与えられている仕事の内容を説明するようにつとめた。

小寺氏の前任ロシア課長、篠田《しのだ》研次《けんじ》氏との間では、意思疎通《そつう》がよくできたので、大きなトラブルはなかった。小寺課長になってからも意思疎通はできていたが、肝胆相照らすという関係にはならなかった。私は、ロシア課の中に鈴木宗男氏、東郷和彦局長、そして、私を中心とする「ロシア情報収集・分析チーム」メンバーに対する不満が蓄積されているのを感じていた。

国益にいちばん害を与える外交官とは

「ロシアスクール」の親分格である丹波實大使と東郷和彦局長の小寺課長に対する評価は初めから低かった。一九九九年夏、丹波實氏が駐露大使に転出する壮行会を鈴木宗男氏が赤坂のイタリア・レストランで行ない、そこに私も同席した。他に同席者はいなかった。「ロシアスクール」の人物評に話が及んだ際に丹波氏は次のように述べた。

「小寺は馬鹿《ばか》なんですよ。頭が悪い。僕は全然評価していません。しかし、あの辺にいる他の連中はもっとひどいんです。人材がいないんですよ。幸い、東郷がいるから、東郷がきちんと言えば小寺も言うことは聞くでしょうから何とかなります」

ちなみに丹波氏は、政治家や政治部記者の心を惹《ひ》きつける独特の魅力をもっている。同時に決して政治家に対して阿《おもね》るわけでもない。この席でも、鈴木氏にとって耳の痛い話もした。当時鈴木氏は内閣官房副長官をつとめ、権力の中枢《ちゅうすう》にいた。

「宗さん、この機会に言っておきたいことがあります。お気に障《さわ》るかもしれませんが聞いてください。まず、平和条約について、四島の日本への帰属が完全に解決されてから結ぶという基本線については絶対に譲らないでください。これは約束してください」

これについて、鈴木氏は「約束する」と言った。それに続いて、丹波大使は、「前にも言いましたが、ここにいる佐藤のことなんですが、宗さんが官邸を去るときには、外務省に返してください。佐藤の将来のことも考えてあげてください」と続けた。

これに対して鈴木氏は、「俺は何も佐藤さんを勝手に使っているわけじゃないんだぞ。佐藤さんも鈴木なんかと付き合わされて、内心では迷惑しているかもしれない。国益のために佐藤さんの力が必要なんだ。しかも、来年（二〇〇〇年）までに平和条約を締結するというのは、小渕政権の最大課題なんだから、そのために最も効果的に人を使うということなんだ」と答えたことで、その後、気まずい沈黙が続いた。

私が「日露平和条約のために乾杯」と音頭をとって、グラスいっぱいに注いだ赤ワインを一気飲みしたので、話題は別の方に流れた。

小寺氏の名誉のために述べておくならば、小寺氏は自らの出世だけを考え他人を蹴落《けお》とすためにさまざまな画策をするという陰謀家ではない。小寺氏には自分の美学があり、それを大切にする。いわゆる真面目《まじめ》な官僚であり、どろどろとした政治の世界から外交官はできるだけ距離を置いて、外務省という「水槽」の中の秩序を正しく維持する。私の見るところ、それこそが小寺氏の美学である。従って、部下に能力を超えるような困難な仕事を与えたり、長時間の残業を強いることもない。そういう意味では理想の上司だ。

東郷局長の仕事スタイルは小寺課長と対照的だ。極端な能力主義者で、能力とやる気のある者を買う。酔うと東郷氏がよく言っていたことがある。

「僕は若い頃、よく父（東郷文彦、外務事務次官、駐米大使を歴任）と言い争ったものですよ。父は僕に、『外交官には、能力があってやる気がある、能力がなくてやる気がある、能力はあるがやる気がない、能力もなくやる気もないの四カテゴリーがあるが、そのうちどのカテゴリーが国益にいちばん害を与えるかを理解しておかなくてはならない。お前はどう考えるか』とよく聞いてきたものです。

僕は、能力がなくてやる気もないのが最低と考えていたのだが、父は能力がなくてやる気があるのが、事態を紛糾させるのでいちばん悪いと考えていた。最近になって父の言うことが正しいように思えてきた。とにかく能力がないのがいちばん悪い。これだけは確かです」

外交官は、上級（I種）試験に合格したキャリアであれ、専門職試験に合格したノンキャリアであれ、そこそこプライドが高い。従って、能力差について公然と話をすることは一種のタブーである。東郷氏は人当たりが柔らかいので、はじめはなかなか気付かないが、少し洞察力のある人ならば、本質的に極端な能力主義者であることがわかる。東郷氏自身も、英語、フランス語、ロシア語が堪能《たんのう》で、相当困難な交渉を通訳の助けを借りずにできるロシア語力をもつ数少ないキャリア外交官だ。しかも文学、哲学にも明るく、特にプラトンをよく読み込んでいるので、ロシアの知識人と仕事を離れたところでも楽しく付き合うことができる。私は東郷氏とモスクワで二年間共に仕事をしたが、東郷氏ほどロシアの政治・経済・学術エリートに食い込んだ外交官はいなかった。

仕事で東郷局長の要求する水準を満足させるのはたいへんだった。東郷氏からの「宿題」を処理するために、早朝、四時、五時まで仕事をし、仮眠室でちょっと横になり、午前九時半に東郷氏の執務室に完成した資料を届けたことが何度もあった。また、作業のやり直しを命じられることもしばしばだったが、東郷氏がやり直しを命じた点はいつもよいポイントを突いていた。東郷氏との仕事は肉体的にはとてもキツイが、いつも充実感があった。

二〇〇〇年夏頃から、東郷局長から私のところに回される書類が増えてきた。「ロシア課から上がってくる紙が基準に達していない。小寺課長の構想力の限界だ。あなたの方で見て、チェックしてほしい」と言われることが多くなった。そして、私のコメントを踏まえ、東郷氏が自己の見解を付け加え、対露交渉の戦略・戦術文書が作成されることが多くなった。

このことが一部のロシア課員には、東郷局長が、鈴木氏の意向を受けた私に操られていると見えたのであろう。しかし、これは全く的外れな見方だ。なぜなら鈴木氏と東郷氏は強い信頼関係で結ばれていたので、「佐藤経由」などという小技を使わなくても、鈴木氏はストレートに東郷氏に自らの意向を伝えていたからだ。また、東郷氏も決して鈴木氏の言いなりだったわけではない。「できることはできる」、「できないことはできない」ときちんと答えていた。

政治家と官僚では、文化も行動の基礎となる「ゲームのルール」も大きく異なる。私が理解するところでは、鈴木宗男氏と外務省の軋轢《あつれき》のほとんどは、文化摩擦、もしくは「ゲームのルール」の相違から生じるもので、その点をお互いが理解すれば、問題はいつも解決した。霞《かすみ》が関《せき》（官界）と永田町（政界）は、隣町だが、その距離は実はいちばん遠い。なぜなら地球を反対側に一周しなくては行き着けないからである。

東郷氏と私が永田町に受け入れられていたとすると、そのわけは、霞が関と永田町の間の通訳能力をもっていたからではないかと思う。通訳の具体例をあげてみよう。

官僚とちょっとした行き違いがあった後、政治家が「俺は気にしていないぞ」と言ったとする。この永田町言語を翻訳すると「俺の方ではなく、お前の方で深く反省して、何か言ってこい」ということだ。

「東郷局長は元気かな。忙しそうなので、今度俺の方から挨拶《あいさつ》に行くよ」という永田町言語は「東郷は最近どうも他の政治家のところをうろちょろしているようだな。すぐに俺のところに顔を出せ」と翻訳しなくてはならない。

しかし、多くの外務省の同僚に、私や東郷氏の通訳能力は理解されなかった。

二〇〇〇年秋以降、対露関係で、官邸絡みのいくつかの重要案件に関する指示が小寺ロシア課長を迂回《うかい》して、東郷局長から私に直接なされるようになった。

私は東郷氏に対して、「このままだと、ただでさえ複雑な私のチームとロシア課の関係が一層複雑になります。その点について配慮してください」と要求した。これに対して東郷氏は、「ロシア課にはあなたを慕っている人も多いので、心配しないでよい。小寺は僕がきちんと抑える」と答えた。

仕事を遂行する上で、例えば「チーム」メンバーをモスクワに出張させる場合も、本当の目的を言うことができない。そこで、関係部局から「不必要な出張ではないか」とストップがかかる。業務について説明することが、東郷局長によって厳禁されているので、私は各部局の担当者や課長に「納得できないならば、とにかく上にあげてくれ」というしかない。しぶしぶ各課が上にあげると、そこでは東郷氏による根回しが済まされているので、簡単に決裁される。そうすると、当然、事情を知らない人々からは「外務省上層部がどこかから圧力を受けている。佐藤たちは一体何をしているのか」という疑念を招くことになる。

特に二〇〇〇年十二月二十五日、クレムリンで行われた鈴木宗男自民党総務局長とプーチン大統領最側近のセルゲイ・イワノフ安全保障会議事務局長との会談については、事前にロシア課には課長を含めその計画を一切知らせていなかったので、私と小寺課長の関係は決定的に悪化した。

私は、「東郷さん、このような体制で仕事をいつまでも続けることはできません。チーム員の負担が大きすぎます。作業の一部をロシア課に移管すべきです」と訴えたが、東郷局長は、「あと二、三カ月だ。平和条約への道筋ができれば、みんな理解してくれる。まずは成功することだ」と言った。

ある意味で東郷局長の主張は正しかった。しかし、私にとっても東郷氏にとっても不幸だったのは、その正しさが成功によってではなく、失敗によって証明されたことだ。結局、平和条約への道筋をつけることはできなかったのである。それゆえに東郷氏も私も「チーム」も外務省の同僚たちからは理解されず、反感だけが蓄積されたのだった。そして、それは巨大なマグマのうねりのように地中で蠢《うごめ》き始めていた。これが、田中眞紀子外相誕生前夜に、私たちが置かれていた状況だったのである。

戦闘開始

小泉政権が発足した直後、二〇〇一年のゴールデンウィーク中のことだ。田中女史が上高地の別荘にいる小寺氏に電話をかけた際、小寺氏は鈴木宗男氏と東郷局長、佐藤にかなりひどい目に遭わされたということを訴えたという話が、新聞記者を通じて私の耳に入ってきた。私はまた小寺氏がやってるのかと思い、軽く受け流した。

三月にロシア課長から英国公使へ異動の発令を受けていた小寺氏は、五月七日にロンドンに赴任するために成田空港を飛び立った。その日の夕刻、まだ小寺氏がロンドンに着く前に、ある情報ブローカーが私との面会を強く求めてきたので、都内某所で密会した。

情報ブローカーは、「田中眞紀子が小寺をロンドンから呼び戻すことにした。再びロシア課長に戻す人事を強行し、鈴木宗男を挑発するつもりだ。これはハプニングでも何でもなく田中と小寺の間のデキレースだと思う。次はあなたをアフリカか砂漠の国に追い出すことを考えている。十分注意した方がよい」と伝えてきた。

深夜になって、今度は親しい新聞記者から電話がかかってきた。

「杉浦正健《せいけん》外務副大臣が、夜のオフレコ懇談で、田中大臣が、自分が知らない内に小寺前ロシア課長がイギリスに異動になったことに激怒し、小寺さんを直ちに呼び戻すことにしたと言っていた。佐藤さんのところにもワイドショーや週刊誌の取材がいくかもしれないが、余計なことは言わない方がよい」

私は記者の電話が終わるとすぐに岡野ロシア課首席事務官に情報を伝え、メディア対応について考えておいた方がよいと言った。その後、鈴木宗男氏に電話をしたが、鈴木氏は「まさか。そんなことはありえないよ」と言って私の情報を信じなかった。

それから三十分程して鈴木氏から電話がかかってきた。

「佐藤さん、あんたがさっき言っていた話は本当だ。とりあえずは様子を見るしかないな。小寺も突然呼び戻され、困っているんじゃないか。とにかくアンテナだけはよく張っていてくれ」という話だった。

五月九日の昼、鈴木氏は、パノフ駐日ロシア大使と昼食をとることになっていた。私も同席の予定だった。昼前に私の携帯電話が鳴った。渡邉正人ロシア課長からだった。

「至急、あなたと鈴木大臣に伝えておきたいことがあるんだけれど、どこで会えるかな」

私は「鈴木大臣は十二時半にTBSビル地下のレストラン『ざくろ』で会食があり、そこに僕も同席するので、その少し前に着けばつかまえることができます」と答えた。

私は少し早く会場に行ったが、既に渡邉課長が待っていた。渡邉氏は常に沈着冷静な男であるが、この日は少し興奮していた。

「今さっき、小寺さんに会ってきた。小寺さんがこんなことを言っていたので、あなたには伝えておかなくてはならないと思って、やってきた」と前置きして話を続けた。以下は、私が渡邉氏から聞いた小寺氏の発言である。

「空港から田中大臣のところに直行した。田中大臣からは、『お疲れさま。荷物はそのままにしておいてよいと言っておいたのに、何で出かけちゃったの』という話があった。僕（小寺）の方からは、これまでにあった経緯を全《すべ》て述べておいた。そして、最後に『私をロシア課長に戻すよりも、佐藤優を何とかしてください』と言うと田中大臣は『わかっているわよ』と言った。

僕としてはロシア課長に戻りたいとは思わないのだけれども、田中大臣の意向が強いので戻らざるをえない。君（渡邉）には迷惑をかけてほんとうに済まないと思っている。僕は挨拶回りをしないので、君だけでしてくれ。それから、この話は川島（裕《ゆたか》）事務次官も飯村（豊）官房長も知っている」

渡邉氏は緊張した面もちで、「あなたに危険が迫っている。僕に何ができるかわからないが、できるだけのことはしてみる。しかし、小寺はもうあっち側に行っているので、一切の幻想をもたない方がよい」と言った。

私は自分に迫っている危険について心配するよりも、自らのリスクを省みずに正確な情報を伝えてくれた渡邉氏の勇気に感激した。

そこに鈴木宗男氏がやってきた。渡邉氏は鈴木氏に対して、私に述べたのと同じ内容を繰り返した。鈴木氏は、一言だけ、「そうか」と言った。

その時、一瞬、鈴木氏の眼が猛禽類《もうきんるい》のように光ったのを覚えている。鈴木氏は、心底、許せないと言うような事態に直面すると一瞬眼が鷹《たか》や鷲《わし》のようになる。私は鈴木氏とは十年以上、親しくしているが、その間、鈴木氏の眼が猛禽類のようになったことは、本当に数回しか見たことがない。

私はこの話を東郷局長と信頼する外務省幹部に伝えた。東郷氏は、田中眞紀子女史の矛先がとりあえず自分にではなく、私に向かうので、ちょっと安心したようだった。もう一人の外務省幹部は、「馬鹿《ばか》だな小寺は。ほんとうに馬鹿だな。何でそんなことを言いふらすんだ」と言って、その後は絶句した。

私の理解では、この瞬間に鈴木氏は、田中眞紀子女史と徹底的に闘うことを決めたのである。そして、この決断が鈴木宗男氏を奈落《ならく》に導いていく道につながる。

鈴木氏は、直情的な人物のように見られがちだが、実はとても慎重で、特に政治ゲームに関しては勝ち負けについて実によく計算し、勝算が七割を超えないとリスクを冒すような行動をとらないというのが、鈴木氏の行動をそばで見てきた私の分析である。田中眞紀子女史との関係についても、いくつかジャブは打つが、正面から対決することは避けることを鈴木氏は考えていた。外交は積み重ねであり、田中女史が思いつきで何かを言っても、そう長い時間が経《た》たないうちに行き詰まるので、外務官僚の鈴木氏への依存度が却《かえ》って高まると踏んでいた。従って、対露外交についても、鈴木氏が自ら乗り出して、田中女史と対決するなどということは、全く考えていなかった。しかし、小寺氏の田中女史に対する言動を聞いてから、鈴木氏は冷徹な政治的計算を除外して、徹底的な闘いに踏み切ることにしたのだ。

田中眞紀子はヒトラー、鈴木宗男はスターリン

その日は夜遅くまで私は鈴木氏と話し込んだ。私は、「ここは一歩後退・二歩前進で、『チーム』も解散し、私も異動し、対露外交は、新執行部の『お手並み拝見』で行くべきだ」と主張したが、鈴木氏はこれに反対した。

「この問題は、あんた個人にとどまらない。田中も小寺も超えてはいけない一線を超えた。これに対しては責任をとってもらわなくてはならない。あんたは日本の国益のため

にここまで一生懸命にやってきたんだろう。そのあんたの仕事を評価しないのはおかしな話だ。もはや官僚の力ではあんたを守りきれない」

私は「一歩後退・二歩前進」論を繰り返したが、鈴木氏は「今ここで一歩後退したら、次は十歩、その次は百歩後退することを余儀なくされる。これは国益に反する。官僚の喧嘩《けんか》ではなく政争だから、もはや引くことはできないよ」と言った。

鈴木氏がここまで言うのならと、私も腹を括《くく》ることにした。そして、紙を取り出し、相関図を描き、一九四一年初頭の国際情勢について、説明し始めた。

「現在の状況は、独ソ戦直前の国際情勢に似ています。以下のアナロジーでいきましょう。

田中眞紀子はヒトラー・ドイツ総統です。

外務省執行部はチャーチル・イギリス首相です。

小泉純一郎はルーズベルト・アメリカ大統領です。

そして、鈴木先生がスターリン・ソ連首相です」——。

鈴木氏は「俺はスターリンなのか」と怪訝《けげん》な面もちで問いかけるので、私は「そうです」と言って説明を続ける。

「ドイツとイギリスは既に戦争を始めています。イギリスは守勢なので、アメリカの助けが欲しいのですが、アメリカは当面、動きそうにありません。そこで、決して好きではないのですが、ソ連を味方に付けようとしています。外務省執行部は、鈴木先生と田中大臣が戦争を開始すれば大喜びでしょう。

対田中戦争で外務省執行部は鈴木大臣と同盟を組むでしょう。しかし、これは本当の同盟ではありません。戦後に新たに深刻な問題が生じるでしょう。それに外務省内では田中大臣の力に頼り、権力拡大を考えている人たちもいます」

鈴木氏は私が描いた相関図を手に取り、「あんたはどこにいるんだ」と問う。

私は、「当時、チェコスロバキアの亡命政権は、ロンドン派とモスクワ派に分かれていました。モスクワ派首班のゴッドワルド・チェコ共産党書記長といったところでしょう」と答えた。

すると、鈴木氏は、「外務省は勘違いしないことだな。俺は今のところスターリンだが、もしかするとムッソリーニ（イタリア首相）になり、ヒトラーと手を結ぶかもしれない」と冗談半分に微笑《ほほえ》んだ。

信頼する外務省幹部に鈴木氏とのやりとりについて話した。幹部は「それが君の見立てなのか。なるほど」とうなずいて、次のように続けた。

「田中大臣のエラーは、戦線を拡大しすぎたことだ。外務省から経世会（橋本派）の影響力を追い出すということで、敵を鈴木宗男、東郷、君に限定していれば、君もわかっているように、うち（外務省）には鈴木さんや君のことを面白く思っていない連中が多いから、うまく勝つことができたと思う。

しかし、五月八日、アーミテージ米国務副長官との会談をドタキャンしたが、婆《ばあ》さん（田中女史）はその時、大臣就任祝いにもらった胡蝶蘭《こちょうらん》への礼状を書いていたんだ。これに対してみんなが危機感をもった。来日したアメリカ政府の要人に会うより、胡蝶蘭の礼状書きがプライオリティの高い仕事だというのだからね」

にわかには信じられなかった。私は「ほんとうですか」と尋ねた。

「ほんとうなんだ。外交についてブリーフしようとしても時間をつくってくれない。そもそもサブスタンス（外交の実質）に関心がない。外務省を攻撃して、国民的人気を得ることと周囲に言うことを聞く人間を集める人事にしか関心がない。小寺人事をゴリ押しして、外務省を恣意《しい》的に支配しようとしている。

科学技術庁ではそれができたかもしれないが（田中女史は村山富市《とみいち》政権時代に科学技術庁長官をつとめたが、その時に官房長を更迭《こうてつ》したことがある）、うちではそうはいかない。これで組織全体を敵に回した。新聞は婆さんの危うさについてきちんと書いているんだけれど、日本人の実質識字率は五パーセントだから、新聞は影響力を持たない。ワイドショーと週刊誌の中吊《なかづ》り広告で物事は動いていく。残念ながらそういったところだね。その状況で、さてこちらはお国のために何ができるかということだが……」と幹部は続けた。

すでにこの時期、田中外相と外務官僚の対立は世間に広く知られるようになっていた。対立の発端は、田中女史が就任早々に発した、「人事凍結令」だった。この凍結令で前外相時代に内定していた大使十九人と退任帰国予定の幹部七人の人事がストップされるという異例の事態になったのである。もちろん、これまで述べてきた小寺氏に関する人事もこのなかに含まれる。

省内の緊張が高まる中で田中女史は「外務省は伏魔殿」と発言。さらに、川島事務次官、飯村官房長らを「大臣室出入り禁止」にしたことで外相と官僚の対立はいよいよ深刻なものとなっていた。

米国務副長官との会談ドタキャン事件はこうした中で起こった。アーミテージ氏は日米外交のキーパーソンだっただけに、その彼との会談をキャンセルしたことは日米関係に悪い影響を与えるとして、いくつかのメディアで非難の対象となった。それでも、そうした批判は「眞紀子イジメだ」とする、感情的な論調がこの時点ではまだまだ支配的だった。

私は、田中眞紀子女史は「天才」であると考えている。田中女史のことばは、人々の感情に訴えるのみでなく、潜在意識を動かすことができる。文化人類学で「トリックスター（騒動師）」という概念があるが、これがあてはまる。「トリックスター」は、神話や昔話の世界によく見られるが、既成社会の道徳や秩序を揺さぶるが、同時に文化を活性化する。田中女史の登場によって、日本の政治文化が大きく活性化されたことは間違いない。しかし、問題は活性化された政治がどこに向かっていくかということだ。

あるとき田中女史が何の前触れもなく、私が勤務する国際情報局分析第一課の部屋を訪ねてきた。外相のはじめての省内視察として、なぜかわが課が選ばれたのだ。課長はあわてて背広を着た。私はワイシャツのままで、椅子《いす》から立って、田中女史の来訪に歓迎の意向を表した。

田中女史は白いスーツを着て、「この部屋は何をやっているのですか」とにこやかに問いかけてきた。そして、私の机の前にやってきた。私の向かいの机は空席で、そこにはロシアの新聞と北朝鮮の新聞が無造作に積まれていた。田中女史はロシア語の新聞を手に取り、私の方を向いて「これは何語の新聞ですか」と問いかけた。一瞬、私と眼があった。田中女史は、ほほえんでいたが、眼は笑っていなかった。爬虫類《はちゅうるい》のような眼をしていた。

私が黙っていると課長が「ロシア語の新聞です」と答えた。田中女史は、「この課はロシアのことをやっているの。ほかには何をやっているんですか」と課員に話しかけたところで、今井正国際情報局長が飛び込んできた。そして、国際情報局の仕事について説明しはじめた。

この抜き打ちの訪問の後で、私は今井局長に呼ばれ、こう言われた。

「あれは佐藤さんの様子を偵察しに来たね。分析第二課にも一応出かけていったが、目的は佐藤さんの人相見だと思うよ。いったい誰が佐藤さんのことを吹き込んでいるんだろうね」

その晩、鈴木氏から電話がかかってきた。

「あんた、田中大臣があんたのことを『ラスプーチンのところに行ってきたけれど、思ったよりもかわいい顔をしているのね』と言っていたそうだぞ。あんただったら田中眞紀子とも上手《うま》くやっていけるだろうから、秘書官になったらどうだ」と笑いながら問いかけてきた。

私は「田中大臣の好みは歌舞伎《かぶき》役者のような美男子ですから、私は向かないでしょう」と答えると鈴木氏は「どうも髭《ひげ》を生やしているといけないらしいな。あんたは髭は生やさないのか」と言う。私は、「髭は手入れがたいへんなので生やしませんが一案があります」と答えた。

翌朝、私は理髪店に行き、五分刈りにしてもらった。そして、衆議院第一議員会館の鈴木事務所に出かけた。

鈴木氏が「あんた、いったいどうしたんだ」と言うので、私は「どうもラスプーチンとしての気迫が田中大臣に伝わらなかったようなので、頭を丸めてみました。戦闘態勢です」と答えた。そして、この丸刈りを私は田中女史が外相から解任されるまで続けた。

外務省の組織崩壊

小寺氏をロシア課長に再任することについて、外務省幹部は強く抵抗した。もはや、小寺氏を巡る「ロシアスクール」内部のいざこざにはとどまらない大問題となった。外務大臣が従来の慣行を無視して、恣意的人事を行うようになると外務省の秩序が崩れ、官僚がパトロン政治家に媚《こ》びを売り、行政の中立性が侵害されるとの危機意識が強まった。

これまで鈴木氏の影響力を排除するために、田中女史を最大限に活用していた一部外務省幹部たちも、急速に反田中色を鮮明にした。私とあまり親しくないある幹部が、廊下ですれ違いざまに「俺たちは田中眞紀子をジャンヌ・ダルクと思っていたが、実は西太后だった」と私に囁《ささや》いた。

私が信頼する外務省幹部は、「婆さん（田中大臣）は、小寺をロシア課長に、（現ロシア課長の）渡邉を中東欧課長に、（現中東欧課長の）倉井（高志《たかし》）をロシア支援室長に戻せと言っているが、ビデオの逆回しではないんだから、そんなことはできない。渡邉はロシア課長にとどまらせる」と強調していたが、結局、五月十日深夜、小寺氏をロシア課長に再任命する辞令が交付された。

ただし、ビデオの全面的な逆回しは行われなかった。その代わり、渡邉氏が官房付になり、夏まで実質的に失業状態になった。外務省幹部は、小寺氏がロシア課長任命を固辞することを期待していたのだ。ある幹部が私にこううち明けた。

「小寺は変わった奴《やつ》だよ。こんな人事は固辞すると思っていたが、受けたよ。嬉《うれ》しそうにしていたんだ。あいつには呆《あき》れたよ」

鈴木宗男氏との軋轢《あつれき》ではむしろ小寺氏に同情的であった外務省幹部も、小寺氏が田中女史を後ろ盾にしたことにより、厳しい眼で小寺氏を見るようになった。

この一件で、外務省の鈴木宗男氏に対する依存度は一層強まり、それぞれの思惑から、今まで私と親しくなかった幹部や中堅幹部が私に接触してくるようになった。私を通じて、鈴木氏の覚えをめでたくしようとの思惑が透けて見えた。

このような人々に私は「用件があれば直接鈴木事務所に電話をすればよいでしょう」と言って、鈴木氏への取り継ぎを断った。その翌年、鈴木宗男バッシングが始まると率先して鈴木攻撃に回ったのもこの人たちであった。

鈴木氏は、衆議院第一議員会館の事務所で、陳情、来客を受け付けていたが、機微な話や込み入って時間がかかる案件のときは、会館から徒歩三分のところにある十全ビルの個人事務所で会うことにしていた。

あるときロシア絡《がら》みの機微な話があり、私は十全ビルに赴いたが、廊下で某外務省幹部とすれ違った。私とそれ程親しくない幹部であるが、お互いに面識はある。私は会釈《えしゃく》をしたのに、この人物は眼をそらした。

事務所に入ると、鈴木氏は「今、Sとすれ違わなかったか」と問いかけた。私は、「はい。私が会釈をしたら、眼をそらしました」と答えた。鈴木氏は「そうだろうな」と言って、紙を二枚私に見せた。それには、「田中眞紀子外務大臣の言行」と書かれ、省内で田中女史がいかに奇怪な発言、行動をしているかを綴《つづ》った紙だった。

鈴木氏は「俺のところに持ってくれば、それを新聞記者に配ると思っているんだな。その手には乗らないよ」と言って笑った。私は、「稚拙な怪文書ですね。こんな手法ではすぐに足がつくし、第一、情報源が特定されてしまうではないですか。鈴木大臣経由で情報ロンダリングをしようとしているのですね」と答えた。それにしても外務省が組織的に怪文書作りをし、幹部がそれを配布しているというのは、私にとって衝撃だった。外務省という組織が崩れはじめていた。

小寺氏がロシア課長に復帰した後、鈴木氏が最も懸念《けねん》したのは、田中女史の気迫に押されて、対露外交政策に揺らぎが生じ、日露関係が再び不信の構造に陥っていくことだった。

五月十六日、衆議院沖縄北方特別委員会で田中女史は「私とロシアのかかわりの原点は七三年の田中（角栄）総理とブレジネフ・ソ連書記長との会談」だと再び強調し、それをロシア側は、日本政府が対露政策を転換したシグナルと受けとめた。

鈴木氏にロシア側から「ほんとうのところを教えてくれ」という連絡が相次いだ。私にも、モスクワのロシア側のロシア人国会議員や大統領府高官から「日本政府の政策転換の真意はなにか。日本はどういうゲームをロシアとしようと考えているのか。ほんとうのところを教えてくれ」との電話が何本もかかってきた。

ロシア人は、政策は人事によって表されると考える。政治的問題が起きたとき、ロシア人は「何が問題か」とは問わずに「誰が悪いのか（クト・ビナバート）」と言って、属人的に責任を追及する。小寺人事をロシア側は日本の政策変更と受けとめたのである。

私は親しくするロシア人に「二〇〇〇年九月に東京、二〇〇一年三月にイルクーツクで行われた二つの首脳会談は、小寺ロシア課長の下で準備されたもので、イルクーツク声明の文案を詰めたのも小寺さんではないか。何を心配しているのか」と説明したが、納得しなかった。

「佐藤さん、そういう表面的な説明を求めているのではありません。私たちにもそれなりの情報は入ってきます。東郷さんと小寺さんの間には相当考えの違いがあり、東郷さんの考えがこれまでの日本の政策を決定する上で重要だったのです。東郷さんがオランダに行ってしまい、今度は小寺さんの考えが日本の政策を決定する上で重要なのです。田中眞紀子外相が一九七三年の田中・ブレジネフ会談が原点と繰り返して言うのは、小寺さんの考えではありませんか。現に産経新聞や読売新聞は、これは日本の対露政策の変更につながると書いています。小寺さんは冷戦時代の四島一括返還論に日本の政策を戻し、ロシアとの戦略的提携は追求せず、アメリカとの関係だけを大切にすることを考えているのではないですか。日本がそのような路線を選択したならば、ロシアもそれに対応した対日政策を策定しなくてはなりません。ほんとうのところが知りたいのです」

ほんとうのところは私にもわからなかった。「トリックスター」田中眞紀子女史の効果が本格的に外交に現れてきたのかもしれない。組織が崩れはじめ、政策が漂流しはじめている。その中で、当事者が自覚しないままに対露政策が変化する可能性は否定できない。

当初、鈴木・東郷・佐藤と小寺の間に路線上の対立はなかった。あるのは人間関係のちょっとしたボタンの掛け違いから生じた軋轢で、どんな組織にもある話だった。それが「トリックスター」の登場によって変化した。このままではこれまで積み上げられてきた対露政策が崩壊してしまう。

東郷大使は後任の小町恭士《こまちきょうじ》欧州局長と東郷氏の盟友である森敏光欧州局審議官に気合

いを入れることで、従来の政策を担保しようとした。

私は旧約聖書の「何事にも時があり、天の下の出来事にはすべて定められた時がある」（コヘレトの言葉第三章一節）を鈴木氏と東郷氏に説明し、ここは時を待つべきであるという「待機戦術」を提案した。二人とも私の提案を却下した。

鈴木氏は、全く別の戦術を考えた。鈴木氏自身が筆頭理事をつとめる衆議院外務委員会で、小寺人事も田中外相の一連の発言も日本政府が従来の対露政策を転換したものでないとの答弁を田中女史と外務官僚から引き出し、ロシアに対して政策変更は一切ないことを明らかにするという戦術だった。

対決は、六月二十日、二十七日の二回行われた。ワイドショーでは、鈴木氏が「鈴木宗男の人権はどうなるんだ」と叫んだ場面だけが繰り返し報道されたが、鈴木氏は田中女史から、小寺人事は政策変更と何等関係ないこと、また七三年の田中・ブレジネフ会談を原点とするのではなく、「四島の帰属の問題をはっきりさせてから平和条約を締結する」という九三年東京宣言の内容を引き出した。

ただし、それ以降の日露関係の経緯を田中女史に理解させるには時間が足りなかった。もっとも外務省の事務方は森前政権の路線を継承する内容の答弁をしたので、日本政府が政策変更をしたのではないということは議会記録上明白になった。

六月二十七日深夜、私は鈴木氏と一杯やりながら「反省会」をした。

鈴木氏は「二回の討議で、七三年から九三年まで、二十年時計が進んだのだから、あと一回機会があれば、イルクーツク声明まで行くよ。これで俺は、プロレスの悪役レスラーになったが、まあ『悪名は無名にまさる』だ」とそれなりに満足していた。

たしかにこの出来事を契機に鈴木氏は悪役になったが、それが後に述べる「国策捜査」への道につながることを、この時点で鈴木氏も私も全く認識していなかった。

ロシア側は、衆議院外務委員会の審議を注意深く分析し、田中女史の一連の発言は勉強不足に起因するもので、日本外務省内部には一定程度の混乱はあるが、対露政策が大きく変化することはないとの結論にとりあえず落ち着いたようだった。

休戦協定の手土産

その翌日の夜遅く、私は鈴木氏に呼ばれ、赤坂の行きつけのラウンジバーで、赤ワインとチーズをつまみに雑談をした。

「いや、佐藤さん、今日はたまげたぞ」

「大臣、いったい何ですか」

「昼、議員会館の秘書のところに『今、鈴木先生はいるの』と女の声で電話がかかってきたんだ。秘書が『はい、います』と答えると、誰がやってきたと思う」

「わかりません」

「田中大臣だよ。田中眞紀子がやってきたんだよ。『先生、昨日はお世話になりました。これお土産にもってきました』と言って、コロンビア製のコーヒー豆を持ってきた」

「何のシグナルでしょうか」

「何だべなあ。まあ、毒が入っていることはないだろう」

「コロンビアは麻薬と犯罪組織で有名ですからね。『鈴木宗男にコロンビア製のまっ黒いコーヒーを贈り警告を発した』なんていうのは週刊誌的にはよい見出しになるんじゃないですか」

「あんたは次々と面白いことを考えるな」

こうして、鈴木氏と田中女史の間で停戦が成立し、その停戦は翌年一月のアフガニスタン復興支援東京会議へのNGO（非政府組織）出席問題まで続くのである。

それまで私は一ヵ月から一ヵ月半に一回はロシアに出張して、自分の眼と耳で政治情勢をつかむようにつとめていたが、田中女史が外相に就任した後、それをやめた。第一の理由は、モスクワの政治エリートから「表面上の説明はともかく、日本の対露政策が変化したのではないか」という突っ込んだ質問がなされることが目に見えており、私の「引き出し」には、それに対する答がなかったからだ。

第二の理由は、小寺課長と私の関係は既に修復不能となっており、とりあえずの「手打ち」後の鈴木氏と田中女史の関係が「冷たい平和」とするならば、小寺氏と私の関係は「冷たい戦争」状態だったからである。「冷たい戦争」を「熱い戦争」に転換させないことが「チーム」メンバーと私と親しいロシア課員を困難な状況に追い込まないために不可欠だった。

そのためには目立たないことが重要だった。私や「チーム」メンバーの出張をとりやめ、「チーム」の会合も差し控え、また、私や「チーム」メンバーが研修生に対して行っていたロシア語やロシア事情に関する教育もやめた。

しかし、「チーム」の活動をやめたわけではない。ロシア情勢は依然注意深くウオッチする必要があったからだ。イスラーム原理主義のロシアに与える影響と大量破壊兵器（核兵器、生物化学兵器）不拡散問題に対するロシアの姿勢を重点調査項目にした。

外務省執行部は、前にあげた第二次世界大戦のたとえに即して言えば、鈴木氏がスターリンからムッソリーニに豹変《ひょうへん》し、ヒトラー（田中女史）と手を握ることを心配し、鈴木氏に田中眞紀子女史に関する否定的情報を流し続けた。私は鈴木氏が豹変する可能性は全くないと確信していた。その根拠は鈴木氏のあの眼である。鈴木氏の眼が猛禽類《もうきんるい》のようになったときにとった決断を変更することはないと私は過去の経験から踏んでいた。

当初、外務省内の雰囲気は基本的に反田中が基調だった。しかし、田中女史が外相に長期間とどまるとの見方が強まるにつれて、田中女史に接近し、自己の権力基盤を強化しようと図る幹部も出始めた。外務省幹部間の温度差が政治部記者や情報ブローカーの噂《うわさ》にのぼるようになった。

田中外相周辺の外務官僚、秘書官たちは、田中女史からのモラルハラスメントにもかかわらず、外相に献身的に仕えた。私が信頼する外務省幹部はある時、ため息混じりでこう言った。

「まったくあいつらは猟犬なんだよな。何も考えずに上司にお仕えするのが癖になっている。『もう鳥はとってこなくていい』と飼い主が言っているのに、水鳥が撃ち落とされると、ワンワンと言って運んでくる。君が婆《ばあ》さん（田中女史）の側《そば》にいれば、相当面白い事態を作ることができるだろうにね……」

情報収集、調査・分析の世界に長期従事すると独特の性格の歪《ゆが》みがでてくる。これが一種の文化になり、この分野のプロであるということは、表面上の職業が外交官であろうが、ジャーナリストであろうが、学者であろうが、プロの間では臭《にお》いでわかる。そして国際情報の世界では認知された者たちでフリーメーソンのような世界が形成されている。

この世界には、利害が対立する者たちの間にも不思議な助け合いの習慣が存在する。問題は情報屋が自分の歪みに気付いているかどうかである。私自身も自分の姿が完全には見えていない。しかし、自分の職業的歪みには気付いているので、それが自分の眼を曇らせないようにする訓練をしてきた。具体的には常に複眼思考をすることである。

国際情報屋には、猟犬型と野良猫《のらねこ》型がいる。猟犬型の情報屋は、ヒエラルキーの中で与えられた場所をよく守り、上司の命令を忠実に遂行する。全体像がわからなくても危険な仕事に邁進《まいしん》する。野良猫型は、たとえ与えられた命令でも、自分が心底納得し、自分なりの全体像を摑《つか》まないと決してリスクを引き受けない。独立心が強く、癖がある。しかし、難しい情報源に食い込んだり、通常の分析家に描けないような構図を見て取るのも野良猫型の情報屋である。

私は諸外国の野良猫型情報屋から多くのことを学んだ。野良猫型だけだと組織は機能しなくなる。猟犬型だけでは、組織が硬直と緊縮を起こし、応用問題に対応できなくなる。結局、両方が必要なのである。全体として見れば、国際情報屋は、猟犬型九割五分、野良猫型五分くらいに分かれる。

それから、情報入手の手法は、虎《とら》式と蜘蛛《くも》式に分かれる。虎式は、獲物《えもの》の通り道を見つけ、誰にも見えないような場所でひたすら待つ。そして、獲物が近付いたら一気に襲いかかる。蜘蛛式は、獲物の通り道をそれ程詳しく調べたりはしない。幅広く網を張る。そして獲物がかかるのを待つ。たとえば、美しい蝶《ちょう》が蜘蛛の巣にかかったとしよう。蜘蛛はそっと蝶に近付き、針を刺し、蝶の体液を吸う。見た目には蝶は生きているときと変わらない。しかし、命は失っているのである。諸外国の専門家たちから、「佐藤さんは蜘蛛式が得意だ」とよく言われた。

外務官僚の面従腹背

外務省内部での田中女史と事務方（官僚）の対立も、二〇〇一年八月十日の川島裕事務次官の退官、野上義二新事務次官の就任により新たな局面に入った。

退任記者会見で川島次官が外務省員に「グッドラック（うまくやれ）」と呼びかけたのは、どんなに厳しい状況でもユーモアを忘れない川島氏らしかった。

野上体制の成立と共に田中女史を所与の条件とみなし、外務省幹部の中で田中大臣と折り合いをつけようとする雰囲気が強まってきた。「田中眞紀子はインフルエンザだが、鈴木宗男は癌《がん》だ。この機会に治療しておかないと命にかかわる」との話が私の蜘蛛の巣にも引っかかってくるようになった。他方、外務省は怪文書を継続的に作り、鈴木宗男氏に田中女史に関する否定的情報を流し続けた。

田中外相の長期登板が確実との見通しが強まると、外務省の機能低下が著しくなった。〇一年一月に発覚した内閣官房報償費（機密費）詐取《さしゅ》事件に関する捜査が進み、腐敗の構造が明らかにされるにつれて、外務省課長クラス以下は、上層部に対する不信感を強めた。外務省内の権力抗争は複雑なモザイク画を作った。

親田中眞紀子の立場を公言する官僚は少なかったが、外務省の腐敗構造を暴《あば》き、膿《うみ》を出し切るには田中女史の破壊力に頼るしかないと考える者は少なからずいた。それに自らの立身出世のために田中女史に擦り寄る人々が加わった。これらの人々にとって、第一の敵は鈴木宗男氏であり、その「御庭番」であるラスプーチン、つまり私だった。そのため、私の信用失墜を図る動きも活発になった。

親鈴木宗男の立場を公言する外務官僚は、私を含め少なからずいた。主として、これまで鈴木氏と外交案件を共に進め、鈴木氏の外交手腕と政治力に一目置いている外務官僚だった。しかし、この中にも温度差があった。カラオケバーで、ある後輩が酩酊《めいてい》して、私に絡《から》んできた。

「僕だって鈴木さんは重要と思いますよ。しかし、あの人は総会屋だ。総会屋は病理のある企業に巣食う。だから病んだ外務省にとって与党総会屋の鈴木さんは重要なんです。佐藤さんは総会屋担当の係長だったんだけれども、今や鈴木さんの利益を体現する企業舎弟になってしまった。佐藤さんを慕っている後輩は多いんですから、少し鈴木さんと距離を置いてくださいよ。身内では鈴木さんに対する批判もきちんとすべきですよ」

私はその問には答えずに、「飲み足りないようだな。もっと飲めよ」と言って、ロックグラスにウイスキーをなみなみと注ぎ、ロシア風に右手を組み合わせて（ブンデルシャフト）、後輩と一気のみをした。そして、頬に三回キスをした。後輩は絨毯《じゅうたん》の上に倒れ、激しく嘔吐《おうと》した。

私が見るところ、外務官僚の最大公約数は以下のようなことを考えていた。

「田中が狼《おおかみ》なら鈴木は虎、眞紀子が毒蛇ならば宗男はサソリ、お互いに嚙《か》みつき合って、両方とも潰《つぶ》れてしまえばよい。そして、外務官僚によって居心地のよい『水槽』の秩序を守ることができればよい」――。

もちろん外交官が自己保身だけに走っていたということではない。外交を機能的に行うためには「水槽」がきれいになって、熱帯魚（外交官）たちが「水槽」の中で安心して生活することが不可欠と考えたのである。

外交政策上の観点からは、前述したようにアーミテージ国務副長官との会談をドタキャンし、その後、アメリカのミサイル防衛政策に批判的発言をする田中女史に外務省内「親米主義者」は危惧《きぐ》を強めた。一方、「アジア主義者」は、中国への思い入れの強い田中女史を最大限に活用しようとした。「地政学論者」は、田中女史がいる限り、戦略的外交は展開できないと、半ば諦《あきら》めの気持ちでやる気をなくしていった。

こうした状況のなかで、これまでの鈴木宗男氏との距離関係、外務省内部の人脈が複雑に絡み合い、混乱状態に陥った外務省内では誰が敵で誰が味方か全くわからなくなっていた。

たとえば、中国語専門のある中堅幹部の例をとってみよう。「チャイナスクール」の一員としては、田中女史が外務大臣にとどまることは好都合である。但《ただ》し、中国は政府開発援助（ＯＤＡ）の主要対象国であるのに、田中女史のＯＤＡに対する理解は薄い。鈴木氏は中国とも良好な人脈をもつ。外務省はＯＤＡ予算で以前から鈴木氏の応援を受けてきた。鈴木氏の専門知識に裏打ちされた政治力の重要性もよくわかっている。

以上の要素を総合的に考慮すると、この中堅幹部は自らの立場を一方の側に置くことはできないのである。従って、田中女史、鈴木氏の双方と良好な関係を維持しようとする。外務省執行部は、この中堅幹部がもつ田中女史と鈴木氏との良好な関係を組織維持のために使おうとする。知らず知らずのうちに、中堅幹部は、危険な政治ゲームに巻き込まれて、イソップ物語の蝙蝠《こうもり》の機能を果たすことになる。私の場合は、田中女史にとって私は「使用人」ではなく、「敵」であったから、蝙蝠になる運命からは免れていた。これは私にとって幸せなことだった。

「九・一一事件」で再始動

そんな状況下で、二〇〇一年九月十一日、米国同時多発テロ事件が起こったのである。同日午後十時過ぎ、外務省分析第一課の部屋で私はＮＨＫニュースを見ていたが、突然画面が切り替わり、ニューヨークの世界貿易センタービルに飛行機が衝突したようだという臨時ニュースが伝えられた。しばらくするともう一機が衝突した。

これは偶発事故ではない。このビルは以前、アルカイダに狙《ねら》われたことがある。北海道にいる鈴木宗男氏から「佐藤さん、アメリカでいったい何が起きたんだ」と照会の電話がかかってきた。

私は「よくわかりません。先生がおっしゃっていたアフガニスタンで北部連合のマスード将軍が殺された件と連動しているかもしれません。それならばイスラーム原理主義者でしょう。他方、アメリカには白人至上主義のテロリストがオクラホマシティーの連邦政府ビルを爆破したことがあるので、その線も洗ってみなくてはなりません」と答えた。

実は、その日の早朝、私は鈴木氏から「アフガニスタンの北部連合の指導者マスードが暗殺されたという確度の高い情報が入ってきた。タリバンの攻勢が始まり、アフガニスタン、タジキスタン、ウズベキスタン国境地帯で紛争が発生するかもしれないので、情勢を注意深く見てほしい」という連絡を受けていた。鈴木氏は、アフガニスタン問題についても知識の蓄積があり、この分野で最高水準の情報源をもっていた。

しばらくすると、NHKのアナウンサーが「パレスチナ解放民主戦線（DFLP）が犯行声明を出した」と報じた。私はすぐに中東某国の専門家と連絡をとった。

この専門家は「DFLPは弱小組織で、このようなテロをしたいという意思はあるが、能力がない。常識的にはアルカイダの線だろう。アフガニスタン情勢が緊迫していることとも関連していると思う。但し、蓋然性《がいぜんせい》は低いが、アメリカの白人至上主義者の線も排除されていないので、まずこの可能性を潰しておく必要がある」と答えた。

各国の情報調査・分析専門家の世界では、何か大きな事件があれば、深夜でも連絡を取り合う体制ができている。二十四時間、休暇で旅行中の場合も含め、このような体制ができてはじめて、国際情報クラブのメンバーとして認められたことになる。その日は、徹夜で各国関係者と連絡をとったが、見立てはほぼ満場一致で、中東某国専門家の述べた線に収斂《しゅうれん》した。

この日から、鈴木氏も私もフル回転で活動する。このことに田中女史が苛立《いらだ》ち始め、それから暫《しば》くして、野上事務次官を巻き込んだある事件が起きるのである。そして、それが翌年のアフガニスタン復興支援会議NGO出席問題を契機とする鈴木氏、田中女史、野上次官の三つどもえの闘いの序曲となる。

これまで、田中女史、小寺課長の眼を考慮して、目立つ作業は避けていたが、今回の同時多発テロ事件は、情報収集、調査・分析の特別な訓練を受けた者にしか理解できない面が多いので、私自身も積極的に動き、また「チーム」もテロ絡みでの資料作成や、情報収集にシフトし、ユニークな成果をあげた。

「チーム」ではこの事件が発生する数カ月前に、チェチェンでアルカイダとつながるイスラーム過激派（ワッハーブ派）の動きが強まっているという情報を摑んでいた。既に中東とチェチェンのイスラーム過激派ネットワークについては、日本語で基礎資料を作っており、これが情勢を分析する上でとても役に立った。これまで、ロシア、イスラエルなどで培《つちか》ってきた人脈が役に立ち、国際水準で見ても十分対抗できる仕事ができたと自負している。外国から面識のない専門家が何人か、私に会うために日本にまで訪ねてきたこともあった。

かくして私は、半年振りに、海外出張を再開した。モスクワ、テルアビブでは、貴重な情報をいくつも得ることができた。鈴木宗男氏も自らのロシア人脈、アフガン人脈、国連人脈、中央アジア人脈を最大限に活用した。

鈴木氏が最重要視したのは、中央アジアのタジキスタンだった。タジキスタンはアフガニスタンと隣接し、双方の国境にまたがってタジク人が住んでいる。暗殺された北部連合のマスード将軍もタジク人だ。また、十年近く続いた内戦の結果、イスラーム原理主義勢力も台頭し、現在の連立政権は、この原理主義勢力を取り込んでいるが、権力基盤は脆弱《ぜいじゃく》だ。タジキスタンの安定を担保しているのが、駐留ロシア軍（第二〇一自動車化狙撃《そげき》師団）だ。

ラフモノフ大統領は、親露政策を基調としているが、隣国ウズベキスタンのカリモフ大統領はアメリカの支持を権力基盤とし、反露政策をとっている。過去の国境問題から、タジキスタンとウズベキスタンの関係はよくない。今、ここでタジキスタン情勢が混乱し、過激派が中央アジアで権力基盤を構築すれば、ユーラシア地域の秩序が極めて不安定になる。鈴木氏にはそのような絵柄がよくわかっていた。

鈴木氏は、小泉純一郎総理との面会を求めた。

小泉・鈴木会談が行われた日の夜、私は鈴木邸を訪れた。鈴木氏は久し振りに興奮していた。

「総理もタジキスタンの重要性はよくわかったようだ。俺に総理親書をもって、タジキスタンとウズベキスタンに行けという。たいへんな仕事になるが、あんたの力が必要だ。頼む。タジキスタンを巡って、アメリカとロシアの綱引きが始まっている。ここに日本がうまく嚙めば、北方領土問題を動かすことができるかもしれない」

鈴木氏の戦略は、ダイナミックなものだった。アメリカがアフガニスタンのタリバン政権を軍事的に叩《たた》くために中央アジアに進駐することは必至である。ウズベキスタンはこれまでも親米路線をとっていたので問題ないが、タジキスタンにはロシア軍が駐留していたこともあり、従来、アメリカはタジキスタンに対しては、旧共産政権の残党が支配している非民主主義国家ということで冷たい対応をしていた。

アメリカは札束でタジキスタンの頬を叩くであろう。タジキスタンもそれに応じる。しかし、中央アジアは十九世紀からロシアの裏庭であり、ここにアメリカが露骨に進出してくることを面白く思うはずがない。現在のロシアにタリバン政権を叩きつぶす能力はないので、とりあえずアメリカの力を借りてイスラーム過激派を一掃することには理解を示すだろう。

問題はその後だ。タジキスタンを巡って米露の緊張が高まることは世界秩序の安定に貢献しない。日本、タジキスタン、アメリカ、ロシアの四カ国が反テロ国際協力のメカニズムをタジキスタンで具体的に作る必要がある。ここでは、アメリカの同盟国である日本の与党政治家で、かつ個人的にタジキスタン、ロシアの双方から信頼されている自分（鈴木氏）にしかできない役割があるというものだった。

二〇〇一年十月八日、鈴木氏はラフモノフ・タジキスタン大統領と会見した。現地時間でその前日（七日）深夜、アメリカ軍がアフガニスタンに空爆を開始、戦争が始まっていた。対アフガニスタン戦争遂行上、タジキスタンの領空通過と基地使用が死活的に重要な問題だった。ラフモノフ・タジキスタン大統領がどのような態度に出るか。全世界の関心が集まっていた。

ラフモノフ大統領は、「初めて明らかにすることだが、米軍に対するタジキスタンの領空通過と基地使用を認めた」と述べた。鈴木氏が「このことを記者達に話してもよいですか」と尋ねると大統領は「どうぞ」と答えた。

大統領執務室から出ると鈴木氏は二十名以上の記者に囲まれ、即席の会見がおこなわれた。記者達の関心は、タジキスタンがアメリカの軍事行動に対してどのような態度をとるかということに集中していた。鈴木氏は、ラフモノフ大統領の決断を伝えた。日本のマスコミのみならず、ＡＰ（アメリカ）、イタルタス（＝旧ソ連のタス通信社、ロシア）、ロイター（イギリス）なども鈴木氏の会見を大至急で伝えた。この会見の後、鈴木氏は私にこう言った。

「ラフモノフも戦略家だね。俺をうまく使ったな。タジキスタンが米軍に協力する話が、アメリカの同盟国である日本の政治家だが、同時にプーチン政権ともいい関係にある俺から出てくるならば、誰からも文句がでないと考えたんだろうね」

鈴木氏は、タジキスタン・アフガニスタン国境地帯の難民キャンプを訪問し、アフガン難民の生活の実情を視察するとともに難民から直接希望を聞き取った。「医薬品、懐中電灯、子供の学用品が特に必要だ」ということだった。

ラフモノフ大統領からは、アフガニスタンに産業を復興させることが戦略的観点から重要なので、具体的にタジキスタン南部にある建設途上の水力発電所を完成し、電力を供給したり、物流のための道路を両国間に建設する計画をタジキスタンと日本、その他の外国と進めたいという熱のこもった提案がなされた。この考えは鈴木氏の構想と合致していた。

要するにイスラーム原理主義過激派勢力を封じ込めるためには武力だけでは不十分で、産業を起こし、失業をなくし、市民社会が成立する基盤を確保するという考え方である。その後、プーチン大統領もこの計画に関心を示すことになり、この構想については、タジキスタン、ロシア、日本の関係者の間で、鈴木氏が失脚するまで話が進められていくのである。

鈴木氏は、中央アジアにおける日露提携を北方領土交渉のあらたな動力に転化させることを考えていた。

眞紀子外相の致命的な失言

一方、同時多発テロ事件を契機に田中眞紀子女史を巡る状況も変化した。テロ事件から数時間後の九月十二日未明、田中女史は、米国務省の避難先を記者団に漏らしてしまうという、致命的ミスを犯したのである。テロリストの攻撃が続く可能性があるなかで、大臣自らが極秘中の極秘事項を公開してしまったことは、日米の外交関係者に大きな衝撃を与えた。外務省では危機管理の観点から、「田中大臣には一切機微な情報を与えない」ということがコンセンサスになった。「もう一度ミスをしたらアウト、つまり、田中外相は更迭《こうてつ》されるという密約が官邸と外務省の間でなされた」という噂《うわさ》がまことしやかに駆けめぐった。

こうして鈴木氏の活躍がマスメディアで頻繁に報道されるのと対照的に、田中女史の外務省内における求心力が衰えてきた。この状況に田中女史が満足できるはずがない。鈴木宗男氏がいかにアフガニスタンやタジキスタンの外交問題に通暁《つうぎょう》していようとも外務大臣ではない。大臣は「正妻」だ。鈴木氏は「妾《めかけ》」にすぎない。眼に触れないところで「妾」が何かしていようとも、それはそれ程気にならない。しかし、家庭（外務省）のなかに平気で入ってくるようになると「正妻」としては我慢できない。

そういう観点からすれば、田中女史が鈴木氏そして氏と行動を共にする私を排除しておく必要性を改めて感じたとしても、不思議ではない。しかし当時、私にも鈴木氏にも田中女史の受け止めにまで気を回す余裕はなかった。九・一一同時多発テロ事件という国際社会の「ゲームのルール」を変更しうる事態に直面して、日本がその主要プレーヤーになる枠組みを作ることに熱中していた。

この時期に限らず、私と鈴木氏の日常的なつきあいとは、次のようなものだった。

日中、鈴木氏と三十分以上のまとまった時間をとることは不可能である。鈴木事務所は陳情客や官庁から説明に来る役人であふれている。例えば、午後二時十五分にアポイントをとって訪れたとしても、鈴木氏の日程は押せ押せになって、一時間くらい待たされ、そして実際に説明できる時間は二、三分しかない。

もっともこれは鈴木氏に特有のことではなく、政治力のある政治家は皆このような状態である。ロシアでも、有力政治家の事務所に約束の時間に訪れても、三、四時間待たされることは普通であった。そして、その政治家と会える時間は数分に過ぎない。もちろん、待ちくたびれて帰ってしまう客もいる。あるいは憤慨して、二度とその政治家を訪れない外交官もいる。

しかし、政治家は長時間待たせた客のことを決して忘れていたわけではない。内心では何時間も待たせて済まないと思っている。私は逆転の発想で、待ち時間が増えることは、その政治家に対して貯金をしていることと考えるようにした。

この貯金はいつか必ず利子をつけて戻ってくる。いくら待たされても不平を一言も言わない外交官にはいつしか優先権が付与されるようになり、アポイントを取らずに会えるようになり、また、私邸に招かれるようになる。このロシアでの経験を私は鈴木氏に対しても適用した。そして、同じ結果が得られたのである。私は鈴木氏の私邸に招かれるようになった。

鈴木氏は、新聞記者との懇談を週二回ということにしていたが、毎晩、私邸の前で十数名の記者が鈴木氏の帰宅を待っている。国会議員の中には、そのような時は記者を家にあげない場合が多いのだが、鈴木氏は一階の応接間に通し、ビールやワインを飲みながら懇談した。この懇談は政治部記者にとって重要な情報源である。私が記者たちと席を一緒にすることもときどきあった。後に出た怪文書では、「宗男の私設秘書ラスプーチンが、鈴木邸で毎晩記者との懇談の仕切役をやっている」と書かれたが、それは事実ではない。私の目的は、記者たちが去った後、鈴木氏に十分時間をとってもらい、説明や相談をすることであった。鈴木邸を辞去するのは午前二時頃で、それからメモを整理し、その時、鈴木氏に依頼された資料を準備する。これが終わるとだいたい朝の四時近くになる。そして、翌朝午前九時には、鈴木氏に依頼された資料を届ける。もちろん鈴木氏とのやりとりの概要は外務省の上司にも報告する。こんな毎日が続いた。これが外務省員としての私の仕事だったのである。

一方、外務省における田中眞紀子女史の〝奇行〟は次第にエスカレートしていった。

十月二十九日、田中女史が突然人事課に乗り込み、その内の一室の鍵《かぎ》を内側から閉め、「籠城《ろうじよう》」し、女性事務官に「斎木昭隆《さいきあきたか》を官房付に異動する」という人事異動命令書をタイプで打たせ、斎木人事課長の更迭を試みたのである。事務当局は、そのような横車は認められないと、再び田中女史と事務当局の緊張が激化する事件があった。その過程で再び私が田中女史のターゲットになった。

十一月初旬のある日、鈴木氏から私に電話がかかってきた。

「今、野上（外務事務次官）から電話がかかってきた。田中の婆《ばあ》さんが、斎木（人事課長）の異動は諦《あきら》めるから、その代わり佐藤優を異動させろということなので、鈴木先生の了承が得られるならば動かしますという話だった。俺の方からは、『今、テロで情勢がこんなに動いている中で佐藤を動かすことがどういう意味をもつかわかっているんだろうな。野上さん、あんたが言うのは、斎木はダメだが佐藤さんは構わないということか』と言っておいた。

野上は『佐藤を動かすことは今のところ考えていない』と言っていたが、『佐藤も今のポストに相当長いのでいつかは異動させなくてはなりません』という話だった。野上は、『勿論《もちろん》、田中大臣の勝手にはさせません』と言っていた」

私は鈴木氏からの電話の内容を直ちに分析第一課長と今井正国際情報局長に伝えた。

局長室から戻ってくると事務次官室から「野上次官が至急お呼びです」という電話がかかってきた。野上氏とサシで話すのははじめてのことである。次官室に入ると、髭面《ひげづら》で、裑《みごろ》は水色、袖《そで》と襟は白色のワイシャツを着た野上氏が執務室の椅子《いす》に座ったまま、その前にある事務用椅子にすわるように私を手招きした。

「婆さん（田中女史）が君を異動させろと暴れている。何か聞こえているか」

「鈴木大臣から先程、電話がかかってきました」と言って、私は鈴木氏からの電話の内容を正確に再現して伝えた。

「だいたい正確だ。ただし、俺は鈴木さんの了承が得られれば動かすなんていうことは言っていない。君ももうこのポストが長いので、いつかは動いてもらわなくてはならない。しかし、俺にも君にもプライドがあるからな。婆さん（田中女史）の言うなりにはならない。君自身、人事について何か希望はあるか」

「私は組織人です。組織が決めたことに従うだけです。私個人の希望はありません。国益のために私をどう使ったらいいかというのは組織の考えることです。ただし、私にはプライドはありません。侮辱されようとどうしようとそれが組織として国益に適《かな》うと考えれば、それでよいのです」

「いや、俺たち外務省員のプライドが大切なのだ。田中大臣なんかに負けられない」

「その点について私は意見が違います。プライドは人の眼を曇らせます。基準は国益です」

「わかった。いずれ動いてもらうことにはなるが、当面は今のままだ。いいな」

「はい」

「それからこの話は、課長にも局長にもするな」

「それはもう遅いです。鈴木さんからの電話の内容は直属の上司である課長と局長には話してあります」

野上氏は困ったように顔を歪《ゆが》め、右手を後頭部にあてた。

「今後は、誰にも話さないでくれ」

私は、「はい」と答えたが、野上次官とのやりとりについては、課長、局長に正確に伝えた。これに対して、今井正国際情報局長は「嫌な雰囲気だね。佐藤さん、いざとなると自分の身は自分でしか守れないからな。残念ながら、そういう組織なんだ。外務省は」と淋《さび》しそうにつぶやいた。

その日の夜遅く、私は鈴木氏とホテルでざっくばらんに私を巡る状況分析をした。

九・一一以降、田中眞紀子女史と官邸の関係が緊張し、官邸と外務省事務当局が接近するという形で情勢に変化が生じたので、この機会に鈴木氏の影響力を削減することを外務官僚は考えている。しかし、鈴木氏の政治力は今後も利用したい。そのためには、鈴木氏に情報を提供し、相談相手になっている佐藤を鈴木氏から遠ざけ、鈴木氏が外務官僚の立てたシナリオにおとなしく乗るようになることを望み種々の画策をしているのではないか――というのが私と鈴木氏のとりあえずの見立てだった。

私は、外務省幹部の職務命令に基づいて鈴木氏との連絡係をつとめているのだが、外務省内部には私を鈴木氏から遠ざける動きもある。外務省がアクセルとブレーキを同時に踏んでいると考えた。

それから半月ほど経《た》ってから、鈴木氏から電話があった。

「今日、田中大臣が俺のところを訪ねてきて、『私、佐藤さんを異動させろなんて言っていませんからね。鈴木先生、誤解しないでくださいね』と言ってきた。実は、この前の野上の話が田中眞紀子の耳に自然に入るようにとある政治家に流しておいたのだが、うまく聞こえたようだ」

警告

二〇〇一年十一月三十日から十二月二日、フリステンコ・ロシア副首相が訪日した。フリステンコ氏は、エリツィン時代からの閣僚で、プーチン大統領側近グループとはいまひとつソリが合わないので、解任されるのではないかという憶測も強かったのだが、鈴木氏はフリステンコ氏を大切にし、日露関係を発展させる上でフリステンコ副首相は最適の人物であるというシグナルをクレムリンに流し続けた。

　フリステンコ氏はクレムリンのサバイバル・ゲームを勝ち抜き、プーチン大統領の信任を得るようになった。年齢が近いこともあるせいか、フリステンコ氏は私をとても可《か》愛《わい》がってくれ、東京でもモスクワでも外交儀礼上は考えられないことであるが、私とサシで会ってくれた。訪日期間中、フリステンコ副首相は、毎晩、鈴木氏と懇談した。その懇談には、丹波實駐露大使、角崎利夫《つのざきとしお》外務省欧州局審議官、パノフ駐日大使、ロシュコフ露外務次官などの主要プレーヤーも同席した。

その席で、フリステンコ副首相が大きな声で次のように言った。ロシア語には、丁寧語と身内の間で使う、荒っぽい表現があるが、非公式な席でフリステンコ副首相、パノフ大使、ロシュコフ外務次官といった人たちは私に荒っぽい表現を使う。私も荒っぽい表現を使う。

「サトウ、元気をだせ。人生ではいろいろなことがある。いったい何でそんな悲しそうにしているんだ」

「僕は別に悲しそうになんかしていない」

そこで、パノフ大使が茶化して言う。

「田中眞紀子外相にいじめられているんだ。佐藤さんがいじめられて弱くなると、日本の交渉力が弱くなるんで、ロシアとしては都合がよいのだけれども、これは由々しき事態なんだ」

ロシュコフ次官が言う。

「佐藤さんはたいへんな愛国者だ。僕たちも愛国者だから、タフネゴシエーターでも愛国者を尊敬するんだよ。田中外相だって、もう少し経てば佐藤さんの価値をきちんと評価するよ。昔のように頻繁にモスクワに来いよ。いつだってサシで会うぜ」

フリステンコ副首相が私の方を向いて聞く。

「俺もサシで会うぜ。何とか言えよ。何で元気がないんだ」

ロシア高官達の気遣いはとてもありがたかった。こういうときに生真面目《きまじめ》な返答をしてはだめだ。ユーモアで切り返す必要がある。

「僕は元気だ。世の中の政治家は、とてもよい政治家とよい政治家に分けることができる。橋本龍太郎、森喜朗はとてもよい政治家で、僕はとても尊敬している。フリステンコもとてもよい政治家で、僕はとても尊敬している。鈴木宗男もとてもよい政治家で、僕はとても尊敬している。それに較《くら》べて田中眞紀子はよい政治家だ。だから何も問題はない。よい外相に巡り会い、人生にはいろいろなことがあると思っているだけだ」

ロシア人はみんな大笑いした。「嫌い」という言葉を一言も使わないで、私の気持ちを率直に伝えることができた。

この時の会談記録が、後に鈴木宗男事務所から押収《おうしゅう》され、このときの会談内容についても私は取り調べを受けた。検察は何としても私と鈴木氏の間に犯罪を作り出そうとし、猟犬の如《ごと》く嗅《か》ぎ回ったのである。しかし、東京地検特捜部は犯罪を作り出すことができなかった。

私はモスクワ出張を再開した。ロシア人の友人たちはとても喜んで、私の仕事を助けてくれた。

翌二〇〇二年一月、鈴木氏は再度タジキスタンを訪問し、帰路、モスクワで森喜朗前総理と合流し、一月十八日にクレムリンでプーチン大統領と会談する予定ができた。ここでちょっとした異変が起きる。

今から考えると、この時に、その後、国策捜査の対象として鈴木宗男氏、そして私が狙《ねら》われる伏線が潜んでいたのだが、そのことに私は気付かなかった。正確に言うと、いくつかのシグナルが入っていたのだが、その情報の評価を私は誤ったのである。

深刻な警告は〇二年初め、ロシアではない別の外国政府関係者から寄せられた。

「小泉総理周辺が外交に与える鈴木宗男先生の急速な影響力拡大に危惧《きぐ》を抱いている。半年後に鈴木氏は政界から葬《ほうむ》られているだろう」

それから暫《しばら》くして、ある外交団の幹部が、山崎派参議院議員の実名をあげ、「この人が、鈴木宗男排除を小泉総理は決めたので、鈴木を窓口とする国は早くチャネルを変更したらよいとの話を流している」との情報が入った。日本人情報ブローカーからも少しタイムラグを置いて、同内容の情報が入るようになった。情報の筋が一貫しているので、どこかに司令塔のある情報であることは間違いなかった。

森・プーチン会談の舞台裏で

一月十七日、私たちはモスクワでプーチン大統領との会見日時の連絡を待っていた。丹波實大使がロシア外務省と掛け合ったが、なかなか返答が来ない。同日夜になっても確実な返事は来なかった。

　森前総理とプーチン大統領の会見については、外務省以外のチャネルも用い、会談は成立するとの返答を得ていたのだが、ロシア外務省からは、連絡が来なかった。私は森氏に呼ばれ、「プーチン大統領との会談の見通しが立たないならば、記者会見を行って帰国するので、君の正直な見通しを述べろ」と言われた。鈴木氏は私の眼をじっと見つめた。

　私は、「何か異変が起きています。どこかで妨害が入っているのでしょう。それを確かめるチャネルがもう一つあります。あまり借りを作りたくないチャネルなのですが、全《すべ》ての手を尽くせと言うならば使いましょう」と言った。

　鈴木氏は、即時に「あらゆる可能性を試してくれ」と言った。私はある民間の外国人に電話をし、その人物に事情を話すと四十五分以内に返事をすると言った。三十分も経たずに返事が来た。

「イーゴリ・イワノフ外相と電話で話した。プーチンは森総理と会う。心配しないでよい」

　その後、ロシア外務省から、大使館に週末、プーチンが別荘で森総理とゆっくり会見するとの返答が来たが、日程上不可能なので、十八日中に是非とも会いたいと再折衝した。十八日の朝早く、プーチンは森総理と昼食を伴った会見をするが、同席は通訳のみにして欲しいとの連絡があった。丹波大使はロシュコフ外務次官に電話し、「鈴木氏も同席させて欲しい」と強く要請したが、ロシュコフ次官からは「これ以上は逆効果だ」という最終回答が来た。

森氏と鈴木氏が相談した結果、クレムリンまで同じ車で行き、森氏が鈴木氏に挨拶《あいさつ》の機会をつくることを試みることになった。私は、ロシア政府のチャネル、民間チャネルの双方を用いて、鈴木氏の同席を認めるように頼んだ。二人とも「できるだけのことをする」と約束した。その内のひとりが「これはロシア側の問題ではない」と述べた。要するに、日本側で誰かが鈴木氏の同席を妨害しているということである。

「大使館では丹波大使以下、鈴木氏の同席実現に向けて全力を尽くしている。大使館が裏表のある行動をとることは考えられない。そうすると東京で妨害をしている者がいるということだ。しかも、ロシア側に影響を与えうる人物だ。誰なんだ。外務官僚にその胆力はない。田中眞紀子外相か。彼女はそのような仕掛けはできないし、田中女史が働きかけてもロシア側は反応しないだろう。そうなると官邸か。誰だ。いったい誰が仕掛けているんだ」と私は考えを巡らせた。しかし、私はこの情報を鈴木氏に伝えなかった。

一行が宿泊するメトロポール・ホテルから、三台の車が出発した。第一号車には、森氏、鈴木氏と通訳、第二号車には、カメラマンと大使館の書記官、第三号車に私と大使館の篠田《しのだ》研次《けんじ》公使が乗り込んだ。篠田氏と私の任務は、クレムリンの現場で折衝し、何としてでも鈴木氏の同席を確保することだった。

クレムリンの正門に着いた。検問で、私と篠田氏の乗った車はクレムリンへの立ち入りを拒否された。私と篠田氏は、クレムリンの裏門に回り、そこから駆け足で、大統領府建物に近付こうとした。この間、十分程度であったが、二、三時間の如く感じられた。モスクワは氷点下だったが、私は汗だくになった。

大統領府建物に向かって走っていくと、クレムリンの警備員に制止された。事情を説明していると、向こう側から鈴木氏が走ってこちらに向かってきた。「いや、入口で髭のおじさんにあなたはダメだと制止されちゃったよ。まあ、森さんがプーチンと会えたんだから、これでよかったんじゃないか」と笑っていたが、眼は笑っていなかった。

ホテルに戻ると私は鈴木氏とサシで話をした。鈴木氏は怒りで震え、「佐藤さん、この経緯がどういうことだったか、東京に帰ってから徹底的に調べてくれ。誰が俺の同席を邪魔したのか。ロシア側なのか日本側なのか、徹底的に調べてくれ」と言った。

私は「わかりました」と答えた。本格的な政争に巻き込まれると感じた。

NGO出席問題の真相

しかし、私がこの事件について調査することはなかった。なぜなら、日本に到着するとアフガニスタン復興支援東京会議へのNGO出席問題を巡って、鈴木氏、田中女史の間で戦端が開かれ、その過程で私にも火の粉が降ってきたので、もはや調査をする余裕などなくなってしまったからである。

二〇〇二年一月二十一日に開催されたアフガニスタン復興支援東京会議に二つのNGOが招待されなかったが、それが鈴木氏の明示的圧力によるものだったという憶測が強まった。一月二十四日の衆議院予算委員会で、菅直人《かんなおと》民主党党首が「鈴木氏が一部NGOを出席させないように指示をしたと言われているが、そのようなことがあったのか」という質問をした。

これに対して、田中女史は、「二十一日に（野上）事務次官に電話で話をしたら、そうした名前があったことを、私は確認している」と答えた。この時から、鈴木宗男バッシングが本格化し、それが私を巻き込み、私の外交史料館への異動、私や東郷和彦駐オランダ大使、森敏光駐カザフスタン大使、渡邉正人技術協力課長ら鈴木派と目された官僚への処分、そして、私の逮捕へとつながっていく悲喜劇の序章となるのである。

私はNGO出席問題の発端を知る数少ない人間である。私が見るところ、この件に関するいずれの報道も正確ではない。

それは、モスクワでの出来事だった。先に述べたように、一月十七日の夜は、プーチン大統領との会談の見通しが立たず、森氏も鈴木氏も神経過敏な状態にあった。鈴木氏のお世話係としては私が、森氏のお世話係としては佐々江賢一郎アジア大洋州局審議官が同行していた。佐々江審議官は、森氏が総理時代に外務省から出向した秘書官だった経緯からこのような人選となった。

十七日、大使公邸で行われた夕食会で、丹波大使が「まだ返事が来ないので、プーチン大統領との会談は今回は難しいかもしれません」と言った。森氏の眉間《みけん》が一瞬引きつったが、森氏は特に感情的な対応をせずに食事を続けた。

夕食会を終え、車に乗り込むところで、森氏は私と佐々江審議官に対し、怒気をはらんだ声で、「これから新聞記者を集めてくれ。事情を説明し、予定を早めて日本に帰る。あの大使はちょっとピントがずれている」と言った。「予定を早めて」と言っても、東京行きの飛行機は、予定便の明日の夕刻までないので、これは丹波大使の発言に対する森氏の強い不快感の表明だった。

私は、森氏に「まだ時間があります。（森）総理は日露関係で最重要人物ですので、軽々な発言をプレス（マスコミ）にされては、国益が傷つきます」と答えた。更に、大使館からホテルまでの車中で、私は鈴木氏に「会見をやめさせなくてはならない」と言った。メトロポール・ホテルに着いたところで、エレベーターの前で森氏が私に耳打ちをし、「もう少し待つよ。今日は会見をしないよ」と囁《ささや》いた。

ホテルで私が森氏の部屋に入ろうとすると、佐々江審議官にさえぎられた。森氏、鈴木氏、佐々江氏の三人で三十分程度、打ち合わせをしたようで、その後、部屋から出てきた鈴木氏に「ちょっと来てくれ」と私は部屋に呼ばれた。

鈴木氏は、「佐藤さん、佐々江も相当なもんだな。『丹波はちょっとおかしいんです。ズレています。もう終わった人間です』と散々丹波の悪口を言って森さんをなだめていた。全く、あっちにはこう言い、こっちにはああ言いだ」と吐き捨てるように言った。

その後、私は、プーチン大統領との会見を取り付けるために、鈴木氏の目の前であちこちに電話した。

現地時間の午後十時前に部屋のドアを叩《たた》く者がいる。誰かと思って出てみると佐々江審議官だった。佐々江氏が「ちょっと別件で鈴木大臣に相談があります」と入ってきた。私は「まずい」と思った。

政治家にはスイッチがある。スイッチが入っていない時に、話をもっていっても政治家の頭には入らず、感情的な反発を買うだけだ。特にプーチン大統領との会談の成否は鈴木氏のロシア・チャネルの真価が測られる、少し大げさに言えば、鈴木宗男の政治生命のかかった事案だった。こんなときに別件をもってくるのはまずい。それに鈴木氏はさきほどの佐々江審議官の森氏に対する説明に不快感を抱いている。それでも、結局、佐々江氏は半ば強引に部屋に入った。

佐々江審議官の別件とは、アフガニスタン復興支援東京会議に参加するＮＧＯについて、鈴木氏の了承を求めることだった。佐々江氏は、「もうタイムリミットですので」

と前置きした上で、「ピースウインズ・ジャパン、ジャパンプラットフォームはかつて問題を起こした団体で、特にカネの使途で問題があったので、今回は外します」という外務省の判断を伝えた。

鈴木氏は、「それでいいよ」と答えた。それだけのことである。その時、NGO団体の相互関係について佐々江審議官の説明が鈴木氏の理解と異なるので、深夜であるにもかかわらず外務本省の担当課長を電話でたたき起こしたとのエピソードもあったが、鈴木氏の方から、どの団体を入れるなという話は全くなかった。

鈴木氏の問題意識は、アフガニスタンのタリバンはまずNGOを深くアフガニスタン奥地に引きずり込んで、それから民間人を人質にとる計画を立てているという有力情報があるので、外務省が「引け」と言ったときにそれを聞くような信頼関係がある団体を重視すべきだということだった。この考えが妥当かどうか、あるいは事前に鈴木氏の了承を求める必要があったのかについては種々の意見があろう。しかし、鈴木氏が「二つのNGOを参加させるな」と言った事実はない。また、この時点で鈴木氏は大西健丞《けんすけ》ピースウインズ・ジャパン代表に関する記事を読んでいない。

東京に戻る飛行機の中で、鈴木氏は私に十八日付朝日新聞朝刊のひと欄に載った大西健丞氏のインタビューを示し、「お上の言うことは信用できないなんて言っているけど、こういう人たちがアフガニスタンに行くとトラブルが起きるね」と言った。

成田で積み込まれた十八日付各紙朝刊を鈴木氏が読んだのは日本時間で十九日のことである。その前に外務省は二つのＮＧＯを招待しないと鈴木氏に伝えたのである。この事実は動かない。従って、鈴木氏が朝日新聞で大西氏についての記事を読んで圧力をかけたということは事実に反する。

鈴木氏からすれば、外務省が自らの判断で、二つのＮＧＯを参加させないという決定をし、その了解を求められたのに、それが鈴木氏の圧力とされたのは何とも腑《ふ》に落ちないことではあったにちがいない。しかし、鈴木氏は「誰かが俺の名前を勝手に使ったな」という形で外務官僚に詰め腹を切らせるシナリオだけは避けようとした。

むしろこの機会に、事実と異なる国会答弁で鈴木氏を追い込もうとした田中女史と全面対決し、決着をつけようとしたのである。

私は「世論の流れは九九パーセント、田中の婆《ばあ》さんを支持していますよ。大丈夫ですか」と言った。鈴木氏は、「こっちが完全に事実に根ざしていて、向こうが嘘《うそ》をついている時は、闘いは思ったよりも有利なんだよ。相当、血は流れるかもしれないけれど、この辺で決着をつけておかなくてはならない」と言った。鈴木氏の見通しは甘かった。

モスクワの涙

その後、私は以前からの約束があるためモスクワに向かった。モスクワに行く直前にある外国人から連絡があった。一月二十四日のことである。

「佐藤さん。今、日本から離れない方がよいと思います。これから鈴木宗男さんの周辺でたいへんなことが起きます。佐藤さんが鈴木さんを助けてあげなくてはなりません」

私はこの情報をモスクワ行きの約束を取りやめるほど重要だとは捉《とら》えなかった。むしろ最近、鈴木氏と官邸の関係は改善したと見ていた。

一月十七日、自民党幹部からモスクワ滞在中の鈴木氏に電話があり、衆議院議院運営委員長に就任して欲しいとの打診があった。議院運営委員長は、議長、副議長に次ぐナンバー3のポストだ。小泉首相の了承なくしてこの人事はありえない。鈴木氏と官邸の関係は十分安定していると私は見ていた。

野上義二事務次官は、田中女史が国会で答弁した野上次官による電話連絡自体を否定。これにより、国会を舞台に大臣と事務次官が全面的に対立するという前代未聞《みもん》の事態となった。野上次官は特に無理をして鈴木氏を守ったわけではない。事実を事実と言ったのみだ。しかし、世論は、野上次官が嘘をついてまで鈴木氏を守っているとの印象を強めた。

私は、モスクワから毎日一回、鈴木氏に国際電話を入れたが、鈴木氏は「東京は大丈夫だ。あんたはモスクワで思う存分仕事をすればよい」と快活な対応だったので、特に心配もしなかった。

外務大臣と事務次官の国会答弁が食い違うと言うことは、国政で本来あってはならない話だった。どちらかが嘘をついているということだ。しかし、小泉首相は、事実関係を徹底的に詰めることはせずに田中外相、野上次官の両名を更迭《こうてつ》し、それと同時に国会混乱の責任をとって鈴木氏は議運委員長を辞任する手続をとった。マスコミはこれを小泉流の「三方一両損」と受けとめたが、実態は少し異なっていた。イニシアティブをとったのは小泉首相ではなく鈴木氏だった。

一月二十九日夕刻、私はモスクワ・シェレメチェボ国際空港のバーで、見送りに来てくれた気心の知れた書記官と一緒にウオトカを飲んでいた。少し疲れたので、飛行機の中ではゆっくり寝ようと思っていた。私は書記官の携帯電話を借り、東京の親しい政治部記者に電話をした。いつも沈着冷静なその記者が「今はちょっと電話で話ができない。たった今、小泉が眞紀子と野上を更迭した。宗さんも辞表を出した」と早口で言って、電話を切った。

私は鈴木氏に電話をかけた。電話はつながらないものと考えていたが、鈴木氏自身が電話口に出た。私は「こんな形の終わりでいいんですか。嘘をついているのは向こう（田中女史）なんですよ」と言った。

鈴木氏は、「佐藤さん、心配しないでいいよ。これは俺から切ったカードなんだ。『田中をやめさせて下さい。それならば私も引きましょう』と俺から総理に言ったんだ。総理から担保もとっている。田中をやめさせただけでも国益だよ」と淡々と電話口で述べた。

私の眼から涙がこぼれた。私は涙もろい方ではない。それ以上に、同行していた書記官は感情を表さない訓練がよくできている人物で、私は彼女が涙を流した姿をほとんど見たことがないが、彼女ももらい泣きをしていた。書記官が私に「佐藤さん、ほんとうにこれで終わり、大丈夫と思いますか」と問いかけてきた。

私は「大丈夫ではないと思う。これから一カ月が勝負だが、もはや僕たちの手を離れた世界の話だ。僕は生き残れないかもしれない。あなたたち若い人は、うまく逃げ切ることだ。僕はもうモスクワには来ることもないかもしれない」と答えた。


外務省では、大多数の省員が田中更迭を歓迎したが、これと共に鈴木宗男氏の影響力が決定的に強まり、田中時代に鈴木氏、更に私と対峙《たいじ》した人々には激しい圧迫が加えられるとの恐怖が走った。

二月一日、イーゴリ・イワノフ露外相が訪日した。その晩、イワノフ外相、森前首相、鈴木氏との会談が六本木の寿司屋《すしや》で行われ、私も同席した。夕食会の後、イワノフ外相は小泉首相を表敬した。寿司屋の外ではテレビカメラを含め数十名の記者が待機しているので、私と鈴木氏は、十五分程時間をおいて外に出た。幸い記者は去った後だった。

車で外務省に戻ろうとする途中で携帯電話が鳴った。パノフ大使からだ。これからイワノフ外相の部屋に鈴木氏を呼び、明日の外相会談の準備も兼ねてざっくばらんな話をしないかという提案だった。

私は角崎利夫欧州局審議官と外務省の通訳に電話をして、ホテルに来るように頼んだ。イワノフ外相と鈴木氏の間では、タジキスタンにおける日露の戦略的提携とイルクーツク首脳会談までの合意を踏まえて今後の平和条約交渉を加速させることについて意見交換がなされた。

鈴木氏は、平和条約交渉について、北方四島が日本領と確認されない限り平和条約は締結できないという原則だけは絶対に譲らなかった。また、領土問題を迂回《うかい》して経済関係が発展できるとの立場にも与《くみ》しなかった。上手な連立方程式を作って、領土も経済も戦略的提携も日本にとって有利な方向に進めるとの野心をもっていることをロシア人の前で隠さなかった。このように北方領土問題にあくまでもこだわったことでロシア人政治エリートは鈴木氏、東郷氏、そして私を信頼したのである。ロシア人とは原理原則を大切にする相手とだけ真剣な取り引きをするのである。

その日は徹夜で会談記録を作り、翌二月二日午前中に十全ビルの鈴木事務所を訪れ、手渡した。外にはテレビの中継車が一台停まり、十数名の記者がいたが、幸い私に気付いた者はいなかった。

鈴木氏は「あんたと俺のツーショットをみんな狙《ねら》っているので、注意しよう」と言った。そして、私が鈴木宗男氏と会うのはこれが最後となった。

その後も、逮捕される五月十四日まで、毎日、最低二回は私は鈴木氏に電話を入れるようにしたが、面会は差し控えた。

イーゴリ・イワノフ外相と鈴木氏が外相会談前に会ったということは、一部外務省幹部にとっては衝撃だった。「今後、重要なことは全《すべ》て裏で鈴木が決めるようになる。これでは外務省はいらなくなる」といった内容の外務省幹部のオフレコ懇談の内容が私の耳にも入った。

今回はワイドショー、週刊誌のみならず一般紙も鈴木叩きの論調に傾いた。「鈴木宗男の運転手をする外務省幹部」という見出しで私を扱った記事が「週刊文春」に出たのを契機に、外務省内部、それもロシアスクールの幹部しか知らない内容に種々の嘘を混ぜた情報が各週刊誌、月刊誌に掲載されるようになった。この嵐は止まらないというのが私の見立てだった。外務省幹部の何人かからアプローチがあった。「君も早く鈴木攻撃を始めろ。そうすれば逃げ切ることができる」という話が大半だった。これに対して、「私は鈴木宗男を外務省員としても、佐藤優個人としても尊敬しています。ですからそのような話には乗れません」と答えた。

その後、外務省内部の調査でも私はこのフレーズを繰り返すことになる。もちろん、私には鈴木氏への想《おも》いもある。しかし、それよりも私は、この騒動を私が付き合っていた外国人たちがどう受けとめるかということに関心があった。

私を含め、外務省関係者は鈴木宗男氏こそが日露関係のキーパーソンであるとロシア人に紹介してきた。もし、私が鈴木氏を裏切れば、ロシア人は今後、日本人外交官がどのような政治家をキーパーソンと紹介しても、信用しないであろう。私が最後まで鈴木氏と進み、一緒に沈めば、ロシア人は「われわれが信用する日本人外交官が、この政治家は信用できるといえば、それは本気の発言だ。政治の世界に浮き沈みはつきものだ。いつかまた、われわれが信用する日本人外交官がこの政治家は信用できると言って紹介してくれれば、その話に乗ってもロシア側が裏切られることはない」と受けとめてくれる。これがロシア人の常識なのだ。

ロシア人はみなタフネゴシエーターで、なかなか約束をしない。しかし、一旦《いったん》、約束すれば、それを守る。また、「友だち」ということばは何よりも重い。政治体制の厳しい国では、「友情」が生き抜く上で重要な鍵《かぎ》を握っているのである。このことはイスラエルをはじめとして世界中で活躍するユダヤ人についても言えることだった。私が沈むことによって、ロシア人とユダヤ人の日本人に対する信頼が維持されるならば、それで本望だと私は思った。

田中眞紀子元外務大臣の行動と発言

【2001年】	
4月26日	小泉純一郎政権発足、外務大臣に就任
5月8日	人事凍結宣言 アーミテージ米国務副長官との会談をキャンセル
11日	「外務省は伏魔殿のようなところ」と記者会見で発言
24日	アジア欧州会議（ASEM）に出席、日中外相会談
6月21日	鈴木宗男氏の質問時間制限を土肥隆一衆院外務委員長（民主党）に要請
8月10日	川島裕事務次官が退任、後任に野上義二氏
9月12日	米中枢テロで米国務省の避難先を記者団に漏らす
10月3日	天皇陛下への国政報告（内奏）を外部に漏らした疑惑が浮上
29日	斎木昭隆人事課長更迭を求め、人事課に2時間たてこもる
11月1日	指輪紛失騒動、上月豊久秘書官に対して「あなたが盗んだんじゃないの」と発言
22日	パキスタンを訪問
12月5日	衆院外務委員会で「次官は非常に守られていて次官は天皇みたいなものだ」と発言
【2002年】	
1月24日	アフガニスタン復興会議への非政府組織（NGO）排除問題で鈴木宗男氏の意向に従ったと報告を受けたと衆院予算委で答弁。野上事務次官は記者会見で否定
28日	予算委で外相と事務次官の答弁が食い違い、全面的に対立
29日	首相が外相と野上事務次官を更迭。鈴木氏も衆院議運委員長辞任を表明

竹内行夫駐インドネシア大使が事務次官に任命された時点で、私は腹を括《くく》った。竹内次官の哲学はただ一つ、外務省という「水槽」を守ることだ。この点で、竹内氏は野上次官の正統な後継者である。本質的にノンポリなのである。川島前次官、丹波外務審議官、東郷局長がもっていたような、政治のダイナミズムを巧みに用いて外交ゲームをしようという腹はない。

もちろん、竹内次官の内在的ロジックでは、外務省という「水槽」が維持、強化されることが、国益なのであろう。ただし、この類《たぐい》の人物は鈴木宗男氏を排除したいと強く考えていても自らリスクを冒すことはない。全ては官邸、それも小泉首相がどう考えるかで動くタイプの官僚と見ていい。

鈴木氏が田中更迭にあたって「鈴木氏からカードを切った」ことが恐らく裏目に出るだろうと私は思った。小泉氏にすれば、それは鈴木氏が閣僚人事にまで手を突っ込んできたことになる。

鈴木氏本人は、嫉妬《しっと》心が希薄な人物だけに田中女史や小泉氏の嫉妬心に気がついていない点が致命的に思えた。二月一日の参議院予算委員会で小泉総理が「今後、鈴木議員の影響力は格段に少なくなる」と述べたことはレトリックではない。この時点で既に流れは決まっていたのである。そして、これはほんとうの戦争だ。いくところまでいくだろう。しかも、私の持ち時間は限られている。私は背筋が寒くなるのを感じた——。

外交官生命の終わり

二月二十日の衆議院予算委員会で、共産党の佐々木憲昭議員が外務省の内部文書を暴露し、国後島のプレハブ建築「友好の家」の入札を巡って、鈴木氏からの不当な圧力があったのではないかと追及した。この瞬間から世論のみならず自民党の鈴木氏に対する風当たりも急速に強まった。

外務省員が政策に対する理解を求めるために与党の有力政治家に内部文書を渡すことはときどきある。しかし、「革命政党」である共産党に外務省から秘密文書が流れるというのは、別次元の問題だ。それは外務省内部の権力抗争に勝利するためには共産党と手を握ってもよいというところまで一部外交官のモラルが低下したということを意味していた。

田中眞紀子女史の失墜を図るためのさまざまな情報戦により、文書流出に対する抵抗感が薄れたのだろう。「トリックスター」の遺《のこ》した思わぬ後遺症で、外務省の地下に封じ込められていた憤懣《ふんまん》、嫉妬、怨念《おんねん》などどろどろしたものが全て吹き出してきたのである。

二十一日早朝、情報ブローカーから電話がかかってきた。

「支援委員会絡《がら》みで東京地検特捜部が動くよ。足寄《あしよろ》（鈴木氏の出身地）のオッサンは塀の中に落ちるから、あなたは早くあのオッサンとは縁を切った方がいいよ」という話だった。

二十二日昼、私は今井正国際情報局長に呼ばれた。私から、「危ないと思う。そろそろ国際情報局から私が離れないと組織に迷惑がかかる」と報告した。

今井局長は、「僕もそう思う。ただし国際情報局に迷惑とかいう話ではなく、あなた個人が狙われ、危ない目に遭うことを僕は心配している。早く人事異動の希望を出した方がよいと思う」と言った。私は、中東の二カ国と中南米の一カ国を希望先として述べた。

午後四時過ぎに今井局長から私と課長が呼び出された。今井氏は、涙を流しながら私に伝えてきた。

「斎木（人事課長）のガードがいつになく堅かった。一足遅かった。官邸からの指示で、外交史料館に異動になる。五時に辞令が交付される。ひどい話だ。理不尽だ」

私は、「官邸の指示ならば仕方がないですね。ただし、これで終わりではないでしょう」と淡々と答えた。

今井局長は、私が外交史料館に異動になり、私に対するバッシングが強まり、処分された後も私に人間としての温かさをもって接してきた数少ない幹部だった。五月に今井氏はイスラエル大使としてテルアビブに赴任した。

二〇〇三年十月八日に私が五百十二日間の拘置所生活から保釈された直後、イスラエル関係者から連絡があった。その中で、「今井大使は、イスラエルの政治エリートからとても信頼されている。佐藤さんの播《ま》いた種は確実に育っている」という話を聞いた。

私の外交官生命は、東京地検特捜部に逮捕された〇二年五月十四日よりも少し早く終わっていた。私の理解では、それは官邸の指示に基づき私が外交史料館に異動になった二月二十二日だった。これは同時に外務省の鈴木宗男氏に対する訣別《けつべつ》宣言であったし、私が追求してきた形での情報収集、調査・分析機能の強化に外務省が「ノー」という判断を下した日でもある。

小泉政権の誕生により、日本国家は確実に変貌《へんぼう》した。私はこれまで、私自身が見聞きしたことを中心にその変貌をたどってきた。この章のまとめとして外交政策、外務省を巡る政官関係に絞って、その意義を簡潔に整理してみたい。

第一は、外交潮流の変化である。

「トリックスター」田中眞紀子女史が外相をつとめた九カ月の間に、冷戦後存在した三つの外交潮流は一つに、すなわち「親米主義」に整理された。

田中女史の、鈴木宗男氏、東郷氏、私に対する敵愾《てきがい》心から、まず「地政学論」が葬《ほうむ》り去られた。それにより「ロシアスクール」が幹部から排除された。次に田中女史の失脚により、「アジア主義」が後退した。「チャイナスクール」の影響力も限定的になった。そして、「親米主義」が唯一《ゆいいつ》の路線として残った。九・一一同時多発テロ事件後の国際秩序を「ポスト冷戦後」、つまり冷戦、冷戦後とも時代を異にする新しい枠組みで捉《とら》える傾向があるが、日本は「ポスト冷戦後」の国際政治に限りなく「冷戦の論理」に近い外交理念で対処することになった。

第二は、ポピュリズム現象によるナショナリズムの昂揚《こうよう》だ。田中女史が国民の潜在意識に働きかけ、国民の大多数が「何かに対して怒っている状態」が続くようになった。怒りの対象は一〇〇パーセント悪く、それを攻撃する世論は一〇〇パーセント正しいという二項図式が確立した。ある時は怒りの対象が鈴木宗男氏であり、ある時は「軟弱な」対露外交、対北朝鮮外交である。

このような状況で、日本人の排外主義的ナショナリズムが急速に強まった。私が見るところ、ナショナリズムには二つの特徴がある。第一は、「より過激な主張が正しい」という特徴で、もう一つは「自国・自国民が他国・他民族から受けた痛みはいつまでも覚えているが、他国・他国民に対して与えた痛みは忘れてしまう」という非対称的な認識構造である。ナショナリズムが行きすぎると国益を毀損《きそん》することになる。私には、現在の日本が危険なナショナリズム・スパイラルに入りつつあるように思える。

第三に、官僚支配の強化である。外務省を巡る政官関係も根本的に変化した。小泉政権による官邸への権力集中は、国会の中央官庁に与える影響力を弱め、結果として外務官僚の力が相対的に強くなった。ただし、鈴木宗男氏のような外交に通暁《つうぎょう》した政治家と切磋《せっさ》琢磨《たくま》することがなくなったので、官僚の絶対的力は落ちた。

外務官僚は、田中女史、鈴木氏に対する攻撃の過程で、内部文書のリークなど「禁じ手」破りに慣れてしまい、組織としての統制力がなくなった。組織内部では疑心暗鬼が強まり、チームとして困難な仕事に取り組む気概が薄くなった。

ある意味で、現在の外務省は、「水槽」の中で熱帯魚（外務官僚）たちが、伸び伸びと暮らすことのできる実に居心地の良い世界である。熱帯魚たちは「水槽」の中でその美しさを競い合う。そこでは、美談もあれば人間ドラマもあり、深刻な抗争もある。しかし、所詮《しょせん》は「水槽」の中の世界に限られた話だ。

現実の国際政治は「水槽」の外側、大きな海で行われている。この海に飛び出していく勇気を果たして熱帯魚たちはもつことができるであろうか。熱帯魚を追い立てる力は、「水槽」の内側からは出てこない。国民の利害を体現する外交を実現するためには、政治家の外務官僚に対する圧力は不可欠と今も私は考えている。

第三章　作られた疑惑

「背任」と「偽計業務妨害」

私にかけられた容疑は二つある。

第一は「背任」である。具体的には、二〇〇〇年一月にゴロデツキー・テルアビブ大学教授夫妻を日本に招待したこと、更に同年四月、テルアビブ大学主催国際学会「東と西の間のロシア」に末次一郎安全保障問題研究会代表、袴田茂樹《はかまだしげき》青山学院大学教授など七名の学者と外務省から「ロシア情報収集・分析チーム」のメンバー六名を派遣したが、この際、外務省関連の国際機関、支援委員会から資金計三千三百万円を引き出したことが違法で背任罪を構成する、というのが検察の論理だ。

もし、私が他人の財布から、無断でカネを抜き出して、これを使えば泥棒（窃盗《せっとう》）である。それに対して背任は少しわかりにくい犯罪だ。

私が、誰かから特定の目的で、例えば、「これで薬を買ってくれ。どの薬を買うかはあなたに任せる」と言われて財布を預かったとする。私はその財布から薬を買っている限りは問題はない。私が自分の友だちのためにこの財布からカネを抜き出して本を買ってあげたとする。この場合、私がその本を手にするわけではないが、第三者の利益のために、お財布を預けてくれた人に損失を与える。このような場合が「背任」にあたる。

要するに、イスラエルの大学教授の訪日招待や同国で行われる学会への日本人学者らの派遣に支援委員会からカネを引き出したことが犯罪だというのである。どちらの支出も外務省の決裁を得ている。訪日招待は欧亜局長と条約局長、派遣はそれに加え外務事務次官、要するに外務省事務方のトップの決裁を受けているのだが、検察の論理では、私の背後に鈴木宗男氏がいるため、外務省関係者は鈴木氏に恫喝《どうかつ》されたり、人事上の不利益を被《こうむ》るのが恐いので違法であるとは思っていたが仕方なく決裁書にサインをしたというのだ。

第二は「偽計業務妨害」である。宅配便業者の店前で肥桶《こえおけ》をひっくり返して仕事を邪魔すれば、「威力業務妨害」になるが、宅配便業者にニセの集配依頼の電話を一日百回かけて仕事を邪魔すれば「偽計業務妨害」になる。

二〇〇〇年三月に行われた国後島におけるディーゼル発電機供与事業の入札で、三井物産に対して違法な便宜を図ったり、前島陽《あきら》ロシア支援室課長補佐や三井物産の連中といろいろな悪巧み（偽計）をして、支援委員会の業務を妨害したというのが検察の論理である。

悪巧みの内容は、一般競争入札に参加したい会社に圧力をかけて参加させず、実際には参加する意思のない会社を形だけ入札に参加させ、三井物産に落札させるような「出来レース」をつくることを私が主導したという話だ。

しかも、私が前島補佐に「三井物産に落札させるのが鈴木宗男大臣の意向だから、入札予定価格の基礎になる積算価格を三井物産に教えてやれという違法な指示をした」というおまけまでついている。背任にせよ、偽計業務妨害にせよ、いわゆる知能犯が行う相当悪質な犯罪だ。

私はまず〇二年五月十四日に背任容疑で逮捕され、六月四日に起訴された。更に七月三日、偽計業務妨害容疑で再逮捕され、同月二十四日に起訴された。

当時、マスメディアは、私が自分の影響力を誇示するために知り合いの学者や外務省の部下や同僚をイスラエルに観光旅行に連れていったとか、あるいは鈴木宗男氏の意向を反映し私が三井物産に対して入札予定価格を漏洩《ろうえい》した、三井物産から鈴木氏にカネが流れているのではないか、という類《たぐい》の〝検察リーク〟に基づく話ばかりを報道したが、いずれも事実と異なる。

これら二つの事件の背景には、当時、総理官邸主導で進められていた二〇〇〇年までに日露平和条約を締結するという国策が存在した。

どちらの業務についても、私は外務省職員として国策に沿う形で、遂行したものだ。にもかかわらず、それがなぜ犯罪にすり替わってしまったのだろうか。検察にはどうしても私の業務に絡《から》む犯罪を作り上げる必要があったのである。そして、そこには一種の歴史的必然性があるというのが、私の考えだ。

ゴロデツキー教授との出会い

専門家以外の人にとって、イスラエルとロシアが特別な関係にあることはなかなかピンとこないにちがいない。その意味で、ワイドショーや週刊誌の報道が「ロシアとは無関係なイスラエルの学会に行ったのはけしからん、本当の目的は観光旅行だったのだろう」という内容になるのも仕方のないことだった。ユダヤ人問題に興味を持たない人々にとってはなかなか理解しづらいことなのだ。そこで、まず、ロシア・イスラエル関係についての説明から始めることにする。

第二次世界大戦中、ナチス・ドイツにより六百万人のユダヤ人が殺された。アウシュビッツ収容所の悲劇については誰もが知っている。戦後、多くのユダヤ人がこの悲劇を繰り返さないためには、ユダヤ人国家を再建することが不可欠だと考えた。既に十九世紀から、エルサレムのシオンの丘に帰って、もう一度ユダヤ人国家を作ろうという運動が始まっていた。これがシオニズムで、イスラエルの建国理念になった。

シオニズムには、ナショナリズムの理念と共に社会主義思想が含まれている。シオニズムの提唱者の一人であったドイツ系ユダヤ人モーゼス・ヘスは、カール・マルクスの盟友だった。

マルクス主義が形成される過程で画期的意味をもったのが『ドイツ・イデオロギー』

（一八四五—四六年）であるということについては、専門家の見解が一致しているが、この共同執筆者にマルクスとその盟友フリードリッヒ・エンゲルスだけでなくヘスが含まれていたことは案外知られていない。

十九世紀半ば、ドイツ知識人の小さなサークルで始まった思想運動は、一つはマルクス主義になって、ソ連、東欧、中国の社会主義諸国を生み出し、もう一つが後期モーゼス・ヘスを経由してシオニズムとなり、イスラエル建国につながったと見ることも可能なのである。そして、ソ連型社会主義という歴史の実験は破産したが、イスラエル国家は唯一《ゆいいつ》の超大国アメリカにも影響を与える国際政治で無視できない独自の地位を占めることになった。

一九四八年にイスラエルが建国されたが、それを世界で最初に承認したのがスターリンのソ連だった。もちろんソ連はシオニズムに共感をもってイスラエルを承認したのではなく、当時、反帝国主義・反植民地主義の観点から、イギリスからイスラエルが独立することを支援したに過ぎない。その後、いくつかの偶然が重なって、冷戦体制の成立とともに、イスラエルはアメリカ陣営に、エジプト、シリア、リビアなどの一部アラブ諸国がソ連陣営に加わった。六七年に勃発《ぼっぱつ》した第三次中東戦争（六日戦争）の後、ソ連はイスラエルと国交を断絶。国交が回復するのは九一年である。
国交断絶後、ソ連に在住するユダヤ人のイスラエルへの出国は事実上不可能になった。

しかし、不可能を可能にする不屈の精神をイスラエル人はもっている。ソ連全国にユダヤ人の秘密ネットワークを作り、ユダヤ人の出国を支援するとともに、欧米においてソ連政府のユダヤ人に対する抑圧政策を改めるようにとのロビー活動を展開し、東西冷戦期にユダヤ人問題は米ソ関係の最重要課題として取り上げられるまでになった。ソ連は、政権に忠誠を誓うユダヤ人を集め、「反シオニスト委員会」を作るが、イスラエル政府の秘密工作を切り崩すことはできなかった。

その結果、八八年頃からソ連在住ユダヤ人の出国が緩和された。当時、ソ連に大使館などを持たなかったイスラエルの利益代表をオランダが行っていた。在モスクワのオランダ大使館は日本大使館と同じカラシュヌィ通りにあり、徒歩二分の距離だった。

八八年夏に私はモスクワ大使館で勤務を始めたが、朝早くからオランダ大使館前に百人を超える人々が行列を作りイスラエルへの出国査証を求めた。その行列は、マイナス二十度を超える極寒の中でも短くなることはなかった。カラシュヌィ通りに面したビルの壁には、ノートの切れ端に「住宅売りたし、家財道具売りたし乞《こう》連絡」と電話番号を記した自家製広告がたくさん糊《のり》で貼《は》られていたのをよく覚えている。

九一年十二月、ソ連が崩壊し、新生ロシアは反イスラエル政策を根本から改めた。イスラエルは中東で自由、民主主義、市場経済という基本的価値を共有する友好国になった。一方、ロシアは、リビア、シリアなどに軍事援助、経済援助をする余裕がなくなったので、これら諸国との関係は冷え込んだ。

八〇年代末から二〇〇〇年までに旧ソ連諸国からイスラエルに移住した人々は「新移民」と呼ばれ、その数は百万人を超えた。イスラエルの人口は六百万人であるが、その内、アラブ系が百万人なので、ユダヤ人の内二〇パーセントがロシア系の人々である。これまでイスラエルに移住したユダヤ人は、出身地がドイツであれ、ポーランドであれ、モロッコであれ、ヘブライ語を習得し、急速にイスラエル文化に同化したが、「新移民」は、ロシア語やロシア文化を維持した。イスラエルではロシア語の日刊紙が発行され、衛星放送でロシアの主要テレビ番組が放映されている。ヘブライ語のニュース番組にロシア語の字幕がつくこともある。いまや「新移民」は政治勢力としても無視できない存在となっている。シャロン現首相は少し訛《なま》りはあるがロシア語ができるので、選挙に際してはロシア語で演説をして「新移民」の支持を得るように腐心したほどだ。

「新移民」は、ロシアに住んでいたときはユダヤ人としてのアイデンティティーを強くもち、リスクを冒してイスラエルに移住したのだが、イスラエルではかえってロシア人としてのアイデンティティーを確認するという複合アイデンティティーをもっている。

ロシアでは伝統的に大学、科学アカデミーなどの学者、ジャーナリスト、作家にはユダヤ人が多かったが、ソ連崩壊後は経済界、政界にもユダヤ人が多く進出した。これらのユダヤ人とイスラエルの「新移民」は緊密な関係をもっている。ロシアのビジネスマン、政治家が、モスクワでは人目があるので、機微にふれる話はテルアビブに来て行うこともめずらしくない。そのため、情報専門家の間では、イスラエルはロシア情報を得るのに絶好の場なのである。しかし、これまで日本政府関係者で、イスラエルのもつロシア情報に目をつけた人はいなかった。

ある偶然により、九七年頃から私はイスラエルとの関係を深めることになった。私のモスクワの友人たちも私がイスラエルとの関係を深めることを歓迎した。頻繁にテルアビブやエルサレムを訪れるようになり、閣僚級を含む多くのロシア系イスラエル人と交遊を結んだ。

彼らが異口同音にイスラエルにおけるロシア問題の第一人者として称讃していたのがガブリエル・ゴロデツキー・テルアビブ大学教授だった。

イスラエルの主要大学はヘブライ大学（エルサレム）とテルアビブ大学である。テルアビブ大学の方が新しく、政府、軍、産業界との結びつきが強い。イスラエルはアメリカ同様に政治エリートと学術エリートが相互乗り入れしているため、大学が政府の政策策定に与える影響は大きいのである。

また、周囲を敵に囲まれているイスラエルは、国家全体が常に神経を張りつめ緊張状態に置かれている。そのため、情報に対して非常に敏感なのである。政府部内でも一部の人間にしかその存在が知られていない秘密機関、あるいは機関名は公表されていても活動がほとんど知らされていない組織も多数ある。

イスラエルは、ある意味でアメリカ型民主主義が最も浸透した国で、情報公開に対する国民の要請も強いが、国家安全保障に関する事項については、政府が秘密活動を行うことを国民のほとんどが認めている。そして、テルアビブ大学はこれら政府機関への人材供給源になっているのである。

私がガブリエル・ゴロデツキー教授の名前を知ったのは、モスクワ在勤時代のことだった。八〇年代半ばにソ連軍参謀本部諜報《ちょうほう》総局（GRU）からの亡命者ビクトル・スボーロフ氏が『アクバリウム（水族館・GRU本部を指す隠語）』という内幕本をイギリスで発表した（邦訳『GRU』講談社、一九八五年）。GRUについては、これまでも種々の憶測がなされていたが、元将校の内幕本は初めてなので、大きな話題になった。この本の信憑性《しんぴょうせい》は高いというのがソ連ウオッチャーの見立てだった。

しかし、ゴロデツキー教授が、著者の履歴、公開されたモスクワの軍事文書資料と照らし合わせて、スボーロフの著述の大部分は、西側において作られた作文だと批判、これをきっかけに専門家の間で「スボーロフ論争」が起こったのである。私は、政治的には反ソ・反共だが、実証的に西側の稚拙な情報操作を批判するゴロデツキー氏の手法に強い関心をもった。

九八年三月中旬、私はテルアビブ大学カミングス・ロシア東欧センターにガブリエル・ゴロデッキー教授を訪ねた。その日は陽射《ひざ》しが強く日本の七月のようであった。ゴロデッキー教授は開襟《かいきん》シャツ姿で、私を案内してくれたイスラエル政府関係者が教え子だったこともあり、ざっくばらんにロシア政局について話を始めた。

イスラエルという国は、国民が「イスラエル村」と呼ぶほど、国の規模が小さい。そのなかでも政治・学術エリートは数が限られているだけに、お互いに面識をもっていることが多い。エリート同士、お互いの能力、性格を知り尽くしているケースも珍しくない。こうしたエリートたちの職場では、通常ファーストネームで呼び合うため、お互いの姓を知らないことすらある。テルアビブ大学関係者もイスラエル政府のロシア専門家も「ゴロデッキー教授」とか「ゴロデッキー博士」とは呼びかけず、「ガビー」と呼んでいた。私も、親しくなるにつれて教授をガビーと呼ぶようになった。

この当時は、よく知らなかったが、本当に親しくなるとユダヤ人は人を紹介するときに独特の方法をとる。事前連絡は、「サトウは僕の友だちだ。話を聞いてやってくれ。よろしく」というだけである。紹介された人に会ってから、自分自身で私が何者であるかを含め、必要なことを説明するのである。

ユダヤ人に言わせると、「細かいことを紹介状に書いても、説明しつくせないし、それに間違えて、あなたが秘密にしておいて欲しいことについて書いてしまったら、取り返しがつかなくなる。だから必要なことはあなたが自分で説明すればいいのさ。僕たちも名刺に添え書きをしたり、紹介状を書くこともあるが、そういう紹介はほんとうの紹介じゃないんだ。但《ただ》し、紹介された人が相手に迷惑をかけた場合、紹介者は全責任を負う。だから人を紹介する場合にはとても慎重になるんだ」ということだった。

私の場合でも、ユダヤ人がこのような形で人を紹介してくれるようになるまでは相当時間がかかった。但し、いったん「身内」として認知されると、その先は急速にネットワークが広がる。因《ちな》みにこの紹介のやり方は、実はロシアの政治・学術エリートの世界にも共通している。ロシアでもイスラエルでも「友だち」という言葉には特別の重みがあった。

イスラエルのロシア専門家は、アカデミズムのみならず、軍隊でも、政府機関でもゴロデツキー教授の教え子たちによって占められており、「ゴロデツキー・ファミリー」を形成していた。

カミングス・ロシア東欧センターにはゴロデツキー教授以外にも国際的に著名な学者が何人かいた。ヤコブ・ロイ教授は、旧ソ連のイスラーム地域に関する専門家で、チェチェン問題や中央アジアにおけるイスラーム原理主義が引き起こす不安定要因について、八〇年代から先駆的研究を行っていた。また、イスラエル参謀本部軍事研究所の教授を兼任するシモン・ナベー准将《じゅんしょう》は、ロシア軍事政策の第一人者で、同時にイスラエルの国防ドクトリン改訂作業チームの座長をつとめる、政策に影響を与える学者だった。しかし、日本政府はもとより日本の大学関係者もこれまでカミングス・ロシア東欧センターとの間でキチンとした人脈をつくってはいなかった。

私はゴロデッキー教授にロシア語で話しかけた。

ゴロデッキー氏は英語訛の強いロシア語で、「私の父親はロシア革命直後にエルサレムに移住したので、私はロシア語をうまく話せないのです。一九六八年に政府交換留学生としてモスクワに留学する予定だったのですが、その直前にソ連がイスラエルと国交を断絶したので、ロシアを自分の目で見たのがゴルバチョフ時代になってからです。このときはまだ国交はなかったのですが、モスクワで長期にわたって公文書館で資料を調べる許可がでました」と応《こた》えた。

私は英語に切り替えた。ゴロデッキー教授は、「オックス・ブリッジ・イングリッシュ」と言われるイギリスのオックスフォード大学、ケンブリッジ大学出身者に特有のちょっと鼻にかかった音で、話のあちこちに隠喩《いんゆ》やユーモアを入れながら話す典型的な英国紳士だ。話だけを聞いているのでは、ゴロデッキー氏がイスラエル人であることに誰も気付かないだろう。

チェルノムィルジン首相更迭《こうてつ》情報

ゴロデツキー教授のロシア情勢に対する見方はとても興味深かった。当時、ロシアウオッチャーの間では、心臓病で健康状態が悪化しているエリツィン大統領よりも政権ナンバー・ツーで求心力を強めていたチェルノムィルジン首相が次期大統領になるとの見方が強かった。しかし、ゴロデツキー教授の見方は全く異なっていた。

まず、チェルノムィルジンを後継者と考えていなかった。「チェルノムィルジンは、天然ガス屋さんで典型的なソ連の企業長だ。ロシア国家全体を見渡すアタマがない。マフィアの親分のような体質なので、ロシアの知的に良質な部分を惹《ひ》きつけることができない。大統領としての資質に欠ける」と切って捨てた。

そこに同席したイスラエル政府のロシア専門家は「チェルノムィルジンも心臓病を抱えているので、健康については万全とは言えない」と付け加えた。

余談だが、二〇〇〇年、私は、東京でロシアの国家院（下院）議員に転出したチェルノムィルジン氏の昼食会に出席したが、チェルノムィルジンは日本側通訳に対して「おい、おまえ俺の言うことがわかっているのか。もっと早く訳せ」と乱暴に命令していたので驚いた。

ロシアの要人で日本人通訳にこのような乱暴な態度をとった例を私はこれ以外に一件しか知らない。また部下には丁寧語を使わせるが、自分から部下には荒っぽい言葉で呼びかけるという、軍隊の司令官のような話し方をしていた。ふと私がチェルノムィルジンの左手を見ると、そこには入れ墨が入っていた。日本同様にロシアでも国会議員で入れ墨がある人は非常に珍しい――。

その頃、日本政府は一九九八年四月に予定されていた川奈日露首脳会談を控え、ロシア国内の政局情報収集を最優先していた。

ゴロデッキー教授の北方領土問題解決に対する見通しは悲観的だった。ただし、この見方は、その後、ゴロデッキー氏が日露関係について情報を収集し、分析するなかで変化する。当時の彼の見方について説明しておこう。

「北方領土問題は、スターリニズムの負の遺産であり、基本的に東西ドイツの分裂や東欧社会主義圏の成立と同じ第二次世界大戦の結果によりもたらされた。従って、それを解決する『機会の窓』は、八九年のベルリンの壁崩壊から、九一年のソ連崩壊の間に最も大きく開いていた。しかし、この機会を日本は十分に活用しなかった。

その後、ユーゴ、チェチェンなどで民族紛争が激化したので、ロシアの政治エリートは領土変更に対して抵抗感を強めた。北方領土問題が解決する可能性はまずない。その大前提の上で、もし日本が『取り引き』をしようとするならば、エリツィン大統領と直接交渉するしかない。ロシア人と領土問題を解決するにはトップ交渉しかないからだ。領土と経済は『取り引き』できない。領土は政治、安全保障のカテゴリーに属するので、この面での『取り引き』を考えなくてはならない。ここでプリマコフ外相のファクターを忘れてはならない。エリツィンがソ連外交との断絶性を指向するのに対し、プリマコフは連続性を指向する。職業外交官は元来、保守的なのでプリマコフ側に立つ。従って、外相と職業外交官が大きな壁となるのだが、その障害を乗り越え、いかに大統領と直接交渉をするかが重要だ」

ゴロデッキー教授と知り合ったこのイスラエル出張中に、ロシアの寡占《かせん》資本家（オリガルヒー）と有力な人脈をもつある人物から「寡占資本家はチェルノムィルジン更迭を進言した。エリツィン大統領も首相解任を決断した」という情報を得た。

一般論として、情報には二種類ある。第一は、種々のデータを分析、総合して得る調査情報である。第二は、事情を知っている人に「こうなっている」ことを教えてもらう生情報である。私はこれを生情報と考え、東京に報告した。

その後モスクワに渡り、チェルノムィルジン側近の二人にあたり、この情報は間違ってないとの感触をえた。この感触を得た数日後の九八年三月二十三日、エリツィン大統領はチェルノムィルジン首相を解任した。全世界が衝撃を受けたが、主要国では日本政府だけがこの情報を事前につかんでいた。

私は、国会内で橋本龍太郎首相から呼び止められ、「よくやった。すごいな」という評価のことばを直接かけられた。

この出張を通じ、私はイスラエルのロシア情報が質量両面で、モスクワに匹敵するとの認識をもつようになった。そして、この情報を北方領土問題解決のためにどう使うかということを真剣に考えるようになったのである。

プリマコフ首相の内在的ロジックとは？

一九九八年十一月末、私は再びテルアビブ大学を訪れた。この半年間にロシア情勢も日露関係も大きく変化していた。ロシアでは、チェルノムィルジン氏の後を若いキリエンコ首相が引き継いだが、八月にロシアのバブル経済が崩壊する。対外債務が事実上支払不能になり、銀行は取り付け騒ぎを起こし、深刻な経済危機が発生した。エリツィン大統領はキリエンコ首相を更迭し、プリマコフを首相に任命した。この頃、エリツィン大統領の健康状態も急速に悪化していた。

日露関係では、四月に訪日したエリツィン大統領に対して橋本龍太郎総理は北方領土解決に向けた大胆な新提案（「川奈提案」）を行った。エリツィン氏は橋本氏の提案に強い興味を示し、北方領土問題が解決に向けて大きく動き出すかに見えた。

しかし、その年の七月に行われた参議院選挙で自民党が大敗し、橋本首相は辞意を表明。七月三十日に小渕恵三《おぶちけいぞう》内閣が成立する。十一月、モスクワで小渕・エリツィン会談が行われるが、エリツィンの健康状態が悪く、政治力を発揮するにはほど遠い状況だった。さらに、プリマコフ首相の北方領土問題に対する慎重な姿勢も相まって、首脳会談では北方領土問題に関する実質的な議論はほとんど行われなかった。しかし、この時点ではエリツィン大統領も小渕首相も二〇〇〇年までの平和条約締結に対する情熱は失ってはいなかった。

そのような状況の下で、平和条約締結に向けて新たな可能性を探ることが私の任務となった。私はイスラエルの情報能力、ロビイング能力を日本外交に活用することを以前よりも具体的に考えるようになっていた。そして、この考えを東郷和彦条約局長も強く支持した。

テルアビブ大学の内規では、学部長やセンター長は一期四年、連続して三期以上はとどまれないことになっている。カミングス・ロシア東欧センターでは、ゴロデッキー氏が任期満了となり、シモン・ナベー教授が所長をつとめていた。ゴロデッキー氏は、同大学のキュリエル国際関係センター長に就任していたが、同氏がイスラエルにおけるロシア専門家の首領《ドン》的状況にあることに変化はなかった。しかもゴロデッキー氏はイスラエルの次期駐露大使の有力候補となっていた。

ロシア・イスラエル関係が前述したような特殊な状態にあることから、イスラエルの駐露大使はロシアのイスラエル社会に非常に深く食い込んでいる。また、イスラエル政府も選りすぐりの人材を政治任命で送ってきた。例えば、当時のマゲン・ツビー駐露大使は、その後、イスラエルのロシア移民問題を扱う秘密機関「ナティーフ（ヘブライ語で道を意味する）」長官になった。「ナティーフ」は、国交断絶時代にはソ連国内のユダヤ人ネットワークを維持する特殊工作に従事していたが、その人脈は現在も生きている。


プリマコフ首相は、ロシアでは守旧派の代表格で、東洋学研究所でアラビア語を学んだ中東専門家だった。「プラウダ」（旧ソ連共産党中央委員会機関紙）カイロ特派員をつとめ、あのイラクの独裁者サダム・フセイン大統領とも親交があった親アラブ派として知られる人物だが、彼はユダヤ人なのである。

ここで、「ユダヤ人の血統」について少し説明させていただきたい。ユダヤ人は母系を原則とする。すなわち、母親がユダヤ人ならば、その子は無条件にユダヤ人なのである。従って、苗字《みょうじ》だけでは、ユダヤ人か否《いな》かがわからない場合が多い。

あるとき東郷氏にイスラエル政府関係者が冗談半分にこう切り出した。

「東郷さんは、イスラエルの帰還法に基づいて、イスラエル国籍をとることができますよ」

東郷氏はきょとんとしている。

「東郷さんのおじいさん東郷茂徳《しげのり》外務大臣の奥様、エディさんは、種々の文献によるとユダヤ系だと記されています」

確かに当時の関係書を繙《ひもと》くとエディ夫人がユダヤ人なので、東郷外相はナチス・ドイツに批判的だという見方がドイツにあったとの記述はいくつもある。

「東郷外相とエディさんの間にはお嬢さんしかおられませんでしたよね。そのお嬢さんの息子さんが東郷さんですよね。ですから東郷さんはイスラエルの帰還法に基づけば、無条件に国籍を付与されるカテゴリーに属するのです」

この話は東郷氏に強い感銘を与えた。その後、二人で飲んだときに東郷氏は何度もこの話を持ち出して、「僕にはいろいろな血が流れているが、ユダヤ人であるとの意識はもっていなかった。民族は実に面白いね」と語っていたのが印象的だった。

プリマコフ首相の場合も母親がユダヤ人だった。だが、プリマコフ氏は少年時代に叔父で医者のキルジブラット氏に預けられ、叔父の姓を名乗っていた時期がある。ソ連時代でキャリア街道を進むためには誰もがユダヤ的出自を隠した。そして、ユダヤ人であるということは人格形成に少なからぬ影響を与える。こうした点が日本人にはわかりにくいところなのだが、イスラエル人はプリマコフ氏の内在的ロジックを的確に捉《とら》えることができるのである。

　プリマコフ首相に関するゴロデッキー教授の評価は興味深かった。

「プリマコフはあの国に忠誠を誓っている。その国の名前がソビエト社会主義共和国連邦であるか、ロシア連邦であるかは本質的問題ではない。あの国の愛国者なのだ。優れた学識をもっているので、北方領土問題についても日本側の主張に根拠があることは理解するだろう。しかし、ロシアの国内事情から領土問題の解決は難しいと考えているのだと思う。

　他方、エリツィン大統領は歴史に名前を残したいと考えている。この意味で、北方領土問題にケリをつけて、アジア太平洋地域の新秩序形成においてロシアが主要プレーヤーになるというシナリオはエリツィンの琴線に触れている。エリツィンが決断する可能性が完全に排除されているとは言えないだろう。そして、大統領が決定すれば、プリマコフはそれに従う」

　ここまでは私の考えているエリツィン観、プリマコフ像と合致した。プリマコフ氏について私にはなかった視点の話をゴロデッキー教授は続ける。

「ユダヤ人であるがゆえに逆に反ユダヤ的言動をとるユダヤ人というのは珍しくない。プリマコフもその一人だ。しかし、プリマコフにもユダヤ人の魂がある。イスラエルとソ連が外交関係を断絶している時代にプリマコフはイスラエルとの関係の悪化を防ごうと動いた有力な人物だった」

ナベー教授がそれに付け加えた。

「プリマコフは狡猾《こうかつ》なタフネゴシエーターだが、人間的品性は悪くない。また、大統領には絶対的忠誠を誓うので、エリツィンが本気で決断をすれば、プリマコフはその決断を忠実に遂行するだろう。なぜなら、プリマコフにとっては、共産党書記長であれ大統領であれ、国家の長と国家は同一だからだ」

因《ちな》みにナベー教授は、ソ連崩壊後、モスクワ国立国際関係大学で、交換教授第一号として、ヘブライ語を教えた。国際関係大学は、未来の外交官、諜報《ちょうほう》機関員を養成する特殊な大学で、ソ連時代は西側陣営に対しては閉ざされていた。そこで当時、准将《じゅんしょう》だったナベー氏はロシアの学者や軍人とのユニークな人脈を作り上げた。

私は、ゴロデツキー教授、ナベー教授に訪日してもらい、彼らのロシアに対する深い学識を日本の外交官、政治家、学者に伝え、また彼らが北方領土問題に対する理解を深めることができないかと考えるようになった。

そこで、外交用語で言うところの「ノンコミッタルベース」(「約束はできないが」程度の意味)で、両教授に訪日を打診した。もちろん、全く見通しがなかった訳ではなく、それ以前に「ロシアスクール」の親分格である東郷氏に「イスラエルに優れたロシア専門家がいるので日本に呼びたいと思う」ということを相談し、賛同を得ていた。

九九年三月、両教授は訪日し、外務省関係者のみならず、鈴木宗男内閣官房副長官、末次一郎安全保障問題研究会代表らと意見交換を行った。ゴロデッキー教授、ナベー教授の北方領土問題に対する理解は深まり、また、日本側関係者もイスラエルのロシア情報の重要性を理解した。

ただし、この準備過程において外務省内部でちょっとしたいざこざがあり、それに鈴木宗男氏が関与した。東京地検特捜部はここに着目して背任罪を作り上げていくのである。

ゴロデッキー教授夫妻の訪日

一九九九年十一月二十二日、午後十一時頃、外務省の執務机の電話が鳴った。袴田茂樹青山学院大学教授からだった。

「佐藤さん、私たちはいま、宮崎にいます。教育テレビを見ました。ゴロデッキーさんに佐藤さんの発言を訳して説明していました」

その日、NHK教育テレビで私をメインゲストとするETV特集「混迷するロシア」が放映されたのだった。袴田氏たちは宮崎で行われた総務庁主催の北方領土問題に関する泊まりがけのシンポジウムに参加していた。

この国際シンポジウムは名目上は総務庁の主催になっているが、実際の運営は末次一郎氏が主宰する安全保障問題研究会が取り仕切っていた。その末次氏に招待されたゴロデッキー教授は再来日し、このシンポジウムに参加していた。

末次一郎氏は、旧日本軍の諜報員養成機関として知られる陸軍中野学校を卒業した元情報将校で、戦後は巣鴨《すがも》プリズンに収容された戦犯の支援、青年運動団体の創設、沖縄返還運動などで活躍した社会活動家でもある。与野党政治家に広範な人脈をもち、歴代首相の相談相手も務めていた。日本人だけではなく、末次氏の高潔な人柄と、原理原則では絶対に譲らないが、利害が対立する相手とでも誠実に対話をするという姿勢に惹《ひ》きつけられるロシア人も多かった。

末次氏は北方領土返還をライフワークとして活躍していたので、外務省「ロシアスクール」とは緊密に連絡を取る関係となっていた。

袴田教授は末次氏が主宰する研究会の主要メンバーのひとりだった。このときの電話で袴田氏から「ゴロデッキーさんが来年、二〇〇〇年を記念してロシアの地政学的位置に関する国際学会を開くので、それに日本の学者も参加して欲しいと言っている。外務省としてもサポートしてほしい」と相談された。ゴロデッキー氏も電話口に出て、国際学会の腹案について若干説明した上で、「この問題について、あなたと東郷さんと話をしたい」と提案してきたので、私は「とてもよい話と思います。是非、話し合いましょう」と答えた。

私が学会のことをはじめて知ったのは、この袴田氏の電話によってだった。すでに秋の人事異動で、東郷氏は条約局長から北方領土交渉を直接担当する欧亜局長に異動していた。ゴロデツキー教授は東郷氏や私たちと協議するために滞在を一日延長した。その費用は、東郷局長の〃指示〃に基づき支援委員会から支出した。

その後、ゴロデツキー氏と東郷氏と私の三人で、昼食をはさみ意見交換をした。ゴロデツキー氏の構想は、次のような非常に興味深いものだった。

ロシアはユーラシア国家で、西に向けた顔と東に向けた顔がある。欧米のロシア専門家は、ロシアの東に向けた顔については十分な関心をもっていない。北方領土問題についても認識が不十分である。他方、日本のロシア専門家は、アメリカのロシア研究については熟知しているが、西欧、イスラエルの研究についてはほとんど関心を払っていない。

二〇〇〇年という記念の年に、欧米、日本、ロシア、イスラエルの政策に影響を与える学者がテルアビブに集い、ロシアの行方と国際秩序について議論することは、それぞれの国の専門家にとって有益であり、特に日本政府にとっては北方領土問題に対する理解を各国専門家に対して求めるよい機会である。東郷氏も私もゴロデツキー教授の構想に全面的に賛成した。

袴田教授もこのテルアビブにおける国際学会の実現にとても熱心で、末次代表と下斗《しもと》米伸夫《まいのぶお》法政大学教授、更にアジア太平洋地域情勢に詳しい田中明彦東京大学教授を是非学会に参加させたいと私に働きかけてきた。

その後、私は、山内昌之東京大学教授と面会し、国際学会について話をした。山内教授は、ロシアのイスラーム問題の権威で、ロシア、中央アジア、中東情勢のみならず、日本の外交全般に通暁《つうぎょう》し、外務省が深く関与する月刊誌『外交フォーラム』の編集委員だった。また、田中氏、袴田氏とともに外務省総合外交政策局長が主宰する勉強会のメンバーで、ゴロデツキー教授が言うところの「政策に影響を与える学者」であることは間違いなかった。

前述した三月の訪日時に二人は会食したのだが、その際の議論も嚙《か》み合っていた。山内教授からは「せっかくの機会であるので、日本の指導的中東専門の学者で、しかもロシアとの関係についても研究している人を連れて行きたい」という申し出があり、私は「それはとてもよいことと思います」と答えた。

私は東郷局長に袴田氏と山内氏の要望を伝えた。東郷氏は「それは実現したらよいと思う。それから僕もこの学会には参加したい」と大いに乗り気だった。

「この機会に外務省の若手専門家たちが一流の国際学会の雰囲気に触れ、ロシアに関する深い知識を身につけ、人脈を作ることは、外務省の情報収集・分析能力強化に貢献します」と私が提案すると、東郷氏は次のように述べてそれに同意した。

「とても良い機会なので、是非若い人たちを鍛えてやって欲しい。僕がモスクワ在勤中、若い人をメモ取りに連れて行っても、日露関係ならばきちんとした記録を作ることができるけれど、内政だと全くメモがとれない。これはロシア語力の問題ではなく、サブ能力（外務省用語でサブスタンスの略。政治、経済、安全保障などに関する専門的知識）が弱くなっているからだ。あなたのチームにはこの面での能力強化を望んでいる」

私が「カネはどこから出しますか」と尋ねると、東郷局長は「支援委員会から出せばいい。倉井（高志《たかし》ロシア支援室長）には僕から言っておく」と答えた。この時点では私も東郷氏も、学会派遣費用を支援委員会から手当したことで刑事責任を追及されるとは夢にも思っていなかった。

チェチェン情勢

その頃、ロシアでは、チェチェン情勢が緊迫化していた。チェチェン東隣のダゲスタン共和国の二つの村では、イスラーム原理主義者が「独立国家」を宣言し、チェチェンの武装勢力が流入しはじめた。北コーカサス全域にアルカイダと関係の深いワッハーブ過激派の影響が急速に拡大し、ロシア国家に分裂の危機が生じた。

エリツィン大統領が、プーチン連邦保安庁（ＦＳＢ）長官を首相に任命したのも、インテリジェンスを知悉《ちしつ》したプーチンならばチェチェン危機を封じ込めることができるだろうと考えたからだ。テロリストはモスクワでもマンションを爆破、数百名の死者が出た。ロシアでは一九九九年十二月に国家院（下院）選挙も控えている。ロシア情報収集・分析に関する私の仕事は飛躍的に増えた。十一月二十二、二十三日にＮＨＫ教育テレビで私が解説した番組もこのようなロシア情勢の激変を伝えることが主な目的だった。

十二月上旬、私の執務机の電話が鳴った。斎木昭隆《さいきあきたか》内閣副広報官だった。斎木氏は小渕恵三氏が外務大臣だったときに大臣秘書官をつとめていたが、小渕氏は斎木氏の誠実な人柄を高く買い、総理になったときに副広報官ポストを新設し、斎木氏を官邸に招いたのだった。

「佐藤君、斎木だけど、今、総理が佐藤君と話をしたいと言っているんでつなぐよ」

私は「何事だろうか」と緊張した。

「おう、お疲れ」

小渕氏は機嫌がよいときには、人に「お疲れ、お疲れ」と声をかける。私は「悪い話ではないな」と安心した。

「日曜日にあんたのＮＨＫのビデオを見たんだ。面白い。俺に説明するときよりもわかりやすかったぞ。それになかなかいい男に映っていた」

「ありがとうございます」

「それでロシアの情勢はどうなるか。プーチンはうまくやっているのか」

小渕氏は既にニュージーランドのオークランドで行われたＡＰＥＣ（アジア太平洋経済協力会議）で、プーチン首相と会見したときの印象から、プーチンがエリツィンの後継者となるか否《いな》かに強い関心をもっていた。

私は、モスクワやテルアビブから得た情報を整理して伝え「全《すべ》てはチェチェン問題の処理にかかっています」と答えた。

小渕氏は、「わかった。ロシアのことはあんたがきちんと見ていてくれ。ユダヤの人たちにもよく聞いてな。また電話するからな。よろしく」と言って電話を切った。

十二月の国家院選挙では与党勢力が圧勝した。プーチン首相によるチェチェン武装勢力封じ込め政策は大多数の国民の支持を得たのである。

この頃、私はゴロデッキー教授と頻繁に電話で連絡をとりあい、ロシア情勢に関する意見交換を行った。ゴロデッキー氏からもたらされる情報は、日本政府が知らないものばかりだった。特にクレムリン要人や寡占《かせん》資本家がどのように動いているかなど、モスクワでもなかなか得られない質の高い内容が含まれていた。

計画中のテルアビブにおける国際学会に関する話もでたが、ゴロデツキー氏の構想もいまひとつ固まっていないようだった。私は、具体的事務手続きを進めるにはまだ時期尚早だと感じた。そして、いまいちどゴロデツキー氏に日本に来てもらい、東郷氏、袴田教授、山内教授とも直接打ち合わせてもらう必要があると考えたのである。

当時、モスクワのイスラエル大使は空席で、ゴロデツキー氏が駐露大使になるとの有力情報もあったので、この機会に夫妻で日本を訪れ、親日感情を強化してもらうことが、同氏が大使になった場合の先行投資として役に立つというのが私の考えだった。外交官、特に大使は夫妻で活動することも多く、とりわけ人脈形成においては家族ぐるみの関係が大きくものを言う。

ゴロデツキー教授の奥さん、スーザンさんは生粋のイギリス人であり、もともとオックスフォード大学でE・H・カー教授の助手をつとめ、同教授の学術書の編集作業にも従事した経験があるロシア専門家だった。スーザンさんはキリスト教徒だったが、ユダヤ教に改宗し、ゴロデツキー氏と結婚。イスラエルに移住したのだった。その後、専門を考古学に変えたが、ゴロデツキー氏の研究を手伝い、ロシア情勢についても十分専門家として耐えうる知識をもつ人物だ。

にもかかわらず、後に夫人の身分を「ロシア専門家」と偽って日本に招待したと私は刑事責任を追及されることになる。

「エリツィン引退」騒動で明けた二〇〇〇年

一九九九年十二月半ば、モスクワからある警告が届いた。十二月三十一日は、九四年の大晦日《おおみそか》にロシア軍がグロズヌィー（チェチェンの首都）制圧に失敗した「記念日」なので、チェチェン武装勢力が一斉蜂起《ほうき》をする可能性があるとの情報だった。

私は十二月二十八日の御用納めの日に「チーム」メンバーに対して、大晦日から元旦《がんたん》にかけては何かあったら一時間以内に外務省に駆けつけられるように、それから携帯電話が常時つながるようにしていてほしいとお願いした。

結局、チェチェンでは何事も起きなかった。しかし、それよりも大きな事件が起きるのである。

十二月三十一日午後四時半頃、私は地下鉄赤坂見附駅すぐそばの天丼《てんどん》スタンド「てんや」で、瓶ビールを飲みながら海鮮かき揚げ丼を食べていた。昼食を食べずに役所で資料を整理していたが、今日は長丁場になると思い、この辺で食事をとることにしたのだ。

ロシアウオッチャーにとって、大晦日は重要だ。ロシアの官公庁は三十一日午前中まで仕事をしている。昼過ぎに職場でスパークリングワインを開けて、「よいお年を」と挨拶《あいさつ》して帰路につく。大晦日から新年は友人同士が住宅や別荘に集まって徹夜で大騒ぎをする。日付がかわったところで友人に電話をする。この時に電話がかかってきた人間は特に親しい関係にあるということだ。私のところにも数十件の電話がかかってくるし、私からも十数人に電話をする。そのほとんどがロシアの大統領府・政府幹部や国会議員だ。その時必ず話題になるのが大統領の年末メッセージだ。

エリツィン大統領は毎年大晦日の午後十一時台後半に国民への新年祝賀メッセージをテレビで読み上げる。ここに内外政のヒントが多く隠されている。もちろん、この放送は事前に録画されており、数時間前に国営イタルタス通信社（ソ連時代のタス通信社）からエンバーゴ付き（正式に発表がなされるまでは報道してはならないとの縛り）で配信される。

それをよく読んでおき、ロシアの政治エリートと話をすると、ロシアウオッチングの焦点を絞ることができる。モスクワより東京は時差が六時間先行しているので、事前配信がなされるのが十二月三十一日の深夜、大統領演説は日本時間では元旦の午前六時前だった。従って、大晦日は徹夜になることが多かった。

その年は「二〇〇〇年問題」で、コンピューター・トラブルが発生するとの危機感が強かったため、外務省にも特別のチームが作られ、関係者が出勤していたので、いつもの大晦日よりはにぎやかだった。

不意に携帯電話がなった。「通知不可能」と表示されているので、外国からだ。電話に出ると相手はロシア人だった。私の蜘蛛《くも》の巣はモスクワにも伸びていた。そこにある情報が引っかかったのである。

「エリツィン大統領が本日辞任して、プーチン首相が大統領代行に任命される。既に大統領の特別声明が録画されており、モスクワ時間正午に放送される」

重大情報だった。青天の霹靂《へきれき》である。情報源はひじょうに信頼できる人物で、確度は高い。私は東郷局長と鈴木宗男自民党総務局長に電話し、念のためモスクワの丹波實《たんばみのる》大使にも電話した。

丹波大使もこの時点では情報を得ていなかった。後で確認したところ、私の電話が大使館にとっての第一報になったということだった。しかし、この種の情報は、いくら信頼できる情報源からのものであるにしても話だけで確定することはできない。この情報が真実ならば、まず国営イタルタス通信が伝える筈《はず》である。

私はビールとかき揚げ丼を残したまま、支払を済まし、タクシーに飛び乗って分析第一課に戻った。

この当時、イタルタスのロシア語版端末が設置されているのは日本の政府機関でわが課だけだった。この年に会計当局をようやく説得し、導入したばかりだった。

私は端末の前に座り込んだ。暫《しばら》くすると、画面に「モールニャ（稲光）」という表示が出た。臨時ニュースの場合、イタルタスは通常、「大至急」と表示するが、政局の大事件や大事故の場合だけ、「稲光」という表示になる。

そして、私が少し前にモスクワから得た情報が画面に現れた。私は即座に東郷氏に「タスで確認がとれました」と連絡した。東郷氏からは「官邸と外務省の連絡は僕がするので、あなたは鈴木大臣と野中（広務《ひろむ》）先生に大至急連絡してくれ」との指示を受けた。そして、東郷氏は「僕もすぐに役所に行く。紙はいつできるか」と続けた。

私は、「エリツィン死亡の予定稿があります。プーチンについても情報はまとめてありますので、今のタスの内容を入れれば第一報は三十分以内に作ることができます」と告げ、これから作ろうとしている分析ペーパーの構想を伝えた。

東郷氏からは、「それでいい。ロシア課への遠慮はいらないから、（外務省）幹部、官邸にも緊急連絡網を通じ、あなたが作った紙をただちに流せ」と命じられた。

私は東郷局長の電話の内容を分析第一課長に伝えたところ、課長からも、「了解したので、分析第一課長の決裁欄には了（了解したの意）としておいてほしい」との指示を受けた。

続いて鈴木氏、野中氏に電話をかけた。野中氏からは、「そうか、辞めたか。それで次はプーチンに決まりか」と問われたので、私は「そうなります」と答えた。

私は「チーム」メンバーの内三人に緊急招集をかけた。三人は打ち合わせ通り一時間以内に分析第一課にやってきた。

しばらくすると、分析第一課に新聞記者が続々と訪ねてきた。

私は「今はダメ。ちょっと立て込んでいる。ロシア課に行って」と対応するが、記者たちは「ロシア課はまだ誰も来ていません」と言って出て行こうとしない。

ロシア情勢に関して、表の窓口は、ロシア課であって、国際情報局は裏方にすぎない。記事にしないことを前提にバックグランドブリーフィング（背景説明）をすることはあるが、外務省として正式の発言をすることはない。

それでも粘る記者たちに、私はイタルタス通信の内容を話し、「今は大至急の書類を作っているので、三十分後に対応する」と答えたが、それでも記者たちは待っている。そのうちに他の「チーム」メンバーもやってきたので、資料を渡し、外務省の緊急連絡室から関係者にファックス配信するように依頼した。

記者たちとしばらく話をしていると、別の記者が部屋に入ってきた。

「ロシア課に行ってきたんですが、東郷さんが課長席に座って、若い事務官に指示していろいろな作業をしているんですよ。何か大ロシア課長みたいです。東郷さんから『分析第一課に佐藤が来ているから、細かい話は佐藤に聞けばよい』と言われました」と言って記者の輪に加わった。

この時、私たちの「チーム」の反応が早かったので、一部に「佐藤たちは相当早くエリツィン辞任の情報を摑《つか》んでいたので、大晦日に待機していたのではないか」という情報が流された。特に東京在住のロシア人たちが盛んにそのように憶測をしていたのだが、それは違う。私が得ていた情報は、チェチェンで何かが起こるかもしれないという内容で、エリツィン辞任はまさに「青天の霹靂」だった。

しかし、緊急体制をとっていたので、速やかに対応ができたのである。東郷氏や鈴木氏、野中氏、それに小渕首相も私の「チーム」の対応をとても高く評価した。しかし、それを面白く思わない人々も外務省内にいた。

小渕総理からの質問

元旦の午前二時過ぎに鈴木氏から、「あんた、少し手はあいたか。これからこっち（自民党本部四階総務局長室）に来ないか」と電話があったので、外務省北口二階の通用門から外に出てタクシーを探したが見つからず、徒歩で自民党本部まで行った。

自民党本部四階には、総裁室、幹事長室、総務局長室、さらに新聞記者の部屋（「平河クラブ」）がある。

鈴木氏に新年の挨拶をし、エリツィン辞任について最新のニュースを伝えると、鈴木氏は、「小渕総理がいま官邸にいるので、佐藤さんから電話で直接説明してあげるといい」と言って、官邸に電話をつないだ。鈴木氏が「総理、いま外務省の佐藤さんが来ているので、ロシア情勢について説明してもらいます」と言って私に受話器を渡した。

「あんたの資料は読んだぞ。早いな」

小渕氏は私の資料を読んでいた。私は簡潔にその後得た情報を話した。

「それで、プーチンになったら、日露関係は動くか。あんたはどう見ているか」

小渕氏の質問はいつも短いがいちばんのポイントを突いている。

「日本側から仕掛ければ動きます。ただし、もう少し、プーチンの性格を観察する必要があります。いずれにせよ三月の大統領選挙まではプーチンに外交に取り組む余裕はないでしょう」

「それまでは様子見ということだな」

「そうです」

「エリツィンが院政を敷く可能性はあるか」

「ありません」

「わかった。ロシア情勢については、細かいこともあんたはきちんと見ていてくれ。頼むぞ。それから鈴木にもロシアのことはきちんと教えてやってくれ」

「わかりました」

二〇〇〇年は正月返上で連日出勤した。ロシア人はエリツィン政権に飽きていた。若いプーチン氏が後継指導者となることを歓迎する一方で、元KGBという経歴をもつプロの諜報《ちょうほう》機関員がロシア国家のトップとなることに対する危惧《きぐ》が、特にモスクワ出身のインテリに見られた。

私は、プーチン氏が九〇年代半ば、サンクトペテルブルグ副市長時代にイスラエル政府の招待で二回テルアビブを訪問していることを思い出した。イスラエルならばプーチンの人脈についてもよく押さえているだろう。私はゴロデッキー教授夫妻が日本にやって来た時に、この点について詳しく聞いてみたいと思った。

ゴロデッキー夫妻は一月末に、約一週間の日程で日本を訪れた。これは外務省の正式の決裁を経た招待だった。

この際、ロシア政局、特にプーチンとエリツィンの連続性と断絶性、今後の人事予想、チェチェン問題などについてゴロデッキー教授から興味深い話を聞くことができた。また、鈴木氏にもゴロデッキー夫妻と会ってもらい、人間的信頼関係を強めることができたのも大きな成果だった。もちろんこの席には東郷氏も同席した。

さらに、東郷氏は、ゴロデッキー夫妻、袴田教授、山内教授を赤坂のTBSビル地下のレストラン「ざくろ」に招き、国際学会についての打ち合わせを行った。

山内教授からは、ロシア・中東関係について業績のある立山良司防衛大学校教授、ロシアのユダヤ人問題について業績のある臼杵陽《うすきあきら》国立民族学博物館助教授をメンバーに加えたいとの提案があった。東郷局長は「それでいいでしょう」と答えた。さらに袴田教授が「今年はミレニウム（二〇〇〇年祭）なので、一日余裕をつくって、エルサレムを是非見てみたい」と言うと、東郷氏は「是非、そうするといい」と上機嫌だった。

東郷氏は、この会食に同席した宇山秀樹ロシア支援室首席事務官に対してははっきりと「本件は支援室の方でよろしく頼む」と指示した。宇山氏も「わかりました。具体的な事務は前島君にやってもらいます」とこれを受けた。その後、国際学会派遣に向けての準備は淡々と進められていったのである。

袴田氏は、ゴロデツキー教授夫妻と人間的関係を深めることに腐心し、夫妻と私を含む外務省関係者を横浜市の自宅に招待した。袴田邸で昼食を終えた後、私たちはゴロデツキー夫妻を箱根に案内し、そこで二時間ほど休憩して温泉に入った。

外国人に日本のエキゾチズム（異国情緒）を伝えるには温泉が効果的なので、私はロシアやイスラエルからのお客さんを京都鞍馬《くらま》の鉱泉や日光湯元の温泉によく案内した。後に東京地検特捜部は、このときゴロデツキー夫妻を箱根の温泉や京都に案内したことが「過剰接待」であるとして、私の刑事責任を追及するのである。

クレムリン、総理特使の涙

その頃、国際学会とは別に水面下で日露関係についての重要な動きがあった。小渕氏が総理特使として「意中の人物」をロシアに送り、大統領選挙前にプーチンと接触させることを考えたのである。次期大統領が確実視されるプーチンに日本の対露関係重視のシグナルを伝えるとともに、プーチンの人相見を「意中の人物」にさせようとした。小渕氏は「意中の人物」が誰であるか、はじめはあえて黙っていたが、それが鈴木宗男氏であることに疑念をさしはさむ者はひとりもいなかった。

このときも私は、ロシア外務省チャネルとともにクレムリンに直接つながるバックチャネルも活用した。バックチャネルの情報は常に外務省チャネルよりも早く、内容も深かった。

三月の大統領選挙前に小渕首相の特使とプーチンが会うことは不可能だが、三月の第一回投票でプーチンが当選すれば、五月に正式に大統領に就任する前に会談を行うことは可能かもしれないとの示唆《しさ》をクレムリンから得た。私は「プーチンは日本に対して特別の関心をもっている」と解釈し、その見立てを鈴木氏に伝えた。

テルアビブ大学主催国際学会は、会議自体が四月三日から五日に、その後、会議参加者による視察が六日から七日に行われることになった。私はこの学会は、情報収集、人脈構築のみならず若い外交官の基礎体力を強化するためにとても重要と考えていたので、その準備に精力のほとんどを費やしていたのだが、二月下旬には、国際学会と総理特使のプーチンとの会見がぶつかるのではないかという嫌な予感がしていた。そして、不幸にもこの予感は的中してしまうのだった。

三月末、永田町の末次一郎事務所で、私は末次氏と袴田氏にテルアビブ国際学会についての説明をしていた。途中で、末次氏の秘書が「いま鈴木宗男先生から電話で、大至急相談したいことがあるので、こちらに来るということです」と伝えてきた。

私は「やはりスケジュールがバッティングしたな」とすぐにピンと来た。すでに三月二十六日に実施されたロシア大統領選挙で、プーチン氏は一回目の投票で過半数を獲得、当選を決めていたのだ。

案の定、末次事務所にやって来た鈴木氏の用件は、「たった今、外交ルートで四月四日にプーチン次期大統領は鈴木宗男総理特使と会うという回答が来たので、申し訳ないけれども佐藤さんにはモスクワに同行してもらいたい。東郷局長はそれで了承したが、末次先生の了解をとってほしいと言われました」ということだった。しかし、末次氏は首を縦に振らなかった。

「だめじゃ。鈴木君、これは佐藤君が一生懸命進めていた案件なので、打ち合わせや向こうの人と引き合わせてもらう時に佐藤君がいてもらわないと困る」

前にも述べたように末次氏は、原理原則で譲らないという頑固さと、異なる見解に誠実に耳を傾けるという柔軟性をもっている。激しい闘争心と人間に対する優しさを併せもっている独特のカリスマ性をもった人物だ。

「末次先生、それでは、佐藤さんはモスクワの会見が終わってからテルアビブに向かうということでどうでしょうか」

「だめじゃ。最初にゴロデツキーさんたちに引き合わせることをしてもらわんとならん」

さすがに、鈴木氏の顔が少し曇った。

「それでは、佐藤さんには負担をかけますが、まず末次先生たちとテルアビブに行っていただき、その後、モスクワで僕と合流し、それからもう一度テルアビブに戻るということではどうでしょうか」

「それならばよい。ただし、佐藤君、飛行機の便があるかな」

私は、「テルアビブ・モスクワ間は一日二便往復しています」と答えた。

このときはそうは言ったものの、実際にこなしてみると、さすがにこの日程は身体《からだ》に応《こた》えた。テルアビブに戻った翌日はゴラン高原視察であったが、私は途中で気分が悪くなり、バスの後部座席で数時間横になっていたのだった。

二〇〇〇年四月四日、クレムリン宮殿――。

大統領待合室前のホールで鈴木氏が私にささやきかけた。

「佐藤さん、緊張するな」

「ようやくここまで来ましたね。先生とモスクワで初めてお会いしたときから九年かかって、ようやく大統領まで行き着きましたね」

「そうだな。あんたがいてくれんとここまでこれなかったよ」

「そんなことはないと思います」

待合室の高い天井には一面絵が描かれており、壁にも絵画がたくさんかかっているので、美術館のような感じである。

その二日前の四月二日。私を含む日本代表団は、学会事務局の案内で、テルアビブ大学付属博物館を訪れていた。在イスラエル日本大使館の書記官から私の携帯電話に「小渕総理が倒れたが、鈴木特使、東郷局長は予定通りモスクワに向かうので、佐藤主任分析官も予定通りモスクワに向かうようにとの指示が本省から来た」との連絡があった。私は東京の鈴木氏に国際電話をかけた。

「総理の具合はいかがですか」

「俺にモスクワに行けというくらいだから、大丈夫だと思うよ。詳しくはモスクワで話す」

ちょっと引っかかる言い方だ。いずれにせよ私はモスクワに行くしか選択がない。モスクワには鈴木氏よりも数時間早く着いた。大使館で丹波大使らと話したが、小渕総理の容態は十分深刻で、再起不能ということだった。私は小渕総理に三十回以上、ロシア情勢について説明したことがある。いくら説明しても自分で納得できるまでは、こう言うのだ。

「イヤ、あんたの言うことはわからねぇ。もう一度説明してくれ」

何度同じテーマについて、説明資料を作り替えて、説明し直したことであろうか。そして、小渕総理は納得すると、かなり複雑な外交案件を実にわかりやすく自分の言葉で説明し、最後に、「あんたの言いたかったことはこういうことか」と訊《き》いてくる。

私が「はいその通りです」と答えるとそのテーマに関する説明は終わりである。こうして小渕総理はロシア問題のかなり細部まで情報と知識を得た上で、交渉に臨んだのである。

「イヤ、あんたの言うことはわからねぇ」

小渕総理の声が私の頭の中で何度も木霊《こだま》した。小渕総理は、北方領土問題の解決にとても熱意をもっていただけに、たいへん残念だった。

プーチン大統領代行との会談では、鈴木氏に小渕氏の魂が乗り移っているようだった。「この席に小渕さんが座っているように思う」とプーチン氏が言ったとき、鈴木氏の目から涙が流れた。プーチン氏は鈴木氏の瞳《ひとみ》をじっと見つめていた。

この会談で、鈴木氏は、次期首相が森喜朗《よしろう》氏になることを明かし、四月二十九日前後にサンクトペテルブルグで日露首脳会談を行うことを提案した。プーチン氏は「その日には別の日程を入れてしまったが、調整して会談する」と答えた。

会談が終了し、日本側出席者が部屋を出る間際《まぎわ》にプーチン氏が「ちょっと話がある」と鈴木氏を呼び止めた。

「実は、できればのお願いなのだが、五月にロシア正教会の最高指導者アレクシー二世が訪日するのだが、その際に天皇陛下に謁見《えっけん》できるように、鈴木さんの方で働きかけてもらえないか。もし、迷惑にならなければということでのお願いだ」

鈴木氏は「全力を尽くす」と約束した。

ロシア人は、信頼する人にしか「お願い」をしない。鈴木氏はプーチン氏に気に入られたのだと私は感じた。

テルアビブ国際会議

四月五日、午後、私はテルアビブのベン・グリオン国際空港に到着した。

イスラエルの入国管理、セキュリティー・チェックは徹底している。イスラエル国営「エル・アル」航空を使うときには、鍵《かぎ》をかけないスーツケースを前日に航空会社に預け、ハイジャック検査を徹底して行う。それ以外の航空会社を使用する場合にも、空港の手荷物検査や職員による質問で二、三時間を費やすこともある。

セキュリティー・チェックの大原則は、通常と異なる行動様式に対して疑惑の眼を向けることである。二日未明にテルアビブに着いていながら、翌三日にはモスクワに向け出発し、再び五日に再入国する日本人というのは、入国管理官の常識からすると「奇妙な行動」なので、私は再入国手続きに少し手間取った。

私は空港からテルアビブ大学に直行した。五日の第一セッションは「極東の再考」だったので、その最後の部分だけでも参加できるかと思っていたが間に合わなかった。会場に入ると、セッションは中東、中央アジアに移っていた。ちょうど立山良司防衛大学校教授が発表しているところだった。「チーム」の若い外交官たちは一生懸命メモをとっていた。会場の隅にゴロデツキー教授が立っていたので黙礼した。

そこで突然、会場の電気が消えてしまった。しばらく経《た》っても復旧しないので、ゴロデツキー氏がコーヒーブレイクを宣言した。停電は約二十分続いたが、その間に私はゴロデツキー氏と末次一郎氏にモスクワでの鈴木・プーチン会談について簡潔に報告した。ゴロデツキー氏も日本から参加した学者たちも討議の内容に満足していた。

国際学会の内容は、ロシア情勢を把握し、日本の対露平和条約に資する対露支援戦略を策定する上で有益であった。私自身は、会議全体を聞くことはできなかったのであるが、「チーム」の若い外交官たちが詳細な記録を作成した。分厚い単行本一冊に相当する分量で、四百字詰め原稿用紙に換算すれば、約六百三十枚になる。

この記録は外務省の関連部局、学会に参加した学者はもとより、外務省と関係の深い研究者にも配布した。この編纂《へんさん》作業を全《すべ》て「チーム」で行ったので、メンバーは学会終了後も相当時間とエネルギーを割いた。しかし、検察によれば、本件は「佐藤被告人が腹心によい思いをさせるために連れて行った観光旅行」なのである。

イスラエルと日本の間に定期直行便はないので、フランクフルト経由で帰国した。私は空港から外務省に直行し、川島裕《ゆたか》事務次官にモスクワの鈴木・プーチン会談とテルアビブの国際学会について報告した。

川島次官の前職は駐イスラエル大使だったので、イスラエルのロシア情報の重要性をよく理解していた。川島氏は、私に「国際学会の企画はよかったな。君はほんとうによいところに目をつけたよ。イスラエルはロシアとの関係でも、アメリカとの関係でもとても大切な国だからね。今後も頑張ってくれよ」とねぎらいの言葉をかけてくれた。その二年後にこの学会が背任事件として摘発されることなど、この時川島次官は夢にも思っていなかったことだろう。

学会に参加した学者たちもその成果に大いに満足していた。

田中明彦氏は成田空港で私に「僕は朝日新聞の『論座』にコラムをもっているんだけれど、そこに今回の学会について書こうと思いますが、いいですか」と尋ねてきた。

山内昌之氏からは、四月下旬の昼、赤坂の貝作という日本料理屋に私と「チーム」の二人が招かれ、「日本は諸外国と較《くら》べ政府とアカデミズムの関係が弱い。日本のアカデミズムの力を現実に生かすためにも今回のような学会はとても有意義だった」との評価を受けた。

そして、特にこの学会の意義を強調したのは、袴田茂樹氏だった。同氏からは「同じような学会を是非また行って欲しい」という働きかけをその後何度も受けた。また、袴田氏はこの学会について二〇〇〇年四月十九日の読売新聞朝刊に「『自己分裂』ロシアへの対応」と題したコラムを寄稿。その中で以下のように述べている。

〈プーチン政権をどうとらえるか、また北大西洋条約機構（NATO）拡大やコソボ、イスラム原理主義の問題について、欧米やロシア、日本から専門家が多数集まって三日間熱心に討議を行った。この会議に参加した私の関心は、ロシア人が自らを世界の中でどう位置付け、欧米やアジア、日本にどのような姿勢で対応してくるかという問題であった。つまり、ソ連邦の崩壊後、プーチン新大統領の下でロシアがアイデンティティーをどこに見いだそうとしているかという問題である。（中略）

結局、日本としては第四のアプローチを採らざるを得ない。それは、「ロシアが欧州でもアジアでもないということ、双方を内包した独特の国であるという認識を前提とすべきだ。その上で、ロシアが単なる欧米モデルでもアジアを内包するソ連モデルでもない、その双方の混淆（こんこう）としての新体制を構築するのに対処しなくてはならない。その体制の安定のためには、権威主義的な要素は免れないであろう。それを認めた上

で、危険な独裁体制にならないよう、国際的な枠組みを構築し、また日露両国にとって相互利益的な関係を築く必要がある〉

その二年半後、私は、東京拘置所のカビ臭い独房で、私を厳しく弾劾《だんがい》し、「（この学会で）深められたロシア認識をどう利用するかは政策レベルの問題であり、われわれ学者の関与すべきことではないと考えています」と結論づけた袴田氏の検察官に対する供述調書を読むことになる。

ディーゼル事業の特殊性とは

それでは次に、国後《くなしり》島ディーゼル発電機供与に話を移そう。

ゴロデツキー教授夫妻の訪日招待とテルアビブ国際学会への学者、外務省員らの派遣については、私自身が企画、担当した事業であり、当然のことながら深く関与している。

これに対して、国後島ディーゼル発電機供与事業は、私とは部局を別にする欧亜局ロシア支援室が担当した案件で、私は入札で何が行われたかについてもほとんど知らないし、関心がなかった。従って、語ることがあまりないのである。

初めなぜ私がこの事件で逮捕されたかについて、狐《きつね》につままれたような感じで全く理解できなかった。取り調べが進むにつれて、東京地検特捜部が描こうとするシナリオは見えてきたが、それはあまりに実態とかけ離れたものだった。この点については第四章以降で詳しく述べることにしたい。ここでは、まず、このディーゼル事業が抱えていた特殊性について少し説明させてほしい。それは北方領土問題と関連していた。

私は、北方領土問題についてあまり詳しくないジャーナリストから、国後島の「友好の家」(いわゆる「ムネオハウス」)について「鈴木宗男ほどの力がある政治家が、なんであんな貧弱な建物しか作らなかったのか。あれじゃ工事現場の飯場《はんば》ではないか」という質問を何度も受けた。実はこの問題に答えることで、北方領土におけるディーゼル事業の難しさを理解していただけると思う。

第二章で説明したように、一九五六年の日ソ共同宣言で、両国間の戦争状態は終了し、外交関係が再開されたが、領土問題が解決されていないので未《いま》だ平和条約が締結されていない。国交回復後、日本政府の立場は、歯舞《はぼまい》群島、色丹《しこたん》島、国後島、択捉《えとろふ》島の四島は日本固有の領土であるということでは一貫している。

しかし、無人島である歯舞群島を除き、実際には残り三島にロシア人が定住しており、色丹島、国後島を管轄《かんかつ》する「南クリル地区行政府」、択捉島を管轄する「クリル地区行政府」が存在している。日本政府は、北方四島はロシアの不法占領下に置かれているとの認識で、これらの「地区行政府」の存在を認めていない。

ロシアの実効支配を認めることにつながる行為は一切差し控えるというのが日本政府の方針だ。例えば、ウラジオストクから北方四島には定期船便が出ているので、日本人であっても物理的に北方領土に渡航することは可能である。しかし、パスポートをもちロシアのビザ（査証）をとって四島に入ると、それは四島がロシア領であると日本政府が認めたと受け止められてしまう危険がある。従って、そのようなことはしないようにとの閣議了解がなされ、日本の多くの旅行社は政府の方針を理解し、そのようなツアーは組まない。

北方四島に建物や工場を造ることも、ロシア側の建築基準に従うならば、日本がロシアの管轄を認めたことと受け止められかねない。それに、四島でのインフラ整備が進めば、ロシア人が四島から出て行かなくなり不法占拠が助長されるおそれがある。だから、四島はペンペン草が生えるような状態にしておくことが望ましいというのが冷戦時代の日本政府の論理だった。

しかし、ソ連が崩壊し、新生ロシアは、自由、民主主義、市場経済という日本と価値観を共有する国になった。北方領土問題についても、問題の存在を認め、「法と正義の原則」によって問題を解決すると約束し、実際に誠実に交渉を行っている。

ソ連崩壊少し前に日本人が北方四島に渡航する新たな枠組みが生まれた。ビザなし交流である。元島民を中心とする日本人が、パスポートやビザをもたず、日本政府の立場からすると国内旅行として北方四島に渡航する仕組みができた。四島のロシア系住民も日本に来る。もちろん、ロシアからすると、出入国手続きをとっていることになるが、

「お互いの立場を侵害しない」というわば大人の論理で、人道的見地から交流が可能になったのである。

ロシア人を日本政府のカネで受け入れるのは税金の無駄使いとの批判もある。しかし、日本政府としては、四島のロシア系住民が自らの眼で日本の現状を見ることにより、「北方四島が日本に返還され、日本人と共生した方がよいのではないか」という感情を育てたいとの思惑がある。

そもそも外交の世界に純粋な人道支援など存在しない。どの国も人道支援の名の下で自国の国益を推進しているのである。ロシアとしても、「日本の人道支援を有り難く受け入れる」との姿勢をとりつつも、日本のカネを使っていかにロシアにとって有利な状況を作るかを考えている。

特に領土問題は国益に直結するので、北方四島の人道問題、人道支援を巡っては虚々実々の駆け引きが両国の間で行われていた。私を含む東郷和彦氏に近い「ロシアスクール」外交官は、モスクワでのロビー活動を「西部戦線」、北方四島への支援を「東部戦線」と呼んでいた。どちらも目に見えない「戦争」だった。

困窮を極めていた北方四島の生活

ソ連時代、北方領土には優遇措置がとられており、給料は大陸の二・一倍、物資も特別配給で豊富にあった。数年、島で出稼ぎをしてから、本土に帰り、マンション、車、別荘を買うというのがロシア人のライフスタイルだった。しかし、ソ連崩壊でこのような優遇措置もなくなった。ロシア本土につてのある人々は帰郷し、事情のある人々だけが残った。

私も数回、北方領土を訪れたことがあるが、ある共通点に気付いた。島民に「どこから来たのか」と聞くと、ハバロフスクであるとかウクライナであるという答がくる。しかし、「どうしてここに来たのか」と聞いても誰もきちんとした答をしない。

あるとき親しくなった色丹島村役場の幹部にこう言われた。

「佐藤さん、島の人はみんな訳があってここから去ることができないんだよ。駆け落ちをしたとか、実家とうまくいっていないとか、それぞれに深刻な理由があるんだ。だから『どうして』ということはお互いに尋ねないんだよ」

日本外務省は「もはやモスクワは四島のロシア系住民の要請を満足させることはできない。ここで日本が人道支援を強化すれば、対日感情も改善し、北方領土返還に対するロシア系島民の抵抗感も薄れるのではないか」と考えた。

結論を先取りして言うと、この考え方は正しかった。もちろん、ロシア系住民が率先して日本への返還を望んでいるということではない。しかし、仮に両国政府が北方領土を日本に返還することを決めても、ロシア人の生活と尊厳が保証されるならば、その決定に従おうという考え方が主流となったのである。

こうしたなかで、北方領土に対する人道支援、特に診療所、ディーゼル発電機などの「箱物」は住民に歓迎された。

医療機関の整備は命に直結する問題として重要だ。また、四島では物流が悪いので、住民は冷蔵庫や冷凍庫に食料品を大量に備蓄する。しかし、ソ連崩壊後、停電が頻発するようになり、備蓄した食料品が腐ってしまう。これも生活に直結する深刻な問題だった。

特に一九九四年十月の北海道東方沖地震で、色丹島は壊滅的打撃を受けたので日本の人道援助に対する依存度が高まった。

一方、日本政府の北方領土に関する法的立場は不法占拠論であるので、ロシアの不法占拠を助長するような行為は差し控えるという方針との整合性が求められる。そこで、基礎工事をきちんとして壊すことが難しい恒常的なインフラ整備は行わないが、プレハブのように簡単に解体して撤去できるものならば「箱物」でも供与してもよいということになった。

電力支援に関しても、発電所を建設するのではなく、ディーゼル発電機を供与し、そこにプレハブの「箱物」を作るという体裁にこだわったのも、このような理屈からである。

念のために言っておくと、「友好の家」（いわゆる「ムネオハウス」）は、ロシア人のためというよりも、ビザなし訪問で訪れる日本人の宿泊を目的として作られたものだ。地震などの天災が起きたときは緊急避難所としてロシア人も使用することができるが、それ以外のときは使わないという約束で供与された施設である。

ただし、日本製プレハブは丈夫で、ロシアのちょっとしたコンクリート製建物よりも地震に強い。何をもって恒常的なインフラとするかについては「神学論争」の面が強い。

しかもプレハブを作る場合にも、建築基準に則《のっと》って行われねばならず、水道を敷けば水質検査が必要だが、これについても厳密に詰めればロシアの規則に従うのか、日本の規則に従うのかということになる。

日本としては法的にロシアの管轄権を認めるような行動をとれば、それは不法占拠を助長するということになるので認められない。従って、この点についてはあえて玉虫色にして「うまくやる」という形で処理した。

エリツィン大統領もまた「地アタマ」がいい人物だ。人道支援と北方領土問題を絡《から》める日本政府の意図を正確に見抜いていた。九五年五月二十八日にサハリン北部ネフチゴルスクで大地震があったが、現地を訪問した際にエリツィン氏は「ロシアは地震の傷を自らいやす力をもっている。日本人は後になってから島（北方領土）を求めてくるかもしれない」と述べて、日本を牽制《けんせい》している。

もっとも外交の世界でこのようなことを公言するのは、フーテンの寅《とら》さん風に言えば「それを言っちゃあ、オシマイよ」という禁じ手である。日本は北方領土返還の環境を整えるという意図もあって人道支援を行っており、ロシアはそれをわかりながら受け入れているが、日本の意図通りには事を運ばせないという腹ももっている。ここから虚々実々の駆け引きが展開された。ディーゼル発電機供与事業もこの「ゲーム」の一環であった。

前に述べたように九七年十一月、クラスノヤルスク非公式首脳会談で、二〇〇〇年までに北方領土問題を解決して平和条約を締結するために全力をつくすことに両国首脳は合意した。官邸も外務省も近い将来に北方領土問題が解決するかもしれないという熱気に包まれた。

クラスノヤルスクでエリツィン大統領から橋本首相に、「南クリル」における電力事情が厳しいので、この面での支援をしてもらえるとありがたいとの要請があった。イーゴリ・ファルフトジノフ・サハリン州知事は以前から、日本政府に北方四島における地熱発電事業に対する支援を行って欲しいとの要請を繰り返していた。

九七年十二月、鈴木宗男北海道・沖縄開発庁長官がユジノサハリンスクを訪れた際にもファルフトジノフ氏はこの要請を繰り返した。北方四島は火山帯であり、温泉も出る。地中から吹き出す蒸気でタービンを回せば石油がなくても電気を作ることができる。当時サハリン州側は深刻な石油不足に悩んでいたので、地熱発電に強い関心をもった。

しかし、日本の立場からするとこれはあまり芳《かんば》しい考え方ではない。まず、地熱発電施設は、地中に深くパイプを打ち込み、それに発電機を設置するので、どこから見ても恒久的なインフラ施設で、日本の法的立場と整合性をもたせることが難しい。

一旦《いったん》地熱発電施設が出来上がってしまえば、その後はロシア側がメインテナンスを行うので日本に対する依存は生じない。これは四島のロシア人を日本に近付けるという政治的目的にも合致しない。

だが、エリツィン氏の要請に誠実かつ迅速に応《こた》えることが平和条約交渉を加速するために必要だった。そこに「毒」を盛り込み、「東部戦線」を少しでも日本にとって有利にしなくてはならない。サハリン州は地熱発電に固執しているが、エリツィン氏は電力支援とだけ述べており、その形態については注文をつけていない。「ロシアスクール」は、時代の要請に応える知恵を出さなくてはならなかった。

篠田《しのだ》ロシア課長の奮闘

この問題に真剣に取り組んだのが篠田研次《けんじ》ロシア課長だった。

篠田課長は長身で、いつも髪をきちょうめんに七・三に分け、銀縁眼鏡をかけている。口数が少なく、他人の悪口を言わず、冗談もあまり言わない。実は人情家であるがそれを表面に出さない。きっとシャイなのだろう。趣味はプロレス観戦で、実は闘争は決して嫌いではない。その意味では慎重さと大胆さを併せもった外務官僚だ。

「ロシアスクール」の親分格、丹波實氏、東郷和彦氏の篠田氏に対する信任は厚かった。東郷氏は、ロシア課長が篠田氏から小寺氏に替わった後で、「篠ちゃんのときは、僕はロシア課から上がってくる決裁にそのままサインすればよかったのだけれど、小寺になってからは細かくチェックして書き直さなくてはならないから仕事が増えてたいへんだよ。僕が大ロシア課長になったみたいだ」とこぼしていた。

篠田課長は決して声を荒らげることはしない。しかし、仕事には厳しいので部下たちはいつも緊張していた。篠田氏は決裁にひじょうに時間をかける。注意深く書類を読み、細かい字で訂正や加筆をする。決裁書が篠田課長の手を経ると加筆で「真っ赤」になることも多かった。しかし、それにより内容は充実する。また、篠田氏は政治家をたいせつにした。それは篠田氏が政治家に阿《おも》ねっているからではなく、官僚の能力を生かすのは結局は政治だという哲学があるからだと私は見ていた。

タイミングよく政治家に連絡を入れ、根回しをする。しかし、政治家と個人的に親しくなることは避けていた。これには篠田課長のシャイな性格と酒を体質的に受け付けないことが大きな要因になっている。ロシア人政治家には大酒飲みが多い。ロシアの酒飲みは酒を飲まない人間を信用しないという傾向があるので、ロシアで人脈を作る場合、酒を全く受け付けない外交官は不利だ。しかし、篠田課長は例外的にロシアの大酒飲み政治エリートからも好かれる術《すべ》を知っていた。

九九年のある日、イシャエフ・ハバロフスク地方知事と鈴木宗男氏の夕食会に篠田課長と私は同席した。当時、イシャエフは連邦院（上院）議員も兼ねた有力政治エリートだった。イシャエフは、体重が軽く百キロを超える巨漢で、酒に強く、一人でウオトカ三本くらいは平気で飲む。特にハバロフスク自慢の地酒があって、鹿《しか》の角の粉末と朝鮮人参《にんじん》の入った強精剤用のウオトカを日本までもってきて振る舞うのが趣味であった。

ウオトカは普通無色透明なのだが、この強精ウオトカは琥珀《こはく》色である。ロシア式宴会では四十度のウオトカを一気のみでショットグラスに二十杯も三十杯も飲む。イシャエフ氏は鈴木氏にウオトカを勧めるのであるが、それをまともに飲んでいては鈴木氏が気を失ってしまう。そこで私が登場し、鈴木氏に注がれたウオトカを代役として飲み干すのである。ロシア流ではこれならばイシャエフ氏に対しても失礼にあたらない。

だいぶウオトカの回ったイシャエフ氏が篠田課長に目を付け、「あなたには鹿の角の粉入りウオトカは口にあわないか」と言う。篠田氏が体質的に酒を受け付けないといって断っても許してくれる雰囲気ではない。篠田氏は、場の空気を見取って、ショットグラスではなく、ロックグラスを目の前に置いた。

ロシアでも宴会で手酌は厳禁である。また、ウオトカを注ぐ場合には、グラスを手で持ってはならず、必ずテーブルの上に置く。そうでないと幸せが逃げるそうだ。イシャエフ氏はウオトカをグラスに半分くらい注いだ。みんなが注目する中で篠田課長はウオトカを一気に飲み干した。篠田氏の顔は見る見る赤くなったが、宴席は愉快に進んだ。

鈴木氏は、「篠田さんは相当無理をしたね。体質的に酒を受け付けない人にとってはあれはほんとうに苦痛だよ。でもこれで篠田はイシャエフの心をつかまえたね」と私に囁《ささや》いた。

翌日、篠田課長は病院に運ばれた。その後、私はイシャエフ氏に会う機会があったので、そのことを伝えた。イシャエフ氏は申し訳なさそうな顔をしたが、それから篠田氏に強い親近感を持つようになり、それはイシャエフ氏の日本外務省観を改善する上で少なからぬ意味をもったと私は見ている。ロシア人は酒の席でもいつも人相見をする。篠田氏の対応はロシア流ではイシャエフ氏に対する何よりの気配りなのである。

この時期、篠田課長は、北方四島へのディーゼル発電機供与を行う腹を固めていた。小型ディーゼル発電機に関しては、九四年の北海道東方沖地震の後に人道支援として供与したこともあったが、大多数の住民の需要を満たすためのものなので今回は規模も大きく、実質的には発電所を建設するようなものだった。

そうすると不法占拠論との絡《から》みで日本政府内部で調整をしなくてはならない。条約専門家やソ連時代しか知らない「ロシアスクール」のOBには、北方領土に日本政府がインフラ支援を行うことに対する慎重論も強い。これを突破するには政治の力が必要であった。

鈴木宗男氏は、根室・釧路を選挙区にしているが、日本の行政区画では北方四島は根室管区に含まれる。元島民の多くは根室を中心とする道東地区に住んでいるが、北方四島のロシア系住民に対する人道支援を増加することに関しては、元島民の一部に「国は元島民には経済的補償をほとんどしてくれないのに、不法占拠してるロシア人に手厚い支援をするのはおかしい」という感情的反発もある。

領土問題はナショナリズムを刺激しやすいので、元島民の理解を得ておかないと返還関係の圧力団体が政府の対露政策に反発し、外交的可能性を狭めてしまう。そうかといって、北方四島に対する支援は、ロシア系住民の日本に対する依存度を増やす日本の策略だということも表だっては説明しにくい。

この点、元島民や返還関係の圧力団体とも良好な関係をもっている鈴木氏ならば、関係者をうまく説得することができる。当時、鈴木氏は、北海道・沖縄開発庁長官をつとめ、対露政策で橋本首相を支える立場にいたことに加え、先に述べたように九七年十二月にファルフトジノフ・サハリン州知事から地熱発電の支援について要請を受けた経緯もあって、電力問題への関心も強い。こうして外務省は鈴木氏に眼をつけたのだった。そして、この問題に鈴木氏を引き込むことが私の課題になった。

サハリン州高官が漏らした本音

一九九八年三月初め、ビターリー・エリザリエフ・サハリン州国際交流対外経済関係局長が訪日した。

エリザリエフ氏はソ連時代、ユジノサハリンスク市共産党委員会書記で、同市のトップだった。前述したファルフトジノフ氏は旧ソ連時代、ユジノサハリンスク市執行委員会議長(市長)だったが、ソ連の制度では市長は共産党組織のトップである書記の完全な統制下に置かれていたのである。

ソ連崩壊後、共産党組織が崩壊し、ファルフトジノフ氏が知事になったのでエリザリエフ氏はその部下になったが、サハリン州政治エリートの層は薄いので、ほとんどは共産党幹部が民主派に「衣替え」しただけであった。旧ソ連共産党幹部のエリザリエフ氏は強力な人脈と侮《あなど》れない影響力をもっていた。エリザリエフ氏は対日強硬論者と目されていたので、訪日中に同氏の対日観を改善することを外務省は重要課題にした。

エリザリエフ氏は鈴木氏との会見を希望した。鈴木氏はあえて向島《むこうじま》の料亭で夕食会を行うことにし、そこには私を含む外務省関係者も何人か招かれた。旧ソ連時代から生き残っている政治家は例外なく酒が強い。エリザリエフ氏のペースに煽《あお》られて、日本酒、ウイスキー、ウオトカを文字通り浴びるほど飲んだ。

私を除く外務省関係者は、通訳を含め全員が酔いつぶれ、中途で退散する羽目となった。残ったエリザリエフ氏、鈴木氏、私の三人でひたすら乾杯を繰り返す。ロシア流で鈴木氏に注がれたウオトカは私が飲むのであるが、私もそろそろ限界だったので、ときどき中座し、大量に水を飲んでは手洗いで吐き、極力アルコールが身体《からだ》に残らないように用心することも忘れなかった。

その席で、エリザリエフ氏が一言漏らした。

「鈴木先生、南クリルの電力事情はほんとうに深刻なんです。ファルフトジノフ知事は地熱発電にこだわっているが、そんなこと言っていられないような状況なんだ。喉《のど》から手が出るほど電気が欲しい。ディーゼル発電でもいいんだ。しかし、ディーゼル発電機の供与を日本から受けたら、その後、重油もメインテナンスも日本に頼らなくてはならないので、南クリルは日本に首根っこを押さえつけられてしまう」

鈴木氏は真顔で、「エリザリエフさん、日本人はそんな卑劣なことはしない。困ったときはお互い様だ。遠いモスクワよりは近い日本だ」と応えた。

その後、私はエリザリエフ氏をホテル・ニューオータニに送ったが、再び同氏の部屋で酒盛りになり、ミニバーの酒を全て飲み干してから退散した。

既に終電が出てしまったので、外務省の仮眠室に泊まることにした。外務省に向かってタクシーで移動している途中で私の携帯電話が鳴る。鈴木氏だった。

「佐藤さん、あんた大丈夫か。エリザリエフは相当でき上がっていたようだが、大丈夫か」

「私はあまり大丈夫ではありませんが、エリザリエフは大丈夫です。しっかりしています。あれからホテルでもう一度飲み直し、ミニバーを成敗しました。腹で話ができるようになりました。久し振りにモスクワ時代を思い出しました」

「そうか、それはよかった。ところで、さっき、エリザリエフの言っていた『日本に首根っこを押さえつけられてしまう』というのはとてもいい話ではないか」

「大臣、そう思います。あれが彼らの本音でしょう」

翌三月五日、鈴木氏は篠田ロシア課長に電話をする。この電話については、ロシア課が記録を作り（平成十年三月五日付報告・供覧）、当時の丹波實外務審議官、西村六善《むつよし》欧亜局長、東郷和彦総括審議官らに配布している。私の公判で、この文書が証拠として採用されたので、正確に引用しておこう。

〈五日、四島住民支援に関し、鈴木北海道・沖縄開発庁長官と篠田欧ロ長（著者注：欧亜局ロシア課長の略）の間で電話にて行われたやりとり次のとおり。

（鈴木大臣）現在訪日中のエリザリエフ・サハリン州対外経済局長は、ファルフジーノフ（著者注：原文のママ）同州知事も従来から提唱している地熱発電の話をしていた。四島においては電力が不足して困っているとのことであったが、例えばディーゼル燃料による発電で協力することなどは考えられないか。

（篠田欧ロ長）自分としても、その問題についてはまさに同じ方向で考えはじめていた。ディーゼル発電機とその燃料を、電力事情において危機に瀕《ひん》している住民への緊急人道支援として供与することはありうるのではないかと考えている。過去においてもディーゼル発電機を供与した例があると記憶する。

（鈴木大臣）是非その方向で考えてもらいたい。また考えがまとまったら報告してほしい〉

こういう経緯で鈴木氏は、ディーゼル発電機供与事業に巻き込まれていったのである。

複雑な連立方程式

一九九八年四月十八日から十九日、静岡県伊東市の川奈ホテルで日露首脳会談が行われた。現地では桜は既に散ってしまっていたが、会談の雰囲気を盛り上げるために会談場には桜の枝が持ち込まれた。

この桜の花の下で、橋本首相が北方領土問題解決に向けた大胆な提案(「川奈提案」)を行ったことについては既に述べた。このとき、橋本氏は、前年十一月のクラスノヤルスクでエリツィン大統領から受けた北方領土への電力支援要請について、「ディーゼル発電機を供与する」との提案をした。エリツィン大統領は「ありがとう」と言ってそれを受け入れた。ここからディーゼル事業が本格的に動き出すのである。

エリツィン大統領は、日本政府による北方領土へのディーゼル発電機供与を喜んで受け入れた。しかし、ロシア内部での反応は、一様ではなかった。

ロシア外務省をはじめとするモスクワの中央官庁は、大統領が言ったことだから、それを着実に遂行するという姿勢だった。当時、モスクワではチェルノムィルジン首相が更迭《こうてつ》された直後で中央政局が混乱していたので、政治エリートには北方領土問題に真剣に取り組む余裕がなかったことが幸いしていたと思われる。

一方、サハリン州は、相変わらず地熱発電に固執していた。本音では日本製ディーゼル発電機により日本が北方四島の「首根っこを押さえる」ことになるよりは、現状の電力不足が続いた方がましくらいの考えだったに違いない。現地、特に色丹島では、「とにかく電気がほしい。地熱だろうがディーゼルだろうが関係ない。ただし、日本が人道支援を領土奪取という邪悪な意図に結びつけるならば、それは許さない」という雰囲気だった。

根室を中心とする元島民の間では、「なぜロシア人にそこまで手厚くしなくてはならないのか」という不満の声もあった。官邸、外務省は、「川奈提案」は従来の日本政府の立場からすると大幅な妥協案なので、この案を基礎に日露平和条約が締結されても元島民や圧力団体に不満が高まることも危惧《きぐ》していた。

これら全ての要素を勘案して、誰かがこの複雑な連立方程式の解を全て満たす必要があった。橋本首相の側近で現職閣僚、根室を含む道東を選挙区とし、元島民、返還関係団体とのパイプも太く、ロシアにも人脈がある鈴木宗男氏がこの難しい課題を解決するのに最適な人物であるということで関係者の認識は一致していた。

それに加え、鈴木氏は北方四島に初めて渡航した国会議員で、その後、北方四島から訪日するロシア系住民を丁重に扱い、地元エリートと良好な人間関係をつくっていた。鈴木氏ならば、現地住民の反発を買わず、かつ日本政府の公式の立場から逸脱せずに、しかも日本政府の戦略をうまく北方領土に埋め込むことができる。

外務省は鈴木氏が現職閣僚としてはじめて北方四島を訪問する機会に専門家を同行させ、そこでディーゼル発電機供与に関する予備調査を行うことが適当と考えたのである。川奈会談後、西村六善欧亜局長は、頻繁に鈴木氏を訪ね、この計画に鈴木氏を誘った。五月のある日、私が北海道開発庁長官室で鈴木氏にロシア内政動向について説明しているときに西村局長が訪れ「御多忙中のところ恐縮ですが、国後島、択捉島に鈴木大臣が現職閣僚としてはじめて訪問される機会に、ＪＩＣＡ（国際協力事業団、現国際協力機構）の専門家を連れて、電力調査に行っていただけないでしょうか」と頼みこんだ。

鈴木氏は私に向かって「あんたも現地を見てみないか」と言うので、私は「是非見てみたいと思います。ただこれはうちの局（国際情報局）の話ではないので、私が決めることのできる話ではありません」と述べると、西村局長が私を遮り、「佐藤も同行させます」と答えた。

こうして、私は欧亜局の要請に基づいて北方四島に出張することになった。その後、鈴木氏の北方領土訪問のほとんどに私は同行することになった。情報屋の私にとって、北方四島の空気を直に知ることはとても有益だった。

二〇〇二年に国会で私が鈴木氏に同行してロシアや北方四島に十九回出張したことが鈴木氏と私の不適切な関係として取り上げられたが、これらはいずれも欧亜局（九八年十二月、イスラエルに同行した際は中近東アフリカ局）からの依頼に基づき、正式の決裁を経て行ったことである。

九八年六月二十三日から二十六日、鈴木氏は現職閣僚として初めて国後島、択捉島を訪問することになった。それ以前にも鈴木氏は北方四島を訪れているが、今回は四月の川奈会談を踏まえ、橋本内閣の閣僚としての訪問なので、その意味はこれまでの訪問と質的に異なった。もし、現地で鈴木氏が失言をしたら、それが平和条約交渉を頓挫《とんざ》させる可能性さえあった。その意味では大きなリスクを背負った訪問だった。

東郷和彦氏は当時、国会担当の総括審議官であり、外務省と政治家の窓口という職務を最大限に利用して、鈴木氏と頻繁に接触するようにつとめた。

その場に私も同席することが多かったのだが、鈴木氏と東郷氏が私に期待したのは、巧みなレトリックを作ることであった。

同じことでも言い方によって相手側の受け止めは大きく異なる。例えば、「お前、嘘《うそ》をつくなよ」と言えば誰もがカチンとくるが、「お互いに正直にやろう」と言えば、別に嫌な感じはしない。伝えたい内容は同じである。私は次のようなレトリックを使ったらよいと進言した。

第一点は北方領土交渉について。四島は日本人元島民にとって故郷であると同時に現在島に住んでいるあなたたちロシア人にとっても故郷である。日本人とロシア人の共存共生を考える時期にきている。私は日本の愛国者だから日本の名誉と尊厳は大切である。日本の愛国者である私には、ロシアの愛国者であるみなさんにとってロシアの名誉と尊厳が大切なことはよくわかる。エリツィン大統領はロシアの愛国者で、橋本首相は日本の愛国者である。この二人の愛国者が決めたことならば、ロシア人にとっても日本人にとっても悪いことであろう筈《はず》はない。だから二人の首脳の決定を支持しよう。

ここで重要なのはロシア人の思考様式とワーディングだ。ロシア人は、身内ではエリツィンであれ、プーチンであれ、国家元首の悪口を散々言う。しかし、外国人がその話題に加わって大統領批判を加えようものならば、今まで悪口を言っていたそのロシア人が「お前はわが大統領を侮辱するつもりか」と食ってかかってくる。

ロシア人にとって、大統領とはロシア国家が人格的に体現された存在なのである。更にロシア語で言うナショナリズム（ナツィオナリズム）は、常に悪い意味で使われる。「私は日本のナショナリストだ」と言うと、ロシア語のニュアンスでは、「私は日本人至上主義者で、外国人は排除されるべきだ」という意味になる。これに対して、「私は愛国主義者（パトリオート）である」というと、常によい意味である。ロシア語のニュアンスでは日本の愛国者とロシアの愛国者が手を握ることは可能なのである。

第二に、支援のレトリックである。ディーゼル発電機供与について、援助や支援ということばを極力使わずに協力ということばを使うことだ。ロシア人はプライドが高い。

特に超大国ソ連から現在の困窮した状況に陥ったことで北方領土のロシア系住民は深く傷ついている。日本人が援助、支援ということばを多発してロシア人から感謝のことばを聞こうとしても逆効果になることが多い。あえて「困ったときはお互い様。日本も第二次世界大戦後は各国から支援を受けた」くらいの話をして、恩に着せない。人間の天《あま》の邪鬼《じやく》性を重視することだ。それによって日本の支援の効果は四島により深く浸透する。

鈴木氏はこの考え方をよく咀嚼《そしやく》し、国後島、択捉島の発言で用いた。これは、確かに効果があったと思う。

九八年十月から十一月に色丹島、択捉島に非常用発電機が供与され、九九年六月から十月に色丹島、同年七月から九月に択捉島に本格的なディーゼル発電機が設置された。日本から重油も部分的に供与され、これら二島の日本への依存度は強まった。

日本側の戦略は、「喉の渇いた人間にコップに半分だけ水を入れて与えるともっと水が欲しくなる」というもので、脳天気に人道支援をしているわけではなかった。

ロシア側もそのことはわかっていたが、当時、モスクワもサハリン州も北方領土の住民対策やインフラ整備に支出する財政的余裕がなかった。色丹島では親日感情が強まり、日本返還を望むと公言するロシア人もでてきた。最も反日感情の強かった択捉島でも、対日感情は改善した。

日本の戦略は思ったより効果を上げ、北方領土のロシア系住民の日本への依存度も高まった。また、頻繁に北方領土を訪問し、住民感情に配慮する鈴木宗男氏に対するロシア系住民の信頼感も高まった。

国後島へ

色丹島、択捉島に本格的ディーゼル発電機が供与され、両島での電力問題は基本的に解決した。これまでの電力調査で、国後島の電力事情は、残り二島に較《くら》べればマシなので、ディーゼル発電機供与の順番は後回しになった。

このことに国後島の住民は不満を抱き、「日本政府はなぜ国後島に差別待遇をするのか。ディーゼル発電機が欲しい」という声も聞かれるようになった。裏返して言うならば、ロシア系住民が日本に対する依存度を強めてきたということだ。

これに対して、サハリン州は、モスクワが策定した「クリル開発計画」に国後島での地熱発電所の建設があるので、それに日本の協力を得るのがよいとの変化球を投げてくる。

鈴木氏は、その変化球を逆用し、一九九九年七月に日本の地熱発電の専門家とともに現地を視察し、近未来に地熱発電所を作ることは難しいとの専門家の所見に裏付けられた結論を導き出し、地熱発電所論争にとりあえず終止符を打つことに成功した。

九九年十月二十四日、後に「ムネオハウス」と揶揄《やゆ》されるようになった国後島緊急避難所兼宿泊施設「日本人とロシア人の友好の家」完成式典に鈴木宗男氏が参加する機会を利用して、外務省は国後島への本格的ディーゼル発電機の供与に踏み切ろうとした。この代表団には外務省から東郷和彦欧亜局長、倉井高志ロシア支援室長らも加わった。倉井氏はロシア支援室長に就任してはじめての大仕事であり、意気込んでいたのが印象的だった。

行きの船中で、倉井室長と鈴木氏のやりとりを私は注意深く聞いていた。「鈴木大臣」と倉井氏は呼びかけた。外務省では、政治家に対して呼びかける場合、その人がかつて総理をつとめた場合は「総理」、閣僚をつとめた場合は「大臣」と呼ぶ。また、外務省退職者で、最高ポストが大使であった人は「大使」、総領事であった人は「総領事」を敬称としてつける。

鈴木疑惑の中で、私や東郷氏だけが閣僚職でない鈴木宗男氏を「鈴木大臣」と呼んでいたとの報道がなされたが、これは事実ではない。外務省文化では「鈴木大臣」というのが普通の呼びかけなのである。

「鈴木大臣、ゼーマ（南クリル地区長）には、国後島にもディーゼル発電所を作って欲しいとの要請をするように私が根回しをしておきました。ゼーマが要請してきたら、それに応《こた》え、発電所を作ると言ってください」

「ゼーマさんが言ってきたら、俺は発電所を作ると言えばいいんだな」

「はいそうです。よろしくお願いします」

前に述べたように、日本政府はロシアが北方領土を不法占拠しているという法的立場をとっているので、恒久的インフラ施設とのニュアンスが強い発電所という言葉は、公式の決裁書類では用いずに、ディーゼル発電機の供与と書いていたが、外務省関係者は実態に近い発電所と呼んでいた。

さらにゼーマ氏との会見の直前に鈴木氏は、「ゼーマさんが言ってきたら発電所を作ると言えばいいんだな」と念を押し、それに対して倉井室長は「そうです」と答えた。

会談では倉井室長の「仕込み」が奏功し、ゼーマ氏から要請があり、鈴木氏は発電所を作ると答えた。鈴木氏は、国後島へのディーゼル発電所建設について住民との対話集会で発表する。この場で発表することも倉井氏の要請に基づくものだ。

このような経緯があるにもかかわらず、検察は鈴木氏の圧力で本来不必要なディーゼル発電機を国後島に供与したとの筋書きを作ろうとし、のみならず、一部外務省職員がその筋書きに沿った証言をするのである。

本格的ディーゼル発電機の据え付けには数カ月がかかる。その間、日本から作業員や技師を連れて行くのであるが、万一、小さなトラブルが発生してもそれが大事件に発展することもある。

仮にディーゼル発電機設置工事中に、日本人とロシア人が酔った上でちょっとした喧《けん》嘩《か》をしたり、あるいは交通事故に巻き込まれたりした場合にも、北方四島で、ロシアの官憲が乗り出すような事態になれば、管轄権《かんかつけん》問題で平和条約交渉に悪影響を与えることになる。

そのため、作業員は島で宿泊せずに、毎日船に戻ることになった。船は揺れるし、居住環境もよくないので作業員の精神的、肉体的負担は重くなる。しかし、この事業を請け負った三井物産は、細心の注意を払い、色丹島、択捉島、国後島のいずれにおいても無事故で工事を終えた。そのことを、官邸、外務省関係者も鈴木宗男氏も高く評価したのである。

国後島ディーゼル発電機供与の式典は、二〇〇〇年十月二十九日に行われた。このときはじめて根室近郊の中標津《なかしべつ》空港から、国後島のメンデレーエフ空港までサハリン航空の直行便が飛んだ。

鈴木宗男氏を団長とする一行は、一九五〇年代の主要機であった双発プロペラ機アントーノフ20に乗って出発したが、日本、国後島での給油ができないために、乗客数も制限され、荷物もほとんど持ち込めず、大多数の団員は事前に船で国後島に向かった。日本と北方四島を結ぶ航空路開設は、歴史的事業だった。

また、ディーゼル発電機の供与とは言っても、倉井ロシア支援室長が「ディーゼル発電所」と言っていたように、実質的には本格的なインフラ施設の供与だった。この発電機は、これまでの発電所の隣に建設された日本製プレハブの中に設置された。

このとき、「南クリル行政府」側からは、石油パイプラインの敷設《ふせつ》を要請された。四島の石油備蓄タンクは老朽化しており海洋汚染の危険があること、また石油を安全に安定的に供給するためにも、是非とも必要だということだった。鈴木氏と同行した外務省関係者は、この現地の要請に前向きな姿勢を示した。

こうして四島の「日本化路線」が着実に定着するかに見えた。このとき鈴木氏に同行したメンバーには、私の他に森敏光欧亜局審議官、前島陽ロシア支援室総務班長がいた。また、三井物産からは都《と》甲岳洋《ごうたけひろ》顧問（前駐露大使）、飯野政秀氏、島嵜雄介《しまざきゆうすけ》氏が参加していた。

その一年半後に森氏はカザフスタン大使から解任されて退職を余儀なくされ、外務省では私と前島氏、三井物産からは飯野氏と島嵜氏が、国後島ディーゼル発電事業を巡る偽計業務妨害容疑で逮捕されることになるとは、このとき関係者の誰ひとりとして夢にも思っていなかった。

第三の男、サスコベッツ第一副首相

次に、この「偽計業務妨害事件」で、検察が陰謀の中心人物と位置付けた私と三井物産の飯野政秀氏の関係について話を進めよう。

私が飯野氏とはじめて会話を交わしたのは一九九四年七月のことである。

この時、日本から自民党日露友好議連の代表団が訪露した。代表団は、モスクワ市内のアゼルカ自動車工場を視察した。この工場では、モスクビッチ（モスクワ市民）という中型大衆車を生産していたが、エンジントラブルが多く、また、塗装にも問題があるので人気がなかった。

モスクワでは冬季凍結防止のために道路に大量の塩をまく。そのため車の車体が腐食しやすい。モスクワで車体の下部に赤錆《あかさび》が浮かぶだけでなく、穴があいている車をよく見かけるが、これは塩によるものだ。

さらに冬季、マイナス二十度以下になるとロシア車、特にモスクビッチとボルガ（大型車、公用車やタクシーに使われる）はエンストを起こしやすい。当時、トヨタのエンジンと塗装技術をモスクビッチに導入しようという計画があり、三井物産がこれに積極的に取り組んでいた。しかし、アゼルカ工場には資金がなかったので、日本輸出入銀行（現国際協力銀行）の融資に期待していた。

アゼルカ工場はユーリー・ルシコフ・モスクワ市長と親しい関係にあった。当時、ルシコフ市長は次期大統領選挙の有力候補と見られており、エリツィン大統領周辺は市長の動きに神経を尖《とが》らせていた。

ロシア政府は、日本からの融資について、総論としては歓迎したが、クレムリンにとって好ましくない政治家が外国からの融資によって力をつけることを警戒していた。諸外国は、ロシア産業構造転換支援という大義名分のもとで、自国に有利になるようなロシアの政治勢力を育成しようとしていた。ここでも虚々実々の駆け引きが繰り広げられていたのである。

率直に言って、当時の日本政府はこのような政治経済ゲームからは距離をおいていたので、日本の融資が戦略的に使われているとはいえない状況にあった。政府は政府、ビジネスはビジネスとして、全く別個に進められていた。だから、少し気を許していると、日本のカネで、北方領土返還に反対する政治勢力の力をつけてしまう危険性すらあった。

当時、東郷和彦氏は日本大使館のナンバー・ツーのポジションである特命全権公使を務めていた。東郷氏はこのような状況を危惧《きぐ》するだけではなく、逆に日本の経済支援を北方領土返還にうまく役立てることができないかと考えていた。

このとき飯野氏は三井物産本社から出張でモスクワを訪れ、工場視察に同行したのだった。一方、私は自民党代表団のアテンド係りだった。

　私は、以前にも飯野氏の姿を、モスクワのレストランやカジノでよく見かけていた。飯野氏は百八十センチ近い長身で、髪の毛に少しウェーブがかかり、髭《ひげ》を蓄えており、ちょっと影のある学者のような雰囲気だった。

　ウオトカをよく飲み、宴席を盛り上げているが、決して乱れない。カジノでは、東洋系のロビイストをよくアテンドしていたが、飯野氏自身は賭《か》けに加わらない。また、ロシア人女性がたむろするバーでは、お客さんをアテンドすることはあっても、飯野氏自身が遊んでいる姿を目にしたことはなかった。

　飯野氏と雑談をする中で、彼がロシアの政治エリートたちとの間に強力な人脈を築いていることがおぼろげながらわかってきた。特に私が関心を持ったのは、当時エリツィン大統領の最側近であったサスコベッツ第一副首相に、飯野氏が特別のチャネルをもっているようであることだった。私の蜘蛛《くも》の糸が震えた。

　九四年当時、エリツィン大統領は側近政治の傾向を強めていたが、そのキーパーソンは三人いた。

　一人目はコルジャコフ大統領警護局長だ。彼はエリツィン大統領のボディーガード兼相談相手だった。そもそもエリツィン氏がソ連共産党政治局員候補だった時代からのボディーガードで、八七年にエリツィン氏が失脚した後も、わざわざ自分の車を持ち込んでボディーガード兼運転手を務めた。「大統領の身体《からだ》を守る者はロシア国家を守る者」というのがエリツィン氏の考え方である。そのため、コルジャコフ氏は人事・政策に少なからぬ影響をもつようになったのだった。

二人目はタルピシチェフ・スポーツ観光国家委員会議長兼大統領顧問だ。ソ連ナショナルチームのテニスコーチであった時期にエリツィン氏と知り合い、エリツィン氏が一時失脚した時期にも以前とかわらずにテニスの相手になったということで絶大の信頼を得たのである。

裏返すとゴルバチョフ・ソ連共産党書記長に更迭《こうてつ》された直後、エリツィン氏の周囲から友人のほとんどが去ってしまったということだ。ソ連崩壊後、エリツィン氏はタルピシチェフ氏のためにスポーツ担当大統領顧問のポストを新設しスポーツ観光国家委員会議長という閣僚級のポストも提供したのだった。

私はある偶然で、タルピシチェフ氏とは家族ぐるみで付き合うようになった。クレムリンの執務室でもときどき紅茶やコニャックを飲みながら雑談した。私はこのネットワークに東郷氏も加えた。

「モスクワに駐在する各国の外交官のなかでクレムリンの俺の事務所に出入り自由なのは君と東郷だけだ」とタルピシチェフ氏に何度か言われたのを覚えている。

そして、第三の男がサスコベッツ第一副首相である。

サスコベッツ氏は、鉄鋼、冶金《やきん》産業の専門家で、カザフスタンで力をつけた人物だが、九三年頃から急速にエリツィン大統領の信任を得るようになっていた。そのため、過去の履歴も人柄も謎《なぞ》のベールに閉ざされていた。また、外交団とも公式の席以外では会わないことでも有名だった。チェルノムィルジン首相よりも影響力が強く、近く首相になるとの噂《うわさ》も流れていた。

私は、サスコベッツ氏の調査に力を入れた。その結果、サスコベッツ氏はタルピシチェフ氏を通じてエリツィン大統領に近付き、短期間で信任を得るようになったことが判明した。エリツィン側近のサウナ仲間にもなり、大統領に絶大な影響を与えるようになっているが、それを誇示することの危険性にも気付いているので、余計な人脈を作らないようにしているとのことだった。いくつかのルートを使ってサスコベッツ氏に近付こうとしたが、本人はもとより補佐官と会うこともできなかった。

少し脇道《わきみち》にそれるが、なぜ大統領に近付くことがロシアではそれほど重要なのかについて説明しておきたい。

よく、日本では、エリツィン氏やプーチン氏といった特定の人物に賭けるような外交はまともな外交ではなく、もっと国家機関と国家機関の関係を重視しなくてはならないという話が聞かれる。あるいはエリツィン大統領時代は属人的関係が重要だったがプーチン氏が大統領になってからは官僚組織が重要であるので対露外交のスタイルももっと外務省を重視する形に変更しなくてはならないという識者の意見も耳にする。

結論から言うと、私はこれらの意見をロシア政治の内在的ロジックを理解していない中途半端《はんぱ》な専門家のコメントとみなしている。

ロシアの官僚機構は日本以上に発達しているし、官僚は同程度に優秀であり、仕事熱心だ。しかし、ロシアではある種の問題は、官僚レベルでは絶対に解決しない。その中に、戦争と平和の問題、領土問題などが含まれる。

もし、日本外交が北方領土返還を真剣に考えないのならば、多大な労力を費やし、のみならずリスクを冒してまでクレムリンにロビイングをかける必要はない。しかし、ロシアが、自国の国家安全保障にとって重要な意味をもつ国は、かならずロシアのトップとの個人的チャネルを作る努力をする。これは皇帝の時代も、レーニン、スターリン、ブレジネフの時代も、ゴルバチョフ、エリツィンの時代も、そしてプーチンの時代にも変化することはない。ドイツやフィンランド、モンゴルの対クレムリン戦略を見ればそのことは一目瞭然《りょうぜん》だ。これらの国にとって、ロシアとの関係を崩すと国家存亡の危機につながりかねないからだ。

日本は今のところロシアとの相互依存関係は高くない。従って、本気でロシア大統領と付き合わなくても日本国家がなくなることはない。しかし、北方領土問題を解決するためには、大統領の眼を日本に向け、決断させることが不可欠だ。この基本がわからない識者のコメントを聞いても対露外交を動かす役には立たないのである。

エリツィン「サウナ政治」の実態

一九九四年当時、エリツィン大統領の健康状態は比較的良好だったので、側近たちは「サウナ政治」を好んだ。

ロシアの要人が使うサウナは独特の形になっていて、サウナには必ず食堂が併設されている。まずウオトカをショットグラスに二、三杯、一気のみする。それからサウナに入って汗を出す。この後、十七、八度の水風呂《ぶろ》に入る。そして今度は、チョウザメの薫《くん》製《せい》、ハムやサラミソーセージ、キュウリやニンニクの漬け物をつまみにまた二、三杯ウオトカを飲む。ロシアでは、ひとりでちびちび酒を飲むのはルール違反で、かならずなにか乾杯の口上を述べ、みんなで一気のみをする。これで友情が深まっていくのである。

サウナに入ると新陳代謝が進み、酔いが早く回るが、アルコールもすぐ外に出るので、いくらでもウオトカを飲むことができる。この宴会を五、六時間続けると一人あたり三、四本のウオトカを消費することになる。

前にも述べたが、ロシアの酒飲み政治家は酒を飲まない者を信用しない。酒を飲んだときと素面《しらふ》のときの発言や態度の変化をよく観察して人物を見極めるのである。

エリツィン氏の場合、酔いが回ると、サウナの中では白樺《しらかば》の枝で友だちの背中を叩《たた》いたり、また、男同士で口元にキスをしたりする。三回キスをするのがしきたりだが、三回目には舌を軽く相手の口の中に入れるのが親愛の情の示し方である。もう少しレベルの高い親愛の情の示し方もあるのだが、それは日本の文化とかなりかけ離れているのでここでは書かないでおこう。

酔いが回ったところでエリツィン氏の大好物であるウラル風水餃子《すいぎょうざ》（ペリメニ）が出される。エリツィン氏は機嫌がよいとスプーンで皿やコップを叩いて音を出しながら愛唱歌「ウラルのナナカマド」を歌う。そうすると宴会はそろそろお開きだ。

そこで、側近たちは、大統領に懸案となっている人事や大統領令について相談する。もちろん大統領は宴会の雰囲気を壊したくないので、信頼する側近の見解を尊重する。このようにして、サウナ・パーティーの数日後には、数多くの人事や大統領令が発表されるのである。

この当時、一年間に公布される大統領令は千五百程度、大統領決定は三千から四千にのぼった。これらの公文書にはエリツィン氏の署名が必要とされるが、こんなにたくさんの書類に署名しているとそれだけで大統領の仕事時間が終わってしまう。そこで、大統領署名機という書類をはさむとエリツィン氏のサインがなされる機械まで作られた。

このようなサウナ政治は、九六年にエリツィン氏が心臓バイパス手術で入院するまで続くのである。
サスコベッツ氏は、このサウナ政治の中心人物だった。飯野氏をはじめとする三井物産のロシア専門家集団が、そのサスコベッツ氏ときわめて良好な人脈をもっているというのは、実に興味深いことだった。

私は飯野氏と会う直前、ナポリG8サミット（主要国首脳会議）の応援出張に行ったが、そこで橋本龍太郎通産大臣とサスコベッツ第一副首相の通訳をした。当初、三十分程度の表敬の予定であったが、話がはずみ、会談は一時間を超えた。このときサスコベッツ氏は橋本氏に好印象をもつ。それがサウナ政治でエリツィン氏に伝わり、クラスノヤルスク会談後の戦略的提携路線への土壌を作るのである。

後に私はサスコベッツ氏とサシで会える関係になり、それは九六年夏に同氏が失脚してからも続いた。

情報専門家としての飯野氏の実力

話を飯野政秀氏に戻そう。当時、飯野氏は三井物産の東京本社につとめていたが、一カ月の半分はモスクワやロシアの地方都市に滞在していたので、事実上のロシア在住者だった。経済官庁の人脈、どの政治家がどの金融資本家の影響を受けているかなど、断片的だが外交官には得られない情報を飯野氏は豊富にもっていた。一方、飯野氏は私のロシア政界情報に強い関心をもった。

モスクワでの会合は、食事はあまりおいしくないが、日本人が利用しない場所ということで、東京でいうと銀座通りにあたるドヴェーリ通りに面した「ヤーコリ（錨《いかり》）」という魚料理の店を使うことが多かった。私たちは波長が合い、急速に親密な関係になった。

飯野氏との関係は、私が東京に戻ってからも続き、以前よりペースこそ落ちたものの定期的に会っていた。日露関係で大きな動きがある前後には必ず会って意見交換をしていたのである。

私は、ロシアビジネスに従事する三井物産以外の商社やメーカーの人たちともつきあっていたが、みな能力が高く、人間的魅力に富む人も多かった。また、情報を担当する日本のビジネスマンは、官僚やジャーナリストに較《くら》べて口が堅い。飯野氏は、それらの商社員やビジネスマンと比べても能力が傑出していた。

まず、ロシア語に堪能《たんのう》で、スラングもよく知っており、ロシア人の発言のニュアンスを正確に捉《とら》えることができる。情報をよくとってくるが、同時に自分のとってきた情報だけを信じるのではなく、それと反する情報を冷静に受け止めることができた。さらに飯野氏はロシア語の新聞を徹底的に読み込んでいた。

情報専門家の間では「秘密情報の九八パーセントは、実は公開情報の中に埋もれている」と言われるが、それを摑《つか》む手がかりになるのは新聞を精読し、切り抜き、整理することからはじまる。情報はデータベースに入力していてもあまり意味がなく、記憶にきちんと定着させなくてはならない。この基本を怠っていくら情報を聞き込んだり、地方調査を進めても、上滑りした情報を得ることしかできず、実務の役に立たない。

現在は外交官や商社員で本気で新聞を読んでいる人が少ない。しかし、飯野氏は新聞の意味をよくわかっている情報マンだ。私は飯野氏と同様の臭《にお》いを何人かの三井物産関係者に感じた。そして私なりに調査をしたところ、三井物産の対露情報の手法は明らかに満鉄（南満州鉄道）調査部の伝統を継承しているという印象を得たのだった。

私が日本に帰ってからは、小料理屋や和風レストランやスパゲティー屋で飯野氏と会うことが多かった。二人とも料亭や格式張ったレストランが嫌いだった。また、できるだけ貸しを作り、借りをつくらないというのが情報屋の職業文化だ。だから、食事の支払いは、一回交替にし、二〇〇〇年四月に国家公務員倫理法が施行されてからは、民間人に役人が食事の費用を負担してもらうと事前許可や届けなど手続きが煩雑《はんざつ》なので、飯野氏のみならず情報収集のために日本人ビジネスマンやジャーナリストと会うときには、カネは私の方で出すようにした。

逮捕後、東京地検特捜部は、私が三井物産から接待を受けているのではないかと徹底的に調べたが、何もでてこなかった。

飯野氏は確固とした国家観を持ち、国益とは何かをよく知っていた。

「佐藤さん、商社員というのは、役人さんが思っているよりもずっとナショナリストなんですよ。商売の中で日本が小馬鹿《こばか》にされているようなことがあると心底腹が立つんです。それに商売を通じて、日の丸をロシアにあげたいと思うんですよ。日本の力をロシア人に示したいんですよ」

「飯野さん。私は外交は虚業だと思っています。私たち外交官のことばが世界でそれなりの重みがあって受け止められるのもその背景に日本の経済力があるからですよ。それを担《にな》っているのが商社やメーカーの人たちだ。軍事力をもたない日本としては、経済に支えられた外交しか選択がないんですよ。その割には対露交渉で、日本外交は経済カードを有効に使えていない。私はビジネスマンの力を北方領土返還に結びつけていきたいのです」

「そう言ってもらえると嬉《うれ》しいです。北方領土交渉に向けて私も少しでも貢献したいと思います。むしろ私たちビジネスマンの方に意識改革が必要なのだと思います。外交官というと、外交特権をもって閉鎖的な社会を作り、東京の外務本省だけ向いて、ロシア人とはまともに付き合わないで二、三年の勤務期間だけを過ごしていくエリートというのが僕たちの率直な感想なんですよ。

しかし、佐藤さんや東郷さんと会って、意識改革が必要なのは僕たちの方だと思った。もちろん商社員だから数字を出さなくてはならない。しかし、その中で日本のためになることをしたいんですよ。僕も日本人だから。外交官が霞《かすみ》が関《せき》ばっかり見ているといっても、僕たちも大手町（三井物産東京本社）ばかり見ている。そこでは、日本とロシアの関係をどうしようかという、根本哲学が欠けているように思うのですよ」

私は社会人になってから、なぜか情報畑の仕事ばかりを歩んできたが、正直言ってこの仕事は好きではない。もともと人見知りが激しいので、本を読んで、その感想をノートに綴《つづ》ったり、ごく少数の信頼できる友だちととりとめのない話をしている方がずっといいし、心が安まるのだ。しかし、人は「好きなこと」と「できること」が違う場合も多い。私たちはプライベートなことについての話はなぜかいつも避けていた。

しかし、あるときふとしたきっかけで飯野氏がこう語ったのが印象的だった。

「僕はほんとうは絵描きになりたかったんですよ。東京芸大を受けたんだけれど、うまくいかず、（東京）外大のロシア科に行ったんですよ。しかし、今も絵描きのつもりなんです。シベリアの大地をキャンバスにして、大きなビジネスの絵を描いてみたいんですよ。うちの仲間たちからはそんなことを言うと笑われるのですけれど……」

ロマンティストなのである。乾いた情報屋の私がもっていない飯野氏のロマンティシズムに私は惹《ひ》きつけられた。

私は飯野氏とロシア情勢にとどまらず、ウクライナ、中央アジア情勢、国際ユダヤ・ロビーの動向についてもかなり突っ込んだ意見交換を継続的に行った。

情報のプロはお互いに言ってはいけないことがなにかよくわかっているし、そういうことについては尋ねない。例えば、相手の話の情報源が誰かを喉《のど》から手が出るほど知りたくても、無理には聞き出さない。従って、飯野氏から北方四島のディーゼル発電機供与事業について、秘密情報の提供を求められたり、入札妨害のための働きかけをして欲しいと頼まれたことなど一度もなかったのである。

川奈会談で動き始めた日露関係

この章の最後に、私が飯野氏と北方四島へのディーゼル発電機供与事業について話したことを時系列順に記していこう。私の記憶では、北方四島におけるディーゼル発電機供与について飯野氏からはじめて照会を受けたのは一九九八年四月の川奈会談直後である。先程述べたように、私は飯野氏とロシア政局で大きな出来事があったり、日露首脳会談の前後には必ず会って意見交換をするようになっていた。川奈会談から数日後の昼、ホテル・ニューオータニ本館の中華レストラン「大観苑《たいかんえん》」で懇談した。

私は川奈では遊軍として、主に江田憲司首相秘書官へ助言をしたり、新聞記者にバックグランドブリーフィング（背景説明）を行っていた。

この川奈で橋本首相は北方領土問題解決に向けた大胆な譲歩案を提示した。

エリツィン大統領は新聞記者に対して「リュウ（橋本首相）が追加的な興味ある提案を打ち出した。この提案をよく検討しなくてはならない。今すぐは答えられないが、私は楽観的な気持ちだ」と述べたのだった。

日露関係が大きく動き出すとの雰囲気を川奈にいた関係者は抱いた。私はこの辺の雰囲気を率直に飯野氏に伝えた。

飯野氏からは、「新聞報道では、両首脳は、北方領土に対するディーゼル発電事業、北方領土における水産加工場、日露投資会社について合意したと報じられているがこれは事実ですか」という質問を受けた。

これに対して、私の答えは次のようなものだったと記憶している。

「新聞報道はいずれも事実である。ただし、投資会社については、会談第一日目にエリツィン大統領が日露共同の投資銀行を創《つく》ろうと唐突に言い出してきたのを受け、その晩、日本側関係者が徹夜で協議した上で、橋本首相が『銀行は難しいが投資会社ならば可能性がある』と答え、いわば即席で決められたものなので、具体的な中身についてはこれから詰めていくのが実状である。

水産事業については、ロシア側は水産加工場建設を求めているが、管轄権《かんかつけん》問題があるから難しいと思う。ただしウニの養殖のような栽培漁業ならば可能性があるかもしれない。

ディーゼル発電事業も管轄権問題をどう乗り越えるかという問題があるが、一九九四年の北海道東方沖地震後の人道支援として小型ディーゼル発電機を供与したことがあるので、よい知恵が出るのではないかと思う」

これだけである。この時点で私自身、外務省がどの程度の規模でディーゼル発電事業を考えているのか知らなかったので、それ以上の情報を提供することはできなかったのである。また、飯野氏もそれ以上の情報提供を求めてこなかった。従って、この話はこれで終わりになった。

因《ちな》みにこの時期に私は既に前島陽氏を飯野氏に引き合わせていた。前島氏とは九五年夏から分析第一課でロシア情勢に関する情報収集と分析を共に行い、気心が知れていたので、ロシア情勢に詳しい飯野氏を紹介した。初めて引き合わせた時期を思い出せないのであるが、九八年春時点では飯野氏と前島氏は面識をもっていた。ただし、川奈会談直後の会合に前島氏は同席していなかった。この記憶はしっかりしている。

「地理重視型」と「政商型」

その後、一九九八年十一月にモスクワで日露首脳会談が行われるまで、私は飯野氏と十回程度会っている。そのうち二、三回は前島氏も同席していたと思う。

ディーゼルについて特に話をした記憶がないが、その後の話の流れから判断すると、十月くらいに飯野氏から三井物産が北海道の電気工事会社と提携して北方四島へのディーゼル発電機供与事業を考えているという話を聞いている筈《はず》である。

なぜそう考えるかというと、日露首脳会談は十一月十二日に行われたが、その少し前に私は鈴木氏に日本の商社の対露戦略について話した記憶があるからだ。そのときの記憶は鮮明に残っている。

この説明を私は赤坂の有名な料亭の向かいにある小料理屋で行ったと記憶している。鈴木氏が料亭での会合を終えた後、その小さな店で、日露首脳会談に向けたマスコミの報道姿勢、ロシア学者の考え方、主要商社の考え方について説明した。

私はこのような説明を首脳会談のような大きな行事の前にはかならず鈴木氏に対して行っていた。もちろん外務省から私は、鈴木氏には状況を深くかつ詳細に説明するようにという指令を受けていた。対露平和条約交渉は総力戦なので、日本国内の諸勢力がどのような考え方をしているかについて押さえておくことも私の重要な仕事だった。

私は鈴木氏に日本の商社の対露ドクトリンは二つあると説明した。

第一は「地理重視型」である。日本とロシアはお互いに嫌い合っても引っ越しすることができない関係にある。ソ連が崩壊して自由、民主主義、市場経済のロシアになったといってもロシアは所詮《しょせん》異質な世界で、全体主義的性格から脱皮することはできない。九六年の大統領選挙でも、少し流れが異なっていればジュガーノフ共産党議長が当選していた。ロシアの状況を考えるならば、全体主義体制への逆戻りもありうる。

日露ビジネスは、モスクワの政局動向の影響をできるだけ受けないようにすべきである。ロシアにたとえ共産党政権が復活しようとも、シベリア・極東の開発にあたっては、地理的観点から日本を重視せざるを得ない。従って、極東の港湾整備、シベリアの林業開発、シベリア鉄道の整備など日本と近い地域のプロジェクトを開発して進めるべきである。

改革支援ということは、エリツィン政権を支持するという意味なので、あまり大上段に振りかざすべきではない。そのように極東・シベリアの経済関係を改善し、日露間の相互依存関係を深めることが信頼醸成につながり、北方領土返還の環境を整える。

ソ連時代の経験が豊かな商社はこのような考えを支持していた。私が見るところ、特に日商岩井のロシア専門家集団がこのような考えを強くもち、また同社幹部が経団連のロシア関連部門を統括していたこともあり、経済界全体に少なからぬ影響をもっていた。

第二は、これとはまったく異なるドクトリンで「政商型」と特徴付けることができた。ロシアが過渡期にあり、全体主義に後戻りする危険性は確かにある。しかし、事態を傍観するのではなく、日本は何をなすべきかを真剣に考えるべきだ。エリツィン政権は権威主義的要素はあるものの欧米と同じ自由、民主主義、市場経済という価値観を共有している。この流れを強化するような、つまりクレムリンが関心をもつような経済案件を発掘し、それにカネをつけるべきだ。

ロシアで政治とビジネスが緊密な結びつきをもっている以上、いかなる経済案件の実現も特定の政治勢力の力を強化する効果をもつ。政治的中立性などという幻想にとらわれずに、日本の国益にとって有利な経済案件を進める姿勢を明確にすべきだ。現に欧米もそのような戦略で対露ビジネスを行っている。ロシアに共産党政権が生まれれば、欧米とのまともなビジネスはできなくなる。改革派系政治勢力を外国のビジネスマンも支えるべきだ。

バイカル湖以東の東シベリア・極東の人口はわずか七百万人に過ぎず、まともなビジネスの対象にはならない。天然ガス、石油などクレムリンが関心をもつ場合にのみ、シベリア・極東の案件も実現可能性をもつ。重要なのはクレムリンの意思で、地理的状況に特別の意義を付与するべきではない。

ただし、ひとつ例外がある。サハリンの石油・天然ガス開発だ。これは戦前から日本の投資の実績もあり、冷戦時代も国策会社サハリン石油でサハリン1開発に着手し、その後、メジャーと組んで三井物産、三菱商事がサハリン2開発を進めている。

二十一世紀にサハリンはロシアのクウェートになる。この利権を日本に結びつける必要がある。この関係で北方領土問題の解決が急務だ。北方四島はロシアの行政単位ではサハリン州に属する。領土問題は経済合理性を超えて国民感情を刺激する問題なので、領土係争を残しておいてはサハリンのエネルギー開発に日本が本格的に参加することはできない。また、北方領土に関しては、日本政府が経済合理性とは別の論理で投資を行うだろうから、十分、ビジネスの対象になる——。

私が見るところ、このような考え方に立つのが三井物産で、クレムリンやロシア政府に対するロビイングが奏功し、日本輸出入銀行の融資四案件のうち、三案件を三井物産が獲得するという状況になっていた。そして、当然のことながら、三井物産は他の商社から妬《ねた》まれていた。

私の観察では、鈴木宗男氏と伊藤忠、三菱商事の首脳とは以前から面識があり、親しい関係だった。日商岩井のロシア関係者は、末次一郎氏が主宰する安全保障問題研究会に加わり、北方領土返還運動に関与していたことから鈴木氏と面識をもった。私は以前、国後島を訪れた日商岩井関係者から、現地新聞社への印刷機供与について鈴木氏に働きかけて欲しいとの話を受けてつないだこともある。しかし、鈴木氏は三井物産との関係はなかった。

このとき私と鈴木氏の間で三井物産を巡って少しやりとりがあり、後にその内容を飯野氏に伝えたことを東京地検特捜部は偽計業務妨害の共同謀議として話を作っていくのである。

飯野氏への情報提供の実態

一九九八年十一月のモスクワ首脳会談の数日後、新霞ヶ関ビル地下一階の和食店「鴨《かも》川《がわ》」で、私と前島氏は飯野氏と昼食をとった。「鴨川」は多くの個室に分かれており、昼ならば千五百円から三千円くらいで会席弁当を席料なしで食べることができたので、重宝した。

このときの会合も、いつものように日露首脳会談後の情勢について意見交換することであり、ディーゼル案件について話し合うために特別の席を設けたわけではないことを強調しておきたい。因みにこのときの会食費は私が支払っている。

前島氏と飯野氏はこの時点で三、四回は会っていたと思う。すでに二人は意気投合していた。会食時間は一時間半程度で、その大部分は日露首脳会談後のロシアの政局動向について話し合った。ただし、ディーゼルについて、五分程度のやりとりがあったと記憶している。

まず、私が次のような趣旨のことを話した。

「先日、鈴木大臣と話した際に私から『三井物産はロシアで頑張っていることはもとより、北方領土問題についても勉強しており、ディーゼル事業についても意欲的だ』という話をしたら、鈴木大臣は、『それなら三井物産に委《まか》してもいいんじゃないか』とおっしゃっていましたよ」

それに加えて、こう話した記憶もある。

「ディーゼルはロシア支援室が主管していますから、何かありましたら前島が窓口になりますから聞いてください」

これに対して飯野氏は、「ありがたいことです。頑張ります」と応《こた》えたと記憶している。

私は事実としてそのような話があったから飯野氏に情報として提供したに過ぎない。前にも述べたことであるが、北方領土での建設事業や機材設置事業では、管轄権を巡る複雑な問題があり、細心の注意を払って工事を進める必要があった。仮に作業員が現地でロシア人とトラブルを起こし、ロシア官憲が介入するような事態が生じれば、大問題になり、平和条約交渉に悪影響を与える可能性が高かったからだ。

当時、鈴木氏は小渕総理の意を受け、平和条約交渉については要《かなめ》となるポジションにあった。仮に北方四島での支援事業を巡りトラブルが生じれば、鈴木氏がその政治的責任を負わざるを得ない立場だった。従って、鈴木氏にとって四島支援事業が円滑に進むかどうかは、自分の政治生命がかかった問題だと言っても過言ではなかった。

当然のことながら、四島支援事業が円滑に進むことは外務省の利益とも完全に合致していた。このような状況で、私が北方領土でトラブルが生じない方策について説明し、鈴木氏の理解を得ておくことは、外務省と鈴木氏の良好な関係を維持する上で不可欠だったのである。さらに述べるならば、外務省が当時内閣官房副長官で、小渕首相、野中官房長官の信任が厚い鈴木氏と良好な関係を維持するということは、外務省が官邸との絆《きずな》を深めることと同義だった。

「前島が窓口になります」ということも、北方四島の現地事情、また支援事業の仕組みや過去の経緯については、担当部局にいる前島氏の方が私よりも詳しかったから、そう述べたに過ぎない。飯野氏から私に照会があっても、私がそれについて取材し、その情報をもとに飯野氏に返事をするというよりも、飯野氏と前島氏が直接やりとりをした方がよいと思った。そのような直接チャネルの意味で「窓口」ということばを用いたのである。

一般競争入札が「ゲームのルール」として採用されている以上、それを守ることは大前提だった。私は、この「ゲームのルール」の枠内で、北方領土の難事業を仕上げる意思と能力のある会社が受注することが望ましいと考えただけだ。どうしても三井物産ということではない。

たとえば日商岩井でも十分にこの事業を完遂できると思った。ましてや鈴木氏の理解を得なくては受注できないということではない。鈴木氏から「どの会社にとらせろ」というような指示を受けたことはなかったし、逆に飯野氏から鈴木氏に働きかけて欲しいとの依頼を受けたこともなかった。

その後も飯野氏と意見交換を続けていたが、ディーゼル発電機供与事業について特に記憶に残る話は二つ三つしかない。

私の記憶が正しければ、翌九九年一月二十六日の夜のことである。この日の会合は飯野氏側が設定する順番だった。私と飯野氏、同氏の上司に当たる岡井良幸産業機械部長の三人ですき焼きを食べていた。

私の記憶によれば、私はそれ以前に二回、飯野氏とともに岡井部長と会っている。一回は赤坂の小料理屋、二回目はニューオータニの中華料理店「大観苑」だった。後に岡井氏の検察官面前供述調書では、一月二十六日の会合を「大観苑」としているが、これはありえない。なぜなら「大観苑」はシールドをほどこしてあるので携帯電話が通じないからである。この日、私たちは日比谷の「吉祥」ですき焼きを食べていたのは間違いない。そこで飯野氏と私の間で以下のやりとりがあった。

「佐藤さん、鈴木大臣の秘書の多田（淳）さんを知っていますか。大臣の信任の厚い人ですか」

「多田さんは、中川一郎先生時代（鈴木宗男氏は中川一郎元衆議院議員の秘書だった）からの秘書で、鈴木大臣の信任はひじょうに厚いですよ。何かあったのですか」

「実は、丸紅が多田さんを通じて北方四島の工事の入札に無理に参加しようとしているのです」

「その情報は確実な筋から得ているのですか」

「確実な筋から得ています」

飯野氏はプロの情報マンだ。「確実な筋」と言えば、情報源が誰であるか詮索《せんさく》しなくとも信頼できる情報である。鈴木氏の秘書が何か不正に関与するようなことになれば、鈴木氏に傷がつく。何か情報のキャッチボールの過程で誤解が生じているのかもしれない。

情報の世界で、この種の情報が事実であるか誤解であるかは、目に見える形で確認しなくてはならない。それが信頼関係のある情報のプロの間では「ゲームのルール」だ。岡井、飯野両氏の前で、私は自分の携帯電話から鈴木氏の携帯電話の番号を押した。

「北方四島の工事の件で、丸紅が何か行儀の悪いことをしているという話が聞こえてきたのですが、大臣何か御存知ですか」

「俺は知らないぞ」

因みに永田町用語で、「行儀が悪い」とは「ゴリ押しをする」、「不正を強要する」という意味だ。鈴木氏が私に嘘《うそ》をつくことはない。仮に鈴木氏が何らかの関与をしているならば、「あんた、丸紅は別に行儀の悪いことをしているわけではないぞ」と鈴木氏なりに理解している状況を説明する筈である。

私は岡井、飯野両氏に対して、「鈴木大臣は知らないと言っています。鈴木さんとは関係のない話でしょう」と答えた。

飯野氏からも岡井氏からも、鈴木氏に話をしてほしいとか、丸紅を排除してほしいといった話は一切なかった。

同じ時期に飯野氏絡《がら》みの話ではないが、ディーゼル案件について記憶に残る話が二つあった。

一番目は、私の記憶が正しければ、飯野氏たちと会食した一月二十六日の午後のことだった。渡邉正人ロシア支援室長から、次のような照会の電話がかかってきたのである。

「色丹島の入札案件を巡って、伊藤忠の意を受けて加藤紘《こう》一《いち》衆議院議員の秘書佐藤三郎氏が動いており、西村六善欧亜局長が加藤事務所と軋轢《あつれき》が生じることを気にしているが、佐藤三郎氏の影響力はどの程度か」

私は「それなりに影響力のある人と聞いています。ルール通りに対応すればいいじゃないですか。西村さんは何に怯《おび》えているのですか」と答えた。

二番目は、一月二十九日、金曜日の夜のことである。これについては私の記憶はひじょうにしっかりしている。

この日、鈴木氏と息子さんがイスラエル大使に夕食に招かれ、私も大使公邸に赴いた。大使家族、大使館幹部家族と食事をともにしていたところ、執事が近寄ってきて、「外務省ロシア支援室長の渡邉さんから鈴木大臣にお電話です」とのメッセージがとどいた。イスラエルはテロに敏感で、公邸に入るときは携帯電話を取り上げられ、公邸の電話番号も公表されていない。しかもユダヤ教では金曜日日没から土曜日の日没までは安息日にあたり、仕事をすることは一切禁止されている。

この日の会食もプライベートな性格のものとされているので、会食中に仕事の電話がかかってくることはタブーだった。そのためイスラエル大使は明らかに気分を害しており、鈴木氏が食卓を離れて電話に出ることは不機嫌になっている大使の機嫌を更に損ねる恐れがあった。

鈴木氏は私に対して、「佐藤さん、あなたが電話を受けてください」と言った。

私が食堂からかなり離れた電話のある場所まで移動して受話器をとると、電話口の八《や》重樫《えがし》首席事務官が「渡邉室長につなぎます」と言った。渡邉室長の用件は「色丹島のディーゼル発電機供与の資格審査に関して、丸紅が期限までに必要な書類を提出しないので、不合格にしていいか鈴木大臣に尋ねてくれ」という話だった。

私は渡邉室長に「そのまま電話を切らないで、しばらく待っていてください」と言った上で、鈴木氏のところへ戻り、渡邉室長からの用件を伝えた。

鈴木氏は、「丸紅はルールを守っていないんだな。それならばルールどおりに厳格にやれ」と答えたので、私は渡邉室長に「鈴木大臣は、ルールどおりに厳格にやれとおっしゃっています」と伝えた。

その後、イスラエル大使との宴席は愉快に進んだ。安息日専用の特別パンを大使は手でちぎって鈴木氏や私に投げ与えるなど、ユダヤ人が身内に対してとる対応をしたので、鈴木氏も上機嫌となった。

大使公邸を辞去した後、私は鈴木邸に立ち寄り、その日はかなり遅くまで飲んで、昔話をした。ディーゼル事案の話は一切でず、その後、丸紅の件について鈴木氏と私の間で話題になったこともない。

国後島情勢の不穏な動き

丸紅の一件の後で、飯野氏から、ディーゼル発電機供与事業について聞いた中で印象に残っているのは択捉島の話である。

色丹島、国後島に較《くら》べ、択捉島に対してはサハリン州行政府の手当も厚く、対日感情も強硬だった。「地区長」も色丹島、国後島では選挙により選ばれていたが、択捉島ではサハリン州知事により任命されていた。しかも択捉島には「ギドロストロイ」という水産加工会社があるが、その経営者、取引先、ロシアでの人脈については謎《なぞ》だった。この会社が択捉島住民の雇用の大部分を支え、また行政府とも結びつき、権力の中核になっていた。

飯野氏はロシア人に食い込む技法をもっている。択捉島ディーゼル発電機供与事業で現地に長期滞在する中で、まずポドリャン「クリル地区長」と昵懇《じっこん》になり、ベレホフスキー「ギドロストロイ」社長ともウオトカを酌《く》み交わす仲だった。飯野氏を通じ、私はベレホフスキーがウクライナ出身のユダヤ人であり、またウラジオストクのみならずモスクワの漁業ロビーとも良好な関係をもっていることを摑《つか》んだ。

この先は、私の仕事である。実は、モスクワの漁業ロビーの一部には強力な反日主義者がいる。ロシアで出る反日書籍のスポンサーのほとんども漁業ロビーだ。この勢力を「中立化」もしくは「孤立」させることは、モスクワ時代からの私の仕事だった。

私はモスクワを三往復し、モスクワのユダヤ・ロビーの重鎮と漁業関係に明るい金融資本家にちょっとした相談をした。ベレホフスキーは頭と勘のよい男で、ビジネスのみに関心があり、余計な政治には巻き込まれたくないと思っていたので、「クリル擁護（北方領土返還阻止）キャンペーン」から手を引いた。

その後、国後島へのディーゼル発電機供与事業について一度だけ飯野氏と話した記憶がある。このときは前島氏も同席していた。九九年十一月初め、国後島「友好の家」完成式典から戻った直後のことで、われわれはまた例の「鴨川」で昼食をとったのだった。

このときの主なテーマは国後島情勢、特にゼーマ「南クリル地区長」とサハリン州の関係であった。

ゼーマ氏は元国境警備隊の将校で、当初、ポピュリズムを背景に北方領土返還阻止を公約にして当選した「地区長」だった。しかし、地元行政の責任者として、モスクワもサハリン州も色丹島、国後島住民の生活を支えることのできる支援をする意思も能力もないという現実に直面し、日本への傾斜を強める。

もちろん日本側もゼーマ氏に対するロビイングを強め、「ゼーマさんからのお願いならば日本政府も聞く耳をもつ」というフレームを作り出した。ゼーマ氏は自己の権力基盤を強化するためにもモスクワ、ユジノサハリンスクを迂《う》回《かい》して日本との関係を強めるようになった。そして九九年時点でゼーマ氏は日本にとって、信頼できる人物になっていた。

これに対して、サハリン州行政府はゼーマ氏を排除すべく画策し、日本からの支援物資に関する横領容疑でゼーマ氏を刑事告発しようとする動きが本格化した。

私は「残念ながらゼーマ氏は住民からもサハリン州からも支持されておらず、次期選挙で再選されることはない。島民は権力者を本能的に嫌っているし、また、日本からの支援事業の進捗《しんちょく》によって島内で貧富の格差が広がっていることも事実で、誰が地区長になろうとも、地区長は島内のエリート層すなわち富裕層と手を握らなくてはならないので、広範な住民から支持されることにはならない。

また、秘密警察、国境警備隊などの暴力装置はモスクワの指令で動き、一般警察はユジノサハリンスクの指令で動くので地区長は自己の権力基盤を保証する暴力装置をシステムとしてもつことができない。これでは統治は不可能である。今のシステムが続く限り、個々の地区長を親日家にしてもその効果は限定的である。

しかし、それ以外のカードを日本はもっていないので、今のロビイング路線を続けるほかない。また、ゼーマを見捨ててはならない。日本との関係強化のために動いた人間が不遇な目に遭ったとき日本人が見捨てたということになると今後四島のロシア人で日本のために一肌脱ぐ人物がいなくなる」という話をした。

飯野氏の見立ても基本的に同じだった。また、飯野氏は「ファルフトジノフ・サハリン州知事が本気でゼーマを排除しようとしている」という情報をつかんでいた。

この日の意見交換で、ディーゼル発電機供与事業については次のようなことを述べたと記憶している。

「ゼーマ『南クリル地区長』からの要請を受け、鈴木宗男さんが日本政府は国後島にもディーゼル発電所を作ると約束し、そのことを住民との対話集会で発表した。同行した記者たちも聞いていたので、北海道新聞や全国紙の北海道版や道東版では記事になったであろうが、東京では大きく扱われていないかもしれないので正確に伝えておく」

そして私は住民集会での鈴木氏の発言を正確に繰り返した。さらに私は前島氏に「あなたも可能な範囲で教えてあげてほしい」と言った。

可能な範囲とは、違法行為をしないということはもとより、調べるのに多大な時間や手間のかかる照会事項があった場合、そのために労力を使うには及ばないという意味である。このことを当時、飯野氏も前島氏も理解していたと私は確信している。

以上が私のディーゼル発電機供与事業に関与した内容の全《すべ》てである。ここから検察はまさに小説的手法で、偽計業務妨害という「壮大な物語」を組み立てていくのである。

第四章　「国策捜査」開始

た。

収監

西村尚芳《ひさよし》検事と検察事務官の引率で、私は小菅《こすげ》の東京拘置所に着いた。

西村氏は、「これから手続きがあります。ちょっと屈辱的な検査もありますが、気にしないでください。後でまたお会いしましょう」と言って、私を拘置所職員に引き渡した。

初老の職員はニコニコ笑っていて、「あちらのカウンターに行ってください」と言う。空港のチェックインカウンターのようなところに並ぶと職員が人定質問をはじめた。「氏名、住所、生年月日、本籍地、現住所、職業」の順に尋ねられ、私が答えると、隣のカウンターに行けと言われる。

今度は、「生年月日、西暦では、星座は、干支《えと》は、本籍地は、出身小学校は、最終学歴は、干支は、お母さんの名前と誕生日は、生年月日は、星座、干支は、本籍地は」と矢継ぎ早に尋ねられる。これで氏名、住所、経歴などに嘘《うそ》がないかチェックしているのであろう。なぜか干支だけ三度きかれた。質問が終わると、「外務省の方ですか。鈴木宗男さんの関係で捕まったんですね」と言う。どの職員の応対もとてもていねいなので拍子抜けした。

それから、体育館のような場所に移動して、靴を脱いでサンダルに履き替えた。灰色と水色の混じったビニール製のなんとも形容しがたい不思議なサンダルだ。だいぶすり減っていた。時計、財布、万年筆などを預けて受取証をもらう。切手だけは獄舎にもっていってよいと言われる。

これから身体検査があるという。西村検事が言うところの「屈辱的な検査」とは、小説で読んだ肛門《こうもん》検査のことであろう。ガラス棒でも突っ込まれるのだろうかと考えていた。

検査は身長、体重、視力、写真撮影、レントゲン撮影、血圧測定、心電図測定、既往歴に関する問診などで、期待の肛門検査は、「立ったまま後を向いてください。ちょっとお尻を手で開いてください。それで結構です」とあっさり終わってしまった。

若い看守が私に札を渡す。そこには「一〇九五」と書かれている。

「佐藤さん、これは称呼《しょうこ》番号といって、これから佐藤さんの名前は原則として呼ばずに番号で呼ぶことになります。早く覚えておかれた方がいいと思います。いろいろ慣れないこともあると思いますが、何でも遠慮せずに聞いてください。佐藤さんは独房暮らしになります。これから新北舎に御案内します。ここではいちばん新しい建物です」

拘置所の看守はもっと乱暴な扱いをすると思っていたのに、実に意外な感じだった。

戦前に建設されたであろうコンクリートの獄舎を抜け、五分くらい歩いたところに四角い団地のような建物があった。新北舎だ。建物に入ると消毒液の臭《にお》いがする。看守から廊下の隅を示され「線で囲ってある中に入ってください。ここで手を上にあげてください。検身《けんしん》をします。毎回、何か禁制品をもっていないか、一応チェックします」と言われた。

三階まで上がり、廊下をしばらく歩き、中央にある受付台に連れていかれる。若い看守が「またお会いできるといいですね」と小声で私の耳元で囁《ささや》いた後、大声で、「一名連行しました」と叫んで敬礼する。

四十代後半と思われる身長百七十センチ強、小太りの看守が、「ごくろう」と言って答礼する。

この小太りの看守が、この階の担当責任者で、私の生活の面倒を五百十二日間みてくれることになる。実に人情味があって、気持ちのよい人物だったが、その時の私は、拘置所職員は検察と一体になって自白を強要するのだと思い、全身が緊張と警戒で硬直していた。

看守に案内されたのは、受付台からそれほど離れていない第十房だった。三畳の畳にコンクリートの床が一畳分ついており、そこに水洗便所と洗面台がある。思ったよりも広いと感じた。部屋の端に布団《ふとん》と毛布がたたんである。天井が高い。三メートルくらいあるだろうか。蛍光灯の間に穴があいていて、そこにカメラがついている。二十四時間監視体制に置かれているのだろう。きっと音もとられているのだろう。一切油断できないと思った。

「慣れない生活と思うけど、あなたの生活の方はおいらが面倒を見るから。まずはメシを食わなきゃはじまらないから、食おう」と言って、小机の上に並んだ食事を勧める。食欲はあまりないが、私の心理状態を観察しているのだろう。ここはできるだけ平静に振る舞わなくてはならない。

厚手のアルマイトの弁当箱を開けると、麦飯がはいっていた。これが「臭い飯」かと思って箸《はし》をつけてみるが、なかなかおいしい。おかずは青椒肉絲《チンジャオロース》で、小海老《こえび》のたくさん入った中華スープとザーサイがついている。味もなかなかいい。

食事が終わると、時間割、生活の基本ルールについての説明があった。それから、筆記願いを提出し、獄中での筆記具の使用が可能になるようにした。但《ただ》し、ボールペンやノート、便箋《びんせん》の購入申し込みは金曜日で、交付は翌週の水曜日とのことである。

今日、五月十四日は火曜日なので、二十二日までは筆記具のない状態だ。とりあえず書類を記載する際にはその都度願い出ればボールペンを貸してくれるとのことだった。

「特捜の調べはだいたい夜だからね。結構、遅い時間になることもあるので、身体《からだ》の調子がよくないときは、遠慮せずに言ってな。午前中寝ていてもいいようにするから」と看守は言った。

独房内では廊下側に近い隅で小机に向かって、基本的に一日中無言で座っていなくてはならない。部屋には官本（拘置所所蔵の書籍）が二冊置いてある。一冊は巡礼紀行文で、もう一冊が乙武洋匡《おとたけひろただ》著『五体不満足』（講談社）だった。くよくよしていても仕方がないので本を読み始めた。

午後七時になり、ラジオから昼のNHKニュースが流れはじめたが、「外務省の……」と言いかけたところで、放送が途絶えた。数分経《た》って、関東地方のニュースが流れはじめた。ニュースも検閲されている。外では検察のリーク情報や、外務省内で私と対立する人たちの流す悪口やデマで大騒ぎだろう。「チーム」の仲間、外国の友だちや母親はどうしているかと思うが、いずれにせよ私に手の届かない世界のことはいくら心配しても仕方がない。できることだけをやればいいと、自分に言い聞かせる。

暫《しば》くすると、担当責任者よりは少し若い看守が書類をもってやってきた。

「これ、ここに来た人にはみんな書いてもらっているアンケートなのだけれど、書いてもらえないかな」

「わかりました」

住所、氏名から始まって、健康状態、現在不安なこと、家族との関係、職場との関係、将来への不安といろいろ細かい質問事項がある。こちらの心理状態を見ようとしているのだと思い、健康状態のところに「若干血圧が高い」と記し、それ以外は「不安なことは特にない」と記した。

さらに読み進めると、身体的特徴という頁《ページ》に「入れ墨、指詰め、玉入れ」という項目があった。「入れ墨、指詰め」は意味がわかったが、「玉入れ」がわからないので、看守に聞いてみた。

「あなたには関係ないと思いますが、男の棹《サオ》に手術でシリコン玉を入れることです」という答だった。雑居房に移ると「入れ墨、指詰め、玉入れ」の三点セットが揃《そろ》った人たちがたくさんいるのかと思うと、いつまでも独房で暮らしたいと思った。

シベリア・ネコの顔

第一回目の取り調べは、午後八時過ぎから始まった。取調室は新北舎から徒歩二分くらいの位置にあるプレハブの建物だった。私は二階の調室に案内された。調室にはマジックミラーがついていたので、向こう側で誰かが私の様子を観察しているのだろう。もっともそのことを私が指摘すると、翌日からマジックミラーの全面に厚紙が張られるようになった。

大室弁護士が逮捕前の電話で言ったとおり、私の経歴についての調書作成だった。私が履歴について説明すると、西村検事がそれを文章にしてノート型パソコンに打ち込んでいく。

西村氏からの質問は二つだけだった。第一は、私が大学・大学院で専攻した組織神学とはどういう学問かということについて一般にわかりやすく説明してくれということだった。私は「キリスト教と哲学や思想の関係について研究する社会学のようなものだ」と答えた。第二の質問は、私の本籍地が東京都になっているが、一度も住んだことがない場所を本籍地としている理由についてであった。私は「かつて父親が住んでいた住所で、父がそこを本籍地とすることにこだわりをもっていたからだ」と答えた。

西村氏は、プリンターで原稿を打ち出し、早口で読み上げ、署名・指印を求めた。私は検察事務官の差し出す百円ボールペンで署名し、左手人差し指を黒い「朱肉」につけ、指印を押した。それに西村氏が毛筆で署名し、立派な印鑑を押し、検察事務官がモンブランの万年筆で署名し、三文判を押した。これで検察官面前調書（P／S）が一丁上がりである。

署名に関しては、毛筆―万年筆―百円ボールペンというヒエラルキーが存在しているようだ。そういえば取調室の椅子《いす》も検事は肘《ひじ》掛け付き、検察事務官は事務用、そして被疑者はパイプ椅子である。西村検事がにこやかに言う。

「お疲れさまでした。今日はこれで終わりです。これから長いお付き合いになるので、おいおいお話しをしていきましょう。半蔵門法律事務所の大室征男弁護士は鈴木宗男さんの顧問弁護士ですね」

「そうですよ。前からよく知っている先生なので、それにあなたたちのターゲットは鈴木宗男さんなのでしょうから、その方が何かと都合がいいでしょう」

「弁護士とは午前中に会うことになるでしょうから、取り調べは午後以降にしましょう。弁護士とは毎日三十分間の時間指定が行われますが、これはこちらに含むところがあるからではなく、拘置所の面会室の数が少ないという事情に基づくものなので御理解ください」

弁護士との接見時間は三十分で、しかもこちらにはペンもノートもない。敵は恐らく一日十時間以上はギリギリ取り調べてくるだろう。さて、持ちこたえられるだろうか。やはり完全黙秘に切り替えるべきではないだろうか。私は自問した。

独房に戻ると廊下は真っ暗になっているが、房内には薄明かりがついていた。布団を敷いて目を閉じるが寝付けない。モスクワから連れてきた毛の長いオスのシベリア・ネコの顔が何度も思い浮かんだ。今年一月、私がタジキスタン、モスクワへの出張を準備している最中に死んでしまった。あと半年で十三歳だった。

翌五月十五日の午前中、看守が独房の鍵《かぎ》を開けた。

「面会。大室先生」

面会室担当の職員はトランシーバーを身につけている。私とすれ違ってはならない囚人との交通整理をするためで、ときおり「ただいまB—3通過中」というような報告をする。三階の出口扉横にも線で囲われた場所があり、その中で、検身がある。

「番号、名前」

「一〇九五番、佐藤優」

その後、手を挙げると職員が形だけ身体検査をする。面会場までは途中、長い階段の上り下りを含め十分くらいかかる。しばらく経つとこの〝散歩〟の途上で、雀《すずめ》や猫を見るのが何よりの楽しみになったが、はじめの数日はそんな余裕もなかった。

面会場に着くとまず幅一メートル、奥行き七十センチくらいのボックスに入れられ、面会室の順番を待つ。面会室は左右に分かれており、左側が弁護人用面会室、右側が一般面会室で、一般面会室での面会には職員が立ち会う。

暗い箱の中で三十分も待ったであろうか、「一〇九五番」という声がかかった。

面会室のアクリル板の向こう側に大室征男弁護士がいた。

「佐藤さんがこんなことになっちゃって、そう遠くない時期に鈴木さんももっていかれるだろう。検察も今回はほんとうに無茶をしているよ。ここで話すことだけは安全です。盗聴もありません。もしそんなことをしたらたいへんな問題になります。それ以外は弁護人への手紙でも拘置所は検察に回すので、安心できません。毎日誰かくるような体制にします。明日、大森先生という最近、検察庁をやめた佐藤さんよりも少し若い先生を面会にやりますが、これからは、主にこの先生が佐藤さんのところに来ることになります」

それに続いて、私の逮捕後、私の「チーム」メンバーに起きたこと、更に母親の様子について簡潔な説明があった。私は、「外の報道はどうなっていますか」と尋ねた。大室氏は、「私たちにはどうしようもないことだから。知っても仕方がないですよ」と答えた。

私は、昨晩の取り調べの様子について説明し、完全黙秘に切り替えようと考えていると伝えた。情報の世界では、話をするということは取り引きに応じるということで、それは彼我の力関係が大きく離れているときには敵に引き寄せられることになるからだ。

大室氏は顔を曇らせた。

「日本の裁判の現状では黙秘は不利です。黙秘をすると裁判官の心証は『やった』ということになります。今回の国際学会は、実態を話せば背任には絶対にできないので、実態を話して最後まで否認することです。それをお勧めします。それから、拘置所の中に入ってしまったら、自分しか信用できません。このことだけは肝に銘じておいてください。それから特捜事案は必ず起訴されるので、勾留《こうりゅう》期間は長くなります。幻想をもたないことです」

「わかりました。幻想はもっていません。私の方から弁護方針としてお願いしたいのは、第一に国益を優先し、日本外交に実害が及ばないようにすること、第二に特殊情報関連の話が表に出ないようにすること、第三に鈴木宗男先生と私の利害が対立する状況になったら、鈴木先生の利益を優先すること。それでお願いします」

特殊情報とは、種々の秘密裏にとった情報や、一般の情報に専門的な評価をしたり、加工した情報を指す外務省用語で、英語でいうところのインテリジェンスに相当する。

大室弁護士は、私が述べたことに対して明確な返答をせず、「差し入れは何が欲しいですか。ただし、最初の三日間は何も入りません」と尋ねた。

「食事は思ったよりもおいしいので、特に差し入れは要りません。本は入りますか」

「接禁《せっきん》が付されるので、一般からは入りませんが弁護人からならば大丈夫です」

接禁とは接見等禁止措置の略で、罪証隠滅の可能性がある被疑者・被告人に関しては、弁護人以外との面会、手紙、文書（新聞・雑誌・書籍を含む）のやりとりを禁止する措置である。結局、私は五百十二日間の全勾留期間中、接禁措置が解除されなかった。

「聖書を入れてください。プロの牧師が使う聖書で、日本聖書協会が発行している共同訳聖書の旧約続編・引照付き聖書をお願いします。銀座の教文館で売っています」

三十分の面会制限時間はあっという間に過ぎた。

余談だが、この聖書にも暗号が仕組まれているのではないかという疑いがかかり、全頁検査、レントゲン検査などで私の手許《てもと》に届くのに二週間かかった。

前哨戦《ぜんしょうせん》

五月十五日は、昼食後、しばらくしてからと、夜七時過ぎから取り調べが行われた。いずれも短時間で、まず人間的信頼関係を作り、そこから私を「落としていく」切り口を探すことだった。

「背任については、とりあえずあなたは全面否認ですから、今はあまりお話しをしてもお互いに不愉快になるだけですから、お話しできるテーマについて対話をしましょう。ただ、私はあなたのことについては、誰よりもよく知っていますからね。このことだけはよく覚えていてね。それから（検察）事務官には席をはずしてもらうことにします。その方が話しやすいでしょう」

私は、「こちらで『ゲームのルール』を決められないのですから、そちらで決められればよいでしょう。事務官がいてもいなくても私はどちらでもいいです」と答えた。

「あなたのことについて誰よりもよく知っています」などと威嚇《いかく》を加えてくるのは、実のところ私について検察は十分な情報をもっていないということだ。本当に十分な情報をもっている者は、そのことについて言わないのが情報屋の世界では常識だ。これは検察にも適用されるだろう。

検察庁は興奮している。このタイミングで私を捕まえるのは早すぎる。任意事情聴取の方策を本気で考えれば、それは可能なので、任意段階の供述を基に徹底的に周囲を固めてから逮捕する筈《はず》だ。私の理解が間違えていなければ、敵が恐れているのは、私が黙ってしまい、供述調書ができなくなることだ。これが恐らく私がもつ唯一《ゆいいつ》のカードである。

私は二つの見極めを一週間以内にすることにした。第一は、鈴木宗男関連事件で東京地検特捜部が私にどういう位置付けを与えているかということ。第二に、この取り調べを担当している西村尚芳という検事が人間としてどのような価値観、世界観をもっているかということの見極めだ。

検事は官僚なので、組織の意思で動く。しかし検事も人間だ。この要素を無視してはならない。私を「殺す」のが西村氏の仕事なので、そこにはいささかの幻想ももてない。しかし、「殺し方」でもなぶり殺しもあれば、釜《かま》ゆでもあり、安楽死方式もある。「殺し方」についてならば検事とも取り引きは可能であろう。こちらが供述を一切やめれば、担当検事が交替になる。これが私にとって利益になるか不利益になるかを見極めなくてはならない。久しぶりに情報屋としての勘と基礎体力が必要になる。

情報屋の基礎体力とは、まずは記憶力だ。私の場合、記憶は映像方式で、なにかきっかけになる映像が出てくると、そこの登場人物が話し出す。書籍にしても頁がそのまま浮き出してくる。しかし、きっかけがないと記憶がでてこない。

私にはペンも紙もない。頼れるのは裸の記憶力だけだ。独房に戻ってから、毎日、取り調べの状況を再現する努力をした。私の体調がよくないので、取調室には化学樹脂の使い捨てコップに水が入れられていた。私はときどきコップを口にする。その水の量と検察官のやりとり、また、西村検事は腕時計をはめず（腕時計をしているならば、時間とあわせて記憶を定着させることはそれほど難しくない）、ときどき懐中時計を見る癖があるので、その情景にあわせて記憶を定着させた。いまでも取り調べの状況を比較的詳細に再現することができる。

取り調べの初期段階で、西村氏が真剣に耳を傾けたのは、私と鈴木宗男氏との関係についてだった。それを聞いて、西村氏の目が挑戦的に光った。

「あなたは頭のいい人だ。必要なことだけを述べている。嘘《うそ》はつかないというやり方だ。今の段階はそれでもいいでしょう。しかし、こっちは組織なんだよ。あなたは組織相手に勝てると思っているんじゃないだろうか」

「勝てるとなんか思ってないよ。どうせ結論は決まっているんだ」

「そこまでわかっているんじゃないか。君は。だってこれは『国策捜査』なんだから」

西村検事は「国策捜査」ということばを使った。これは意外だった。この検事が本格的に私との試合を始めたということを感じた。逮捕三日目、五月十六日のことだった。

刑事訴訟法では、逮捕されてから四十八時間以内に、裁判所が釈放するか勾留するかを決定しなくてはならない。特捜事案では一〇〇パーセント勾留される。従って、囚人は勾留決定の儀式に参加するために、逮捕後三日目に小菅（東京拘置所）から霞《かすみ》が関《せき》（東京地方裁判所）へのバスツアーを楽しむことになる。

朝、いつもより食事を早く済ませ、独房に座っていると見慣れぬ職員が迎えに来る。靴下を脱ぎ、手に持って、扉横の囲いの中に入り、検身を受ける。いつもより念入りに、ポケットにも手を入れて調べる。持参できるのはハンカチとチリ紙だけだ。そこで両手錠をかけられ、捕縄で縛られる。本格的に犯罪者となったことを実感する瞬間だ。

職員は気を遣い「手錠がきつかったら言って下さいね」と言う。私は「大丈夫です」と答える。接禁措置がつけられている者は、他の囚人と接触させることができない。従って、ひとりで縄につながれる。接禁がついていない人々は六人、八人といわゆる数珠《じゅず》つなぎにされる。

青色と白で塗装された護送用バスは、観光バスと同じ作りで、乗り心地もなかなかよい。昔、映画で見た木のベンチのついた灰色の護送車を想像していたので、意外だった。

私が護送されるときは、指定席で、左の後から二列目か三列目で二人がけ座席を独占した。私の後の座席か横の補助席に捕縄をもった看守が座る。そして窓のブラインドを下ろし、車内も私の姿が見えないようにカーテンで仕切る。その後、数珠つなぎになった囚人達が二人がけ椅子に座る。カーテンの隙間《すきま》から人の姿が見えるが、四人にひとりくらいに入れ墨が入っている。

小菅インターから首都高速道路に入ると、前方の囚人が座っている窓のブラインドが開けられる。私の周囲のブラインドとカーテンは閉じられたままだが、隙間から外が見える。雨が降っていた。この景色は成田空港との往復で何度も見たことがある。護送バスから同じ景色を見ることになるとは思わなかった。荒川沿いにブルーシートでできた「ホームレス」の人たちの住居が見えるが、ここで暮らすのと東京拘置所の独房暮らしはどちらが楽しいかなどと想像を巡らす。

隅田川のあたりで、幹部職員から、「手錠確認」という号令がかかる。職員が一斉に囚人の手錠がかかっているかを確認する。護送バスは銀座インターチェンジから一般道に出て、東京地方裁判所の裏口から地下二階の駐車場に入る。そこでは拘置所（法務省管轄《かんかつ》）からの出入口と留置場（警視庁管轄）からの出入口が分かれていて、処遇もそれぞれ異なっているようだ。

地下二階から地下一階の独房に案内される。独房に入る際の検査は徹底しており、パンツまで脱いで一度完全に裸になる。その服を金属探知器で入念に検査する。

この検査途中で、「ギャー」という大きな叫び声が聞こえ、ズドンという音がした。

看守が血相を変えて駆けていく。しばらくすると見たところ五十歳代のスキンヘッドにした男性が職員に両脇《わき》を抱えられて連行されてきた。額から血を流している。

「オッサン、何で飛び降りようとしたんだ」

誰かがそうつぶやいた。

看守が「見るな」という号令をかけるが、みんなその男性の動きを見ている。私は「恐ろしいところにやってきた」と思った。もっとも、そのような事件に、私はその後、一度も遭遇したことがないが、おそらくはこのときの印象が相当強かったせいだろう。裁判所地下の仮監《かりかん》に収容されることだけには、いつまでも慣れなかった。

以前に述べたように通常の独房は六・六平方メートルであるが、仮監はその半分しかない。座布団《ざぶとん》もなく、ラジオ放送も聞こえない。横になることも許されない。そこにひたすら座っていなくてはならない。拘置所にも仮監にも時計がない。拘置所ではチャイムやラジオ放送で大まかな時間がわかるのだが、仮監では昼食が配布されるときに午前十一時頃だと判断する手がかりが与えられるが、それ以外には時間を察知する術《すべ》が何もない。

どれくらい時間が経《た》っただろうか、看守がやってきて「出廷」と声をかけてきた。手錠をかけられ、エレベーターで移動し、小さな部屋に連れて行かれる。

初老の人物が、機械的に、「ここは裁判所です」と言い、黙秘権を告知し、逮捕状を朗読する。これに対する私の意見を求められ、私が「否認します」と答えると、裁判所書記官が「身に覚えがありません」というゴム印を書類に押した。

裁判官は「弁護人は決めましたか」と尋ねるので、「半蔵門法律事務所の大室征男弁護士にお願いしています」と答えると、裁判官は「私選ですね」と私に確認を求め、私が「そうです」と答えると儀式は終了した。仮監にもどって暫《しば》くすると拘置所職員がやってきて、「十日間の勾留が決定された」と伝えてきた。

その後、ぼんやりと小机の前で座っていると、突然、扉の鍵《かぎ》が開き「面会。弁護士」という声がかかった。仮監の奥に面会室があることをはじめて知った。刑事事件の弁護人とだけ面会が認められているとのことだ。職員が「大森弁護士。制限時間は十五分だから頼むね」と言った。

大森一志弁護士だった。私より四歳年下の青年弁護士である。お互いに簡単な自己紹介をした後、友人や家族からのメッセージを聞いた。外はまだ雨が降っているのか、安物の傘をもっている。腕時計もごく標準的だ。異常に高価なアクセサリー類に関心の強い青年弁護士もときどきいるが、この弁護士は金銭に対する執着が強くなさそうだ。金銭に執着のない者は概して自己顕示欲を抑えることができる。第一印象で私は大森弁護士に好感をもった。

その翌週、弁護団には緑川由香弁護士が加わった。頭の回転が速いだけでなく、気配りもよくする。それに正義感が強い。彼女に対しても第一印象で好感をもった。実は情報の世界では、第一印象をとても大切にする。人間には理屈で割り切れない世界があり、その残余を捉《とら》える能力が情報屋にとっては重要だ。それが印象なのである。

大室征男弁護士を含め、三人とも検察庁つとめの経験があるいわゆる「ヤメ検」弁護士だ。

週末の攻防

翌五月十七日、午前中に大森弁護士が今度は小菅に訪ねてきた。

「今日の面会が終わると、次は月曜日です。土日は弁護士面会がないので、この週末に検察官は徹底的に佐藤さんを落とそうとして攻勢をかけてくるでしょう」

「わかりました。気をつけます。西村検事の評判はどうですか」

「あまり噂《うわさ》になるタイプの検察官ではありません。脱税摘発のプロで、自白を強要するというようなタイプではないでしょう。ただし能力の高い検事だと思います。経験も積んでいます。取り調べ期間中、弁護士との面会時間は三十分に抑えられていますから、接触時間の長い検察官に被疑者はだんだん引っ張られていくんです。特に接禁がつけられて外部との接触が認められないと心理的にそうなります。その攻勢をかけるのに週末はとても有意義なんです。西村検事も今晩から勝負に出てくると思いますよ。取り調べ時間も深夜に及ぶことも珍しくなくなります。だんだん検察官が味方に見えて、弁護士が敵に見えてくるようになります。その策略にだけは気をつけてください」

「わかりました。敵と味方を見誤ることにはならないので安心してください。黙秘に切り替えたらどうだろうか」

「そうですね」大森弁護士は一呼吸おいて答えた。

「『ミランダの会』といって、取り調べに対しては完全黙秘、公判段階で供述するとの戦術を勧める弁護士たちもいますが、勝算は必ずしもよくありません。裁判所に対して『特殊な思想をもっている人だ』という印象を与えます。それに公判で、何もない更地に全く新たに建物を建てていくというようなやり方になりますから、ひどく時間がかかります。お勧めできません」

「黙秘は検察官にとってはどのような意味をもちますか」

「ほんとうに困ります。供述調書がとれてナンボの世界ですから」

「それでも黙秘をするとどうなりますか」

「周囲を固めて滅《め》茶《ちゃく》苦茶《ちゃ》な話を作り上げてくるでしょう」

「わかりました。黙秘はやめましょう」

大森弁護士の予測通り、その晩から西村氏は攻勢にでてきた。

この日、夕刻の取り調べはごく普通の調子で、ゴロデッキー教授訪日の経緯についてのやりとりがあった。夜になって、再度、西村検事から呼び出された。部屋の電気が消えていて、机の上のノート型パソコンの灯りしかない。嫌な感じだ。西村氏が強圧的に怒鳴り上げる。

「ゴロデッキー夫妻と京都に行ったとき、君は出張手続きをとっていないんじゃないか」

「記憶にないな。とってるんじゃないかな。出勤簿を見てみないとわからないな」

「出勤簿はここにある。君の判子がついてあって、出勤扱いになってるぞ。出張の判子じゃない」

「そうかい。上司には断ってるぜ」

「それでいいと思っているのか」

「思っている」

「世の中それじゃ通らないぜ」

「あっそう」

「君たちが何をやっていたか、どんどん証拠がでてきたぞ」

「ふうーん。どんな証拠」

「白ばっくれるな」

「何のことかな」

「最初経費が青天井ということだったが、話は違ったんだよな。実際にはゼニは出なかったんだってな。あんたが主任分析官をやっていても、仕事がきちんと認められていたわけではないんじゃないか」

「…………」

「調べはついているんだぜ」

「…………」

「鈴木の所からあんたにカネが流れてるんじゃないか」

「何の話だ」

「とぼけるな」

「…………」

「黙秘か、否認か」

「否認だな」

「ウソつかないっていう約束だよな。本当にカネはいってないのか。今に証拠がでてくるぜ」

「…………」

「この話はこっち（検察庁）が汚くしているわけじゃないんだぜ。勝手に汚くなっているんだぜ。あーぁ、汚くなってきた。あんたも胸張れるような話じゃなくなってくるからな。揺さぶれば何でもでてくるぞ」

「あっそう」

西村氏は調室の電気をつけ、今度はにこやかに、「今日はこれくらいにしましょう。よく考えておいてください。それではまた明日」と猫撫《な》で声で取り調べを終えた。

実に不愉快だ。私は独房に戻ってから憤慨した。こういうことならば、黙秘よりも戦術をエスカレートさせて、独房に籠《こ》もって取り調べ自体を拒否するという手もある。裸になって全身に糞《くそ》を塗りたくってもよい。しかし、西村氏が大声を出すというのは、決して、検察の強さではない。とにかくゆっくり寝ることにした。そして検察が私についてどの程度のデータを摑《つか》んでいるのか、これまでの検察官からの質問を反芻《はんすう》して分析してみた。

翌土曜日の昼食で、はじめて焼きたてのコッペパンがでた。マーガリンがついていて、おかずはクリームシチューに汁粉だ。実にうまい。これですっかり機嫌がよくなって、房籠もり、裸体戦術はやめることにした。検察官に対する嫌がらせならば何をやってもよいが、いろいろ気を遣ってくれる拘置所職員には迷惑をかけたくないからだ。

それに観察していてすぐに気付いたが、拘置所職員は検察官や法務本省の役人を好いていない。私には肌でそれが感じられる。拘置所内では一種の職能集団による独自の世界が形成されている。彼らに阿《おもね》る必要はないが、検察官に対して腹を立てたが故《ゆえ》に拘置所職員に迷惑をかけるというのはお門違いだ。

土曜日の取り調べは、昨晩とは打って変わって紳士的だった。西村氏は「そろそろ僕も調書を作らないと困るので、あなたと対立していない部分について調書を作るのに協力してください」ということだった。調書ができなくても私は全く困らないのだが、弱い立場にいるときは虚勢がいちばん有害だ。ここは素直に応じることにした。

ゴロデッキー教授と知遇を得た経緯、九九年三月にゴロデッキー教授とナベー教授が訪日した際の経緯について、二本調書を作った。調書の草案を西村氏が早口で読み始めたので、私は「黙読したからいいよ。うるさいだけだ。省エネルギーでいこう」と言った。西村検事は「そうだね、極力省エネでいこう」と答えた。

翌五月十九日は、九九年十一月にゴロデッキー教授が訪日した際に国際学会の話が持ち上がった経緯について、話だけをした。

西村氏は「あなたの話を聞いて、僕のほうでまとめておきます。あなたにも一日よく考えてもらってから調書にしましょう。必要があったら弁護士とも相談してください」と言った。私は検事にしては思ったよりフェアーな対応をすると思った。

夜の取り調べで、検事が席をはずし、検察事務官が調室でしばらく座っていることがある。三十歳代の真面目《まじめ》そうな好青年だ。西村氏のような狡《ずる》さはない。事件については被疑者と話をしないようにとの指示がなされているようなので、食事の話や官舎の話など、雑談をしながら敵の動きを探る。その結果、以下のようなことがわかった。

「西村検事は相当仕事好きで、今年四月からはほぼ休日返上で仕事をしている。検察庁に置いてある大量の書類を東京拘置所に移動中で、拘置所から移動せずに仕事ができる体制をとる。

検事も人柄はいろいろで尊大な人間も多いが、西村氏は大いなる常識人で検察事務官や部下への人当たりもよい。東京拘置所には午前十時頃登庁し、帰宅はだいたい終電である。ほとんどの特捜検事は、昼間は書類を読み込み、午後から取り調べにあたり、時間も深夜に及ぶことが多いが、西村検事はなぜか佐藤さんに対しては夜だけ、それも短時間調べることにしている。

午後三時と午後八時半に取り調べ状況について、検事のミーティングがあり、それを基礎に担当検事が取り調べの軌道修正をする。検事も役人なので、何か成果を毎日出さなくてはならない」

これを担保すれば、西村氏とも円滑にお付き合いができると私は踏んだ。但《ただ》し、サービスし過ぎてはならない。敵が過度の期待をするようになる。検察は背任事件について、私の供述には期待していない。それでは私に期待する内容は何か。それを見極めることが私の課題になった。

クオーター化の原則

週明け、月曜日の朝いちばんで、差し入れの下着類、ジャージ、タオルが独房に届いた。弁護人との面会で、週末の経緯について簡単に報告した。「思ったよりも緩かった」というのが弁護人の反応だった。

特捜流取り調べの常識では、「官僚、商社員、大企業社員のようないわゆるエリートは徹底的に怒鳴り上げ、プライドを傷つけると自供をとりやすい。検察が望むとおりの供述をする自動販売機にする」という。私に関しては、自動販売機にならず黙秘戦術をとる危険性があると見て、軟弱路線に切り替えたのではないかということだった。

大森、緑川の両弁護人が頻繁に面会に訪れ、要所要所で大室弁護人が訪れるという体制になった。当初、私が依頼した弁護方針に関する三つの事項について、第一の国益を重視し日本外交に実害がないようにするということと、第二の特殊情報の話が表に出ないようにするということについては、弁護団も了解した。外交や特殊情報は弁護士には苦手な分野なので、この関連での必読書について尋ねられた。そこで、私は『われらの北方領土』（外務省国内広報課）、和田春樹『北方領土問題』（朝日新聞社）、ウォルフガング・ロッツ『スパイのためのハンドブック』（ハヤカワ文庫）を推薦した。

第三の私の利害と鈴木宗男氏の利害が対立した場合、鈴木氏の利益を優先するということは、依頼人の利益を最優先するという弁護士倫理に反するのでできないということだった。この点についてはいくら説明しても、私の言わんとすることは弁護団も理解するが、それは法曹村の掟《おきて》に反するということなので、次善策として、利害相反が生じた場合は、弁護団は別個に編成するが、両弁護団は緊密な連携をとるということで落ち着いた。幸い、その後、鈴木氏と私の間で利害相反は発生しなかった。

さらに私が要請したのはクオーター化の原則である。この原則は情報の世界では当たり前のことであるが、全体像に関する情報をもつ人を限定することである。知らないことについては情報漏れはないので、秘密を守るにはこれが最良の方法だ。檻《おり》の中にいる者には極力情報を与えず、檻の中から得る情報については弁護団だけが総合的情報をもつようにするという考え方である。

弁護団は「ふつう中にいる人は外の様子を少しでも多く知りたがり、自分の置かれた状況について全体像を知りたがるんですが、ほんとうにクオーター化してよいのですか」と念を押すので、私は「獄中という特殊な状況に置かれている以上、この方法しかないと思います」と答えた。

クオーター化の原則を貫いたことで、結果として余計な情報が検察に抜けなかった。そもそもこの種の国家権力を相手にする闘いで被告人側の勝利ということはありえないのだが、少なくとも「マイナスのミニマム化」には成功した。

五月二十一日に弁護人が差し入れた大学ノートが一冊届いた。二十二日には、購入した大学ノートが三冊とボールペンが届いた。私にとっては重要な武器だ。大学ノートは、訴訟用、自由筆記、学習用計三冊までしか独房内で所持できないので、一冊は泣く泣く拘置所の倉庫に預けた（拘置所用語では領置という）。

担当看守が裏表紙を開けて、「ここに署名・指印して」と言う。ノートの裏表紙には、ノート使用許可願という書類が貼られている。拒否するとノートが使えなくなるので、おとなしく署名・指印した。その時、担当看守が突然上の方を向いて言った。

「これから言うのは俺の声じゃないぞ。天の声だ。ノートに大切なことは書くな。ときどき覗《のぞ》く奴《やつ》がいるからな。取り調べについて重要なことは書いたらだめだぞ」

その後、担当看守は何事もなかったように立ち去っていった。

官本の交換日は火曜と金曜だ。五月十七日の金曜日に佐藤昭子『決定版　私の田中角栄日記』（新潮文庫）を借りた。国策捜査の先例として、この本から何かヒントが得られないかと考えたからだ。弁護団がロッキード社からの現金授受は認めた上で賄賂《わいろ》という意識はなかったという形で闘えば勝てると言ったのに対し、田中氏は日本の首相が外国人からカネをもらったなどということは日本の名誉のために言えないと突っぱねたくだりが印象的だった。私自身が何を守りたいのかについて考えを整理しなくてはならない。

「奇妙な取り調べ」の始まり

西村検事に対しては、逮捕されてから比較的早い段階で、本件捜査に関して四点のこだわりを伝えた。

第一は、国益、つまり日本外交にあたえる悪影響をミニマム化することである。特に検察の取り調べ姿勢や一部メディアの報道にイスラエルに対する偏見がある。この事件が反ユダヤ主義を煽《あお》ることになってはいけない。第二は、特殊情報に関することが表に出ないようにすること。「外に出さない」と約束したことが外に出れば、私はその責任を一生追及される。この世界の人たちに時効はない。第三は、私の「チーム」メンバーに犠牲者をこれ以上拡大しないことである。第四は、私の事件を鈴木宗男氏逮捕の突破口にしないことである。

第一、第二点については、検察も外交や特殊情報の点で国際問題を引き起こすことは望んでいないので検察との間で手を握ることができるとの感触を得た。問題は検察庁が「超ドメ（極端に国内指向の）官庁」で、国際政治の現実をわからない。わからないが故《ゆえ》に虎《とら》の尾を踏むことになる危険性があることだった。

例えば、誰かが「ユダヤ人は金持ちだ。それなのに国際学会の派遣費用を支援委員会から支出した。佐藤がユダヤ人の大学教授にいい顔をして、それで情報ネットワークを拡大しようとした」というような供述をしたとする。この見解を検察が採用し、私を非難する材料にすれば、これは国際スタンダードでは相当悪質な反ユダヤ主義的言説になる。

ユダヤ人にも金持ちもいれば貧乏人もいる。「ユダヤ人は金持ちだ」という偏見がユダヤ人迫害をもたらしたということは、世界史を少し学べばわかることだが、検察にはその常識がない。この点についてトラブルを避けるには、西村検事の「善意」に全《すべ》てがかかっていた。

特捜検事は、物事の理解能力が高い。問題は、西村氏が理解しようという気持ちになるか、つまり私の言うことを額面通りに受けとめて、被疑者の言説に耳を傾けるという決断をするかどうかだ。

結論から言えば、西村氏は耳を傾けるという決断をした。ここから奇妙な取り調べが続けられることになった。背任事件については険悪なやりとりが続く。しかし、日露平和条約交渉や外交情報、特殊情報に関しては、検事が被疑者のレクチャーを聞き、それをまとめる。私が推薦した参考文献を西村氏はよく読み込み、ときどき適切な質問をしてくる。このような関係は、取り調べが終わる八月下旬まで続いた。

恐らく西村氏には、国際政治について、特に複雑な日露平和条約交渉について、正確な理解をしておくことが鈴木宗男氏と私の間に事件を組み立てる上で有益だという検事としての職業的勘が働いたのだろう。それと、私の見立てでは、この検事は知的好奇心が強い。司法官僚として事件を作り上げることだけでは満足できず、ほんとうは何があったのかということを自分で納得したいという性格なのだ。西村氏を職人型の性格であると私は分析した。

第三の「チーム」メンバーに被害を拡大しないということについては、「それはあんたの供述次第だ」という反応で、第四の私の事件を鈴木氏逮捕への突破口にしないということについては、検察は鈴木氏を捕まえるのが目的なので、当然のことながら私のこだわりに配慮する返答は得られなかった。すべては想定の範囲内である。

一週間が経《た》った。私が設定した二つの課題のうち、検察庁の私に対する位置付けについては、外務省と鈴木宗男氏の不正行為・違法行為をつなぐキーパーソンだということがわかった。

検察は基本的に世論の目線で動く。小泉政権誕生後の世論はワイドショーと週刊誌で動くので、このレベルの「正義」を実現することが検察にとっては死活的に重要になる。

鈴木氏と外務省の間になにかとてつもない巨悪が存在し、そのつなぎ役になっているのがラスプーチン＝佐藤優らしいので、これを徹底的にやっつけて世論からの拍手喝采《かっさい》を受けたいというのが標準的検察官僚の発想であろう。

ただし、国策捜査の経験が多い検察官には、事件の作りに無理があることを理解しつつも、このような形で政治の膿《うみ》を定期的に出すのが特捜検察の機能という見方をしている者もいるはずだ。西村氏が後者であることは間違いない。しかし、それを被疑者に対して語るかだ。

私から特に仕掛けはしなかったのだが、西村検事は私の事件が国策捜査であることを認め、そこから私と「折り合い」をつけるという道に踏み込んだ。

一週間をちょっと過ぎたところで、西村検事と次のようなやりとりがあった。

「あなたの事件には柔らかいところと固いところがある」

「柔らかい、固いってなんだい」

「柔らかいというのは、犯罪として作りやすいということで、固いということは、犯罪として作りにくいということだ。鈴木の事件は万全を期さないとならないので、あなたの背任のような固いところのある事件は向かない。あなたの事件が鈴木への突破口にはならないから、安心して供述してもらっていいよ。それから『チーム』メンバーについても前島より外には広げない」

「あなたの言うことを信用していいのかな」

「信用してもらっていい」

　別の日に、西村氏は、私にいくつかの心理的揺さぶりをかけてきた。

「外務省はあんたのことを完全に切っているぜ」

「そうかい。組織とはそんなものだろう」

「外務省に対して復讐《ふくしゅう》しようと思わないか」

「思わないよ。僕を守りたいと思っている人もいるのだろうが、力が及ばなかったんだろう」

「そうかな。あんたを捕まえる前に外務省と協議したんだけれど、あんたのことは『是非もっていってください』という対応だったぜ。前島については最初少し抵抗していたが、こっちが強くでたら『もっていってください』ということになった。東郷についてては最後まで抵抗していたんだけれど、最後はこっちが押し切った」

「ふうん」

「それから、逮捕前に外務省からうちに『背任ではなく横領で捕まえてもらえないか。背任だと事務次官のサインした決裁書があるので困る』というアプローチがあったぜ。

あんたたちが横領しているということで、外務省は被害者で佐藤に被《かぶ》せてやろうということだ」

「やりそうなことだな」

「悔しくないのか」

「別に」

「何でそう平気でいられるんだ」

「別に平気じゃないよ。ただ、悔しがって何か状況が変わるかい。外務省からは誰がアプローチしてきたんだい。斎木さん（人事課長）かい」

「名前までは覚えていないが、総務課長だったと思う」

「そうか」

「この事件は横領でも背任でもどっちでもできる。こっちが背任にしたのは、カネに触っていない東郷を捕まえるためだった。あんたと前島だけならば横領でよかったんだ。僕たちは外務省が東郷を逃がしたと考えている。あんたはわかっていると思うが、これは鈴木宗男を狙《ねら》った国策捜査だからな。だからあんたと東郷を捕まえる必要があった。前島君はそれに巻き込まれた。東郷は逃げた。全体の作りがどうなっているか、あんたにはわかるだろう。こっちは組織だ。徹底的にやるぜ」

「わかってるよ」

「横領は個人犯罪だぜ。背任だと組織を巻き込むことができる。その辺もよく考えた方がいいよ」

西村検事の情報は正確だと思った。検察庁としては局長や事務次官まで巻き込むことになれば大金星だ。しかし、外務省も必死に抵抗するだろう。もはや、これは役所対役所の闘いとなっている。私としては「横領」も「背任」も心外だが、少なくとも事件の構成としては「背任」を維持させて、外務省が「善意の第三者」として被害者面《づら》できなくしなければならないと考えた。

「検察官の話に乗ったらだめですよ。西村検事はいい人なのだけれど、検察組織として佐藤さんへの位置付けは既に決められているので、取り引きの余地はありませんよ」

弁護人は諭すように言った。私にとっても西村氏が「いい人」かどうかは本質的な問題ではない。取り引き可能かどうかが重要な問題であった。このような状況で西村検事が「いい人」だということは、かえって私の冷たい計算を阻害する可能性になるいわばマイナス要因なのだ。

取調室の中は、検察官と被疑者の真剣勝負の世界である。西村氏の取り調べ時間が短いのは、怠け心からではない。私が供述しないと諦《あきら》めているわけでもない。真剣勝負なので二、三時間の取り調べでも疲労困憊《こんぱい》するのだ。これは私にしても同じであった。

「あなたは不思議な人だ。罪を他人になすりつけようという姿勢もない。外務省に職場復帰しようとしているわけでもない。僕に対しても好意をもってくれているようだ。しかし、供述については歩み寄ろうとしない。何でなんだ。前島は佐藤に言われていやいややったとあんたに全部押しつけているよ。あなたも席取りで少しいい場所をとるように考えた方がいい」

私は感情を表に出さずに答える。

「いい席は前島にあげてくれ」

「もう、どうしてそういう態度なんだ。もっと自分のこと、将来のことを考えろよ」

「自分のことはよく考えているよ。それでそうしてくれと言っているんだ。それよりも前島をあまりいじめないでくれ」

「前島君を取り調べている検事は八木さんっていうんだけれど、ドラえもんみたいに太っているんだ。前島君はのび太みたいな感じだろう。だから僕たちの間では『またドラえもんがのび太をいじめている』と言っているんだ」

「ずいぶん意地悪そうなドラえもんだな」

「でも、前島はスラスラ供述しているぜ。まるで道化《ピエロ》になったようだ」

「道化ってどういうことかい」

「こんなこともありました。あんなこともありました。僕はどうしてこんな馬鹿《ばか》なことをしたんでしょうねとスラスラ供述している」

「要するに検察の自動供述調書製造機になっているわけね」

「そうでもないよ。できるだけ早くこの件にカタをつけて再出発したいと思っているんだろう。頭がいいんだ」

「あなたたちがそう仕向けているわけだ」

「そうじゃないよ。公務員とか大会社の社員で、普段、犯罪と縁遠い人は突然、独房なんかに入れられて当惑してしまうんだ。そしていろいろ考える。なんでこんなことになってしまったんだろうと。自分がとても可哀想《かわいそう》な悲劇の主人公のように思えてくる。あの政治家の言うことを聞いたからこうなったんだとか、あの上司についていったから捕まってしまったとか、組織の対応を許せないとか思う。そして、前島みたくなっていくんだよ。もうどうしようもないから早くケリをつけて外に出たいと」

「でも僕はそうは考えていないし、前島みたくならない。それを西村さんはどうしてだと思う」

「そうだな。まず自分のやっていたことに自信があるんだろう。本質的なところでプライドが高い。それから、外の生活が、実のところ相当キツかった。だから中に入ってほっとしているところがある。しかし、最も重要なのは今までやっていた仕事の性格によるのだと思う。情報や分析という特殊な仕事をしているので、自分のことも突き放して見ることができるんだよ。僕にとっては困ったお客さんだ。何でこんな変な人を僕は調べなくてはならないんだ」

「僕は別に困っていないぜ」

西村氏の私に関する分析は、「本質的なところでプライドが高い」という部分を除いては、私の自己分析と一致していた。私はプライドこそが情報屋の判断を誤らせる癌《がん》と考えている。別にプライドをかなぐり捨てて、大きな目的が達成できるならばそれでよい。現役外交官時代、大きな目的はそれなりに見えていた。この囚《とら》われの身で、私が追求する大きな目的は何なのか。もう一度よく考えて整理してみなくてはならない。西村氏の話を聞きながら自問した。

二つのシナリオ

弁護人たちは、法律家として、特に元検事として今回の事件の作り方に憤慨していた。外務事務次官の決裁まで得た国際学会への派遣案件を背任とするのはいくら何でも無理がある。初めに鈴木宗男氏ありで私を捕まえて、後はいかようにも事件を作り上げ、それを鈴木氏の逮捕につなげていくというのが検察のやり方だった。しかし、このような事件を許してしまえば、公益の代表者である検察の自殺行為に等しい、司法の危機が生じていると弁護団は真剣に考えていた。

事実、特捜部以外の検事が、「今回の背任には無理がある」という噂話《うわさばなし》をしていることが法曹村に流れ、その声は、一部新聞や週刊誌の記事に反映されるようになった。「佐藤さんが背任などという特捜のシナリオを呑《の》み込んでしまうと、佐藤さんが後で後悔するだけではなく、法的正義の観点からもよくない」と若い弁護人たちは切々と私に訴えた。二人の真摯《しんし》な声は私の心を強く打った。弁護人の助言を得た上で、私は無罪を勝ち取るには二つのシナリオがあると考えた。

第一のシナリオは、本件を前島氏の横領事件とすることだった。横領事件を構成する材料として、検察は前島氏がテルアビブ国際学会の精算過程で約百万円（その後、九十万円に下方修正）のプール金を作ったことを中心に、国際学会や同時期に行われたモスクワでのプーチン・鈴木会談準備にかかわる贈呈品に支援委員会資金が使われたことを問題にしようとしていた。ただし、贈呈品に関しては、検察もきちんとした算定ができていないようで、最後まで具体的数字を提示できなかった。私の記憶では、その額は十五万円程度だったと思う。

まず、私はプール金については、前島氏から一切相談を受けていないし、そのようなカネがあることは逮捕後、西村検事の話ではじめて知った。贈呈品については、前島氏から「贈呈品もこちらで処理します」と言われたので、一旦《いったん》、私が立て替えた領収書を渡し、カネを前島氏から受け取った記憶がある。この規模のオペレーションで、贈呈品に十五万円くらいかかるということは「常識」で、それを工夫して捻出《ねんしゅつ》することも、よく行われていることだった。

「本件は、前島の横領で、とんでもない話だ。私は一切関与していない。贈呈品については、特に深く考えずに、前島に言われるままに領収書を渡しただけである。前島の不《ふ》手際《てぎわ》、違法行為でこのようなことになってしまって怒りを禁じ得ない」という供述を貫き通せば、背任は作れず、また横領についても共謀の認定はできず、仮に贈呈品代の処理について問題があったとしても、仕事のために使ったものであり、使った額を弁済すれば、可罰的違法性の観点から、有罪にはできないであろうと私は考えた。可罰的違法性の観点とは、厳密に言えば法律違反だが、刑事罰を与えるほどの話ではないという意味だ。

確かに筋は通っている。しかもプール金については前島氏が独断でやったことなので、私は「知らないことは知らない」としか言えないが、私はこのシナリオをとらなかった。なぜなら、私は前島氏が横領する人物ではないと確信していたからである。この確信は今も変わらない。

後に公判で展開されたストーリーでは、前島氏は私に言われて裏金を九十万円作り、それを前島氏の銀行口座に積み、私の指示に応じて支出することになっていたが、実際には北方四島に行ったときの贈呈品に使ったくらいで、ずっと積み残していたということだ。裏金は機動的に使ってはじめて意味がある。二年間も通帳に積まれたままの裏金などという話は不自然だ。仮に裏金を作ったとしても、それは工作資金であり、前島氏は九十万円を超え、自己資金を持ち出して、北方四島のロビイングを行っていたというのが私の見立てだ。

前島氏は北方領土問題解決のため、寝食を忘れほんとうに一生懸命仕事をした。上司にお世辞を言わず、問われれば自分の見解をはっきり述べるので、前島氏を煙たがる幹部がいたことも事実だ。しかし、部下に対してはあたりも柔らかく、また外部の人との関係でも尊大な素振りは見せず、「こと」の実現のためならば、いくらでも頭を下げることのできる人物だ。

私は前島氏に対し、今も彼が行った北方領土でのロビイングは日本の国益を増進したと評価し、感謝している。その前島氏に対して「君は横領犯だ」と指をさすことは心情的にできなかった。

同時に私の乾いた情報屋としての冷徹な計算も働いた。自分の盟友を「犯罪者だ」となじり、自己の無罪主張をするようになれば、私と親しくする人々は私についてどう考えるであろうか。「生き残るためには仕方ない」ということで、私を公然となじる友人はいないであろうが、友の心は確実に私から離れていく。ソ連崩壊前後の種々な政治事件の目撃者となった経験から私は、盟友であった者を陥《おとしい》れようとする輩《やから》から、人心は離れていくという経験則を身につけていた。人数は少なくてもいい。ただし、ほんとうの友だちを失いたくない。だから私は横領構成の供述で逃げ切るというシナリオをとらなかった。

三十分の面会時間で、自分の思いを論理だってきちんと伝えることはできない。また、拘禁の緊張で若干涙もろくなっている。面会室で私は泣いた。こんな調子で泣いたのは何年振りであろうか。私が涙を見せたのは弁護人にとっても衝撃のようだった。翌日からの弁護人面会では、外務省関係者、新聞記者、同志社大学神学部関係者たちからのメッセージが伝えられた。また涙がでてきた。すでに神学部時代の友が中心となり、佐藤優支援会が組織されていた。リーダーシップを発揮したのは千葉県印西《いんざい》市議会議員の滝田敏幸氏と民間会社につとめる阿部修一氏だった。何の利害関係もなく、また、外交官になってからの私の仕事についてはほとんど知らない神学部の同窓生たちが、私を信頼して、リスクを冒しつつも支援活動に立ち上がってくれたことは嬉《うれ》しかった。それに学者仲間も加わっていた。

彼ら、彼女らに私が考えていることを正確に伝えなくてはならない。三十分の面会時間ではとても意をつくせない。そこで、私は小説を通じて想《おも》いを伝えることにし、遠藤周作氏の『沈黙』（新潮文庫）を選んだ。神学部卒業生ならば誰もが知っている作品である。

この小説は、キリシタン禁制下の日本に潜入して、逮捕され、最後には転向していく伴天連《ばてれん》の話だ。極限状況で「踏み絵」を踏むことで、キリスト教の「愛の理念」を実現しようとする。この逆説を理解してもらいたかったのだ。そして、私のメッセージは友人たちに正確に伝わったと思う。「踏み絵」を踏もうが踏むまいが、佐藤優を支援していこうと友人たちは考えたのだった。

私が考えた第二のシナリオは、私の任務は情報収集・分析で、前島氏の任務と徹底的に切り離すという戦略だ。これによって私は何の任務違反も行っていないということを論証し、背任罪の構成を崩す。これは実態に即しているし、私の心象風景にも合致している。

しかし、この場合、外交秘密、さらに特殊情報に関連する事項が表に出て、その結果、今後、日本外務省の情報収集活動に支障をきたすことになる。

情報の世界では「存在しない」という話は当事者が合意しない限り、最後まで「存在しない」のである。そして、「会っていない」という約束になっている場合は、誰が何を言おうともあくまでも「会っていない」のである。このルールについては徹底的な遵守《じゅんしゅ》が要求される。そしてそれを破った場合、ルールを破った者に対して属人的に責任が追及される。この世界に時効はない。

保釈後、私に複数の外国関係者からメッセージが入り、私の身を守るために、ある範囲の話については外に出ても構わないという了承を得た。そのお陰で私も法廷やこの本の中で相当踏み込んだ話ができるようになった。しかし、それは日本の世論が異常に興奮しているなかで、私が余計な抗弁をせずに、外国人に迷惑をかけなかったことを評価した上での例外的対応なのである。

第二のシナリオは魅力的であったが、情報屋の職業倫理の方を私は重視した。テルアビブ国際学会での私の行動についても、外に出してはいけない話があった。それを守り通せるかどうかが私にはとても気にかかっていた。五月二十六日に弁護団が照会した際も、「公判になれば、自白、否認にかかわらず、イスラエルで佐藤が誰に会ったかということについて解明することが不可欠」というのが検察庁からの回答だった。私が供述拒否をしても同席者がいる。検察が本気で同席者をねじりあげれば、相手の名前がでてくるだろう。それは絶対に避けなくてはならない。また、西村検事からの尋問を通じて、外務省関係者で特殊情報に関して検察に余計な話をしている者がいることを私は明確に認識した。

これらの情報のうち、絶対に表に出てはならない内容を削除させる必要があった。しかし、検察には何が表に出してはいけない情報であるかがわからない。これらの情報漏《ろう》洩《えい》を防ぐことが国益のためにも私の身の安全のためにも不可欠だった。

幸い、前島氏は特殊情報関連の話については「何のことですか。僕はそんな恐いこと全然知りません」という対応に終始しているとのことだった。検察庁は特殊情報はもとより外交において何が機微にふれることかがわからない。それをきちんと理解させ、国際スタンダードでの対応をさせる必要があった。その取り引き相手として西村氏に賭《か》けるのは決して無謀ではないように思えた。

当然のことながら、弁護団は私が密室で検察官と取り引きすることには反対だった。

「西村検事が取り引きに応じても、上がそれを守る担保はありませんよ。検察と取り引きをしない方が、佐藤さんがほんとうに守りたい価値は守れるのではないでしょうか。もう一度よく考えてみてください。あまり大所高所のことや、他人のことばかりでなく、もっと自分のことと自分の将来のことを考えてください」

「もっと自分のことや自分の将来のことを考えろ」というのは毎日西村検事から言われていることでもあった。弁護士が敵に見え、検事が味方に見えるというようなマゾヒスティックな転倒は起こさなかったが、弁護人も西村氏も両方が検事のように思えてきた。

この時点でも、私の守りたい価値のいくつかはすでに守ることができるように思えた。外務省の盟友たちに被害はこれ以上拡大せず、鈴木宗男氏の事件への突破口にもならない。後は外交に実害が及ばないことと特殊情報の取扱いだ。これについては私が直接ハンドリングした方がよいだろう。私はそう決断し、そのことを弁護団に伝えた。

「わかりました。弁護人というのは最終的に依頼人の意向に従って動くのが仕事です。与えられた条件の下で闘うことを考えます。しかし、自分が絶対にやっていない事実については認めないでください。検面調書、特に特捜の調書を裁判所は合意文書と見なします。やってないことでも調書に書けば事実として取り扱われます。ですからやってない事実について、前島さんへの心情から認めることだけは絶対に避けてください」

「わかりました。そうしましょう。しかし、私も国家権力の末端にいたからよくわかるのですが、国家が本気になれば何だってできますよ。ロシアでも日本でもそれは同じです、国策捜査の対象になったら絶対に勝てません。所与の条件の中で現実的に考えるしかありません」

「残念ながら、検察は何だって仕掛けてくるでしょう。しかし、裁判所は違います。司法権の独立はまだ大丈夫ですよ」

「そうでしょうか。私は司法権の独立なんてそもそも信じていません」

私は、弁護団の助言に反して、事実と異なることもいくつか認めた。それは公判対策の観点から間違えた判断だったのかもしれない。しかし、そのような迎合をしなければ、西村氏も私との取り引きに応じなかったであろう。

真剣勝負

西村検事の形相は日に日に厳しくなってきた。しかし、私への対応はより丁寧になった。今度は私の方からカードを切った。というよりも挑発してみた。

「西村さん、調書をそっちで勝手に作ってきたら。読まないで署名、指印するよ。担当検察官に点をとらせたいと思うようになった」

私は西村氏が侮辱されたと感じ、烈火の如《ごと》く怒り出すと予想していた。しかし、西村氏の対応は冷静だった。

「申し出はありがたいけど断る」

「どうして。検察が思う通りの話を作ることができるじゃないか」

「あなたに変な借りを作りたくない」

「別に貸しとは思わないよ。公判で任意性を争うこともしないよ」

「あなたみたいな人は任意性でがたがた文句をつける人じゃないと見ているよ」

裁判での証拠は、任意でなされた上の事実でなくてはならない。例えば、「私が財布を盗みました」というのが事実でも、その供述が拷問《ごうもん》によって任意でない方法でとられた場合は、理論的には無効だ。逆に、被告人が任意の上で、検事と共に事実と異なる調書を作った場合も理論的には無効である。しかし、当然のことながら、検事が被疑者とグルになって事実と異なる、つまり信用性に欠ける内容を作文するなどということを裁判所は想定していないので、このような論理展開をする法律家はいない。だから、供述調書を巡る争いは任意性の話ばかりになる。

「じゃあどうして嫌なんだい」

「自分のモラルを落としたくない。あなたにはわかると思うけど、調室の中で僕たちは絶大な権力をもっている。この権力を使って何でもできると勘違いする奴《やつ》もでてくる。怒鳴りあげて調書を取れば、だいたいの場合はうまくいく。しかし、それは筋読みがしっかりしているときにだけ言える話だ。上からこの流れで調書を取れという話が来る。それを『ワン』と言ってとってくる奴ばかりが大切にされる。僕は『ワン』という形で仕事をできないんだ」

「どうして」

「性格だと思う。自分で納得できないとダメなんだ。最近、国策捜査で無罪をとられる例がいくつかあった。あの種の事件は調べのときに必ず無理があるんだ。だから公判で事故が起きる」

「国策捜査なんてそんなもんだろう。組織人なんだから言われたことはやらなくてはならない」

「それはそうだ。しかし、調室でモラルが低下すると、権力を勘違いする。そして、被疑者を殴ったり、電車で痴漢をしたり、あるいは女性検察事務官と不倫をしたりと滅茶《めちゃ》苦茶《くちゃ》なことになる。そうなりたくない。だから調室では無理をしないことにしている。田中森一(元特捜検事)のことは知っているだろう」

「許永中と一緒に組んだ弁護士だろう」

「それだけじゃない。暴力団との関係が仕事のほとんどになった。特捜検事が道を踏み外すと森一みたいになる。踏み外しは取調室で始まる。これは他人事ではないと思っているんだ」

「西村さんは怒鳴ることはないのかな」

「あるよ。僕だってものすごい勢いで怒鳴ることもある。以前、背任事件で銀行員が帳簿に書いた数字が目の前に突き出されているのに嘘《うそ》をつき通すんで、僕が本気で怒鳴りあげたことがある。これは相手が嘘をついているという絶対的確信があるからだ。それで調書が取れないと検察庁の捜査能力が問われることになる」

「よくわかるよ。僕に対しても部屋を暗くして怒鳴りあげたことがあるよね」

「あれは怒鳴ったうちには入らない。それにあなたがどういう人かよくわからなかったから、ああいう訊《き》き方をしてみただけだ。僕がその銀行員を怒鳴りあげたときは、隣の調室の検察官が『西村、いったいどうしたんだ』と心配したくらいだ」

「僕に対しては怒鳴らない」

「ほんとうは怒鳴りたいんだ。ごたごた言わないで早く『ゴメンナサイ』をしろと。しかし、君はそうしたら黙る」

「そうかな。気が弱いから怯《おび》えて言いなりになるかもしれない」

「あなたのどこが気が弱いんだ。プイと横を向いて黙るに決まっている。ほんとうに難しいお客さんだ。上の方からは、物証を突きつけて徹底的にヤレと言われている。しかし、僕はそういうやり方も嫌いだ。きちんと折り合いをつけたい」

私は西村検事が今度は本気で勝負にでてきたと感じた。

守られなかった情報源

五月二十八日の取り調べでは、調書はとられなかった。西村検事から「あなたは違法性についてどう考えているか」と問われたので「違法性認識は全《すべ》くない」と答えた。それから、外務省が私の報償費（機密費）に関する領収書を全て任意提出したということを伝え、その一部を私に提示した。私の情報源の名前も記載されていた。

外務省が「門外不出にする」といった書類が検察に渡されたことは、私にとって大きなショックだった。因《ちな》みに後に外務省は東郷氏の報償費に関する領収書も検察に提出したが、私の場合と異なり、それらにおいては情報源の部分に墨塗りがなされていた。とにかく、これで外務省が私のみでなく、私の情報源をも守らないことが明らかになった。

外務省の報償費（機密費）については、内規で領収書の提出と提供先の実名記載が求められていたので、私は万一の場合に備えて、本当に危険な工作活動に関しては外務省のカネを使わなかった。しかし、検察が入手している報償費関連領収書の取扱い如何《いかん》によっても今後の日本の外交、情報活動に支障が生じる。この点をどう押さえ込むかが重要な課題になった。

結論を先に言うと、検察は報償費絡《がら》みで事件を作ることは諦《あきら》めた。この決定の背景には、私が逮捕される直前に起こった「三井事件」の後遺症があることは間違いなかった。

検察が組織ぐるみで調査活動費（外務省の報償費に相当）から裏金をつくり、幹部の会食費にあてられていたことを内部告発しようと試みた三井環《みついたまき》大阪高等検察庁公安部長は、この件を暴露するテレビ番組の取材に応じる直前に逮捕された。しかし、こうした対応に検察への国民の不信感は膨らんでいた。そのため、この時期下手に報償費に手をつけるとそれがブーメランとなって検察に還《かえ》ってくるとの危惧《きぐ》があった。

ただし、当時の鈴木宗男バッシングの嵐《あらし》の中では、検察に災いが及ばない形で、私を叩《たた》く事件を作ることはできた筈《はず》だ。しかし、西村検事は、報償費絡みの領収書の取り扱いについては情報源の秘匿《ひとく》ということに最大の配慮を払って取り調べを進めた。報償費はその性格上、「濫用《らんよう》」という話を作りやすいのであるが、西村氏はそのような誘惑に陥らなかったのである。

私は罪証隠滅との言いがかりをつけられるのが嫌だったので、手帳は全て残しておいた。日程を確定するためには手帳の当該ページのコピーを証拠として添付するのが普通であるが、手帳に種々の人名が書かれていることを考慮して、西村検事は手帳のコピーは一切添付しなかった。以前供述した手帳のコピー付き調書については取り直した。西村氏が検察組織の一員としてできる範囲のぎりぎりで私に配慮したことは間違いない。

条約課とのいざこざ

五月三十日には、一九九九年三月のゴロデッキー教授訪日の経緯について、調書を作った。第三章「作られた疑惑」で、この訪日準備過程で鈴木宗男氏と絡むちょっとしたいざこざがあったということについて触れたがそれは次のような経緯である。

九九年一月末、鈴木宗男氏はイスラエルのある高官と会食した。その時、ゴロデッキー教授訪日の話がでた。その高官は、ゴロデッキー氏が単なる学者ではなくイスラエル政府の対露政策に影響を与えるキーパーソンであることと次期駐露大使の有力候補であるという話をした。ここで鈴木氏はゴロデッキー教授に関しても興味をもつようになった。

当初、分析第一課は、ゴロデッキー、ナベー両教授をオピニオンリーダー招聘《しょうへい》、中堅指導者招聘などの予算で呼ぼうと考えたが、年度末なのでどの枠も埋まっていた。イスラエルのロシア情報の重要性と当時の官邸が平和条約交渉に本腰を入れていることを背景に、分析第一課が強硬な対応に出れば、他の計画を後回しにして、両教授訪日に予算を振り替えることができたかもしれない。

しかし、私たちが招聘案件を是非とも実現したいと考えているように、他の部局も自分たちが計画した招聘案件を実現したいと考えているはずだ。他の人の仕事を押しのけるのは趣味ではない。そこで、以前、やはり外務省本体の予算がないので、支援委員会資金を使って、チェチェン問題の国際的権威であるセルゲイ・アルチューノフ・ロシア科学アカデミー民族学人類学研究所コーカサス部長を呼んだ例があるので、今回も支援委員会から費用の手当ができないかと考えた。これは、私だけの意見ではなく、分析第一課の総意に基づいていた。私たちはロシア支援室の前島氏とも相談して決裁書を整えて、関係部局の決裁を得ようとした。

二月初旬のある日、前島氏が血相を変えて分析第一課に訪ねてきた。

「佐藤さん、条約課の岸守がとんでもないんです」

岸守一《はじめ》事務官は条約課で支援委員会協定を担当している。

支援委員会は国際機関であるが、この国際協定に基づいて設立されたものだ。また、前に述べた通り、そこにお金を出しているのは日本政府だけで、実際の資金支出は日本政府の指示によって行われる。そのため、支援室の企画でこれまでに先例のない事案については、条約課の決裁を得ることになっていた。

「どうしたんだい」

「『なんでこんなもん持ってくるんだ。アルチューノフの時はこれを先例にしないと言っただろう』と喧嘩《けんか》腰なんです。口の利《き》き方もなっていない。これじゃ話になりません」

「あなたと岸守は年次はどっちが上なの」

「年次は岸守の方がちょっと上なんですが、職種は専門職（ノンキャリア）なんで、まだ事務官です。ただし、岸守も東大法学部卒なので性格がちょっと捻《ねじ》れているんですよ」

前島氏は課長補佐、しかも総務班長なので岸守氏よりも上席だ。東大法学部卒の外務省員はほとんどがI種（キャリア）職員である。しかし、ときおり専門職員もいる。I種職員は能力や性格に相当の問題がない限り大使ポストを保証されているが、専門職員で大使になる人は五パーセント程度で、しかも中小国の大使だ。大学で机を同じにし、能力的にはそれ程違わなくても外務省内での出世街道は大きく異なる。

もっとも小国語の専門家として結構楽しく仕事をしている東大卒の専門職員もいるので、要はその人の価値観である。私は九六年から二〇〇二年まで東京大学教養学部で「ユーラシア地域変動論」という科目を教えていたので、東大生気質はそれなりにわかっているつもりである。

ときどき、「あえて外務省の専門職員になり、佐藤先生のように外交官と学者を両立させたい」という相談を受けたが、私は「東大生に関しては、ほとんどがI種職員だからあえて違う道を選ぶことは勧めない。二つの世界に足をかけていても僕みたく両方とも中途半端《はんぱ》になるから……」と答えていた。

「それで岸守は何て言ってるの」

「『イスラエルから専門家を呼んでこれるならば、ナイジェリアからでもロシア専門家ならば呼べるじゃないか』と言って認めようとしないんですよ」

「対露支援に役立つ専門家として具体的に誰を招聘したらよいかは政策判断の話で、条約課が云々《うんぬん》することじゃないよ。ナイジェリアに日本の役に立つ優れたロシア専門家がいるならば岸守に紹介して欲しいな。呼べばいいじゃないか」

「私もそう思います。条約課とは正面から議論します。佐藤さん、岸守は日露平和条約の重要性がわかっていないようなので徹底的に闘いますよ」

「いいよ。できるだけ厳しく、徹底的にやってくれ」

こうしたやりとりがあったと記憶している。

前島氏は、条約課と本格的な「戦争」をはじめた。

条約課は外務省の中で影響力の強い部局で、条約局長は事務次官への登竜門だ。当時の条約局長は東郷和彦氏だった。東郷氏は「条約局にはサービス精神が欠けている。他の部局が行おうとすることを助けてあげるという姿勢が重要だ」とよく私に話していた。私が東郷氏にこの件について相談すれば、東郷氏は瞬時にそれを解決したであろう。しかし、そのようなやり方は最後の手段だ。私は岸守氏ときちんと話してみようと考えた。私は情報の専門家、岸守氏は条約の専門家と分野は違うものの職人同士では理解可能な部分もあるはずだ。私は岸守氏に電話をかけた。

「分析第一課主任分析官の佐藤と申します。岸守さんですか」

「はい。岸守です」

「実はうちの課で呼ぼうとしているゴロデツキー・テルアビブ大学教授のことで、ちょっと背景説明をしておきたいんだけど。あなたとどこか中立的な場所で会えないかな。分析第一課に来てくれとも言わないけど、僕から条約課にも行かない。どこかでコーヒーでも飲みながら話をしたいんだけれど。この件の政治的背景を話しておきたい」

物事がこじれた場合、関係者が非公式な話をして打開を図るというのはよくあることだ。ロシア外交の素人《しろうと》にはイスラエル情報の重要性がわからない。小渕《おぶち》首相もイスラエル情報を高く評価していることを岸守氏に理解して欲しかった。しかし、岸守氏の応答は素っ気ないものだった。

「首席事務官（条約課のナンバー・ツー）の了承が得られれば行きます。そして話の内容は首席事務官に報告します。それでよろしいのなら会います」

いかにも会いたくなさそうだ。それならば私の方からお願いしてまで会ってもらう話ではない。

「あなたに状況を説明したいんだけれど、そう堅苦しく考えるならば、この話はなかったことにしよう」

私は電話を切った。この私からの電話について、公判で杉山晋輔《しんすけ》条約課長は、私の圧力があったとの趣旨の証言をしているが、これは事実ではない。ほんとうに私が圧力をかけようとするならば、直接、東郷氏を使うので、このような効率のよくない迂回《うかい》戦術はとらない。

この電話から数日後、私は明治記念館でロシア人と夕食をとった後、鈴木宗男氏に電話でその会談内容について報告すると、「今日はもう家に戻っているけど、遊びに来ないか」と誘われたので、南青山の自宅におじゃました。その日は珍しく新聞記者もいなかった。

鈴木氏から、「この前、イスラエル政府の高官が言っていたテルアビブ大学の先生の訪日はどうなっているか。俺も一席設けるから」と質問された。

私は、「どうもうまくいっていないんですよ。条約課に東大法学部卒の岸守一というちょっと捻れた専門職員がいるので止まっちゃってるんですよ。何とかします」と答えた。

これに対して鈴木氏は「東郷が局長なんだろう。イスラエルのロシア情報の重要さを部下にちゃんと理解させないと」と述べたが、その話はそれで終わって、別の話題に移った。

それから二、三日して、私は急に官邸の鈴木内閣官房副長官室に呼び出された。東郷氏と山田重夫条約課首席事務官がいた。他に誰が同席していたかは記憶が定かでない。昼少し前のことであった。鈴木氏は、条約課を厳しく指導していた。

「支援委員会の予算は、俺が外務省に言われて補正でつけたんだ。小渕政権が平和条約交渉をどれくらい重視しているのかわかっているのか」というのが鈴木氏の発言の趣旨だった。

官邸からの帰りがけに東郷氏が私に言った。

「イスラエルの学者のことで文句があるならば、僕に言ってくれればいいのに。話を大きくしないでほしい」

私はムッとして、「話なんか大きくしていません。こんな話、鈴木さんに頼みませんよ」と言った。事実、このときの鈴木氏からの呼び出しは私にとって想定外だった。

その後、三月になってから、もう一度、官邸に呼び出されたことがある。このときは私の他には東郷氏、杉山氏、山田氏、岸守氏、前島氏が同席していた。鈴木氏は、条約局が日露平和条約交渉の重要性をどの程度理解しているのか、山田氏、岸守氏の対応を見ているとわからなくなると東郷氏、杉山氏に問いただしていた。

杉山氏は、「私の課員に対する指導不足です。イスラエル情報の重要性も私はよくわかっているのですが、彼らはまだよくわかっていないようで……」と一見、部下を守るような口調だが、よく聞くと部下に責任を転嫁《てんか》する発言を繰り返していた。私は、「鈴木大臣、条約課もよく反省しているようなので、もういいじゃないですか」と言った。

鈴木氏は、「前島君、君はどう思うのか」といきなり質問を振った。

前島氏はとっさにこう答えた。

「条約課は、日露平和条約交渉が現在政治的にどれくらい重要かということに対する認識が十分でなく、ものごとを作っていくという姿勢から条約を解釈していない。最終的にはこちらの言うことを認める場合でも、あえて時間をかけ、条約課の威厳を示すことに生きがいを見いだしているようだ。不親切きわまりない。このような状況で仕事をするには厳しいものがある。何のための協定かということをもっと考えてほしい。われわれは時間との闘いの中で、日露平和条約締結に向け尽力している」

鈴木氏も東郷氏も大きくうなずいた。鈴木氏は、「みんなで団結して、平和条約締結に向け、一生懸命仕事をしてくれ」と言って、この日の会合は終わった。

官邸の廊下で、前島氏と山田氏が激しい言い争いをはじめた。私にはよく聞こえなかったが、言い争いを聞いて新聞記者たちが集まってきたので、私が、「二人とも、記者の前だぞ。やめろ」と少し大きな声でたしなめた。

後で前島氏は、「山田が、『君は気にしないでいいよ』とエラそうに言ったので、『鈴木副長官の前で言ったのは俺の本心だ。何を恩着せがましいことを言うんだ』と言い返してやった」と私にそのときの諍《いさか》いについて説明した。

これでこの件を巡る外務省と鈴木氏の「手打ち」は終わった、と私は考えていた。しかし、どうもそうではなかったようだ。そのことを私は西村氏からの取り調べで知るのである。


私は事実関係について、率直に西村検事に話した。特に岸守氏に関する私と鈴木氏のやりとりについては、密室のできごとなので、私が「そんな話はない」とか「記憶にない」と言えばそれで逃げ切れる話であるが、私は正直に話した。

その後、西村氏は私の知らないことについて尋ねてきた。

「杉山課長、山田君、岸守君が鈴木さんに言われて詫《わ》び状を出した話を知っているかい」

「知らない。詫び状を要求するのは鈴木大臣のスタイルじゃないな」

鈴木氏は、「正確を期したいので文書にしてもってきてくれ」とか、「誰がいつ、何を言ったか、クロノロジー（日付順の箇条書きメモ）を作ってこい」と言うことはある。しかし、「詫び状をもってこい」と役人に言った場面に少なくとも私は遭遇したことがない。

もっとも、鈴木氏が要求したのはクロノロジーなのに、それに過剰反応して詫び状をもってくる官僚はよくいる。キルギス人質事件のとき外務省からＪＩＣＡ（国際協力事業団、現国際協力機構）に出向していた総務部長は、鈴木氏のところに詫び状や近況報告などを事件が終わった後も週に三、四回、一年以上も持参し、その総量はみかん箱二杯になった。もちろん、鈴木氏も人間だから、そのような「忠誠の証《あかし》」を悪く思うはずがない。私はその辺の事情を西村氏に説明した。

西村氏は、「そうだろうな。杉山はこの機会を利用して鈴木さんに近付こうとしたという印象を僕ももっているんだ。クラッシュを作ってそれから仲良くなるというのは政治家がよく使う手法だからね。杉山はそれを読んだ上で鈴木官房副長官と御縁をつけたのだろう。しかし、外務省は狡猾《こうかつ》だよな。この手紙の写しを保存してあって、鈴木からの圧力の証拠として早い段階に自主提出してきた。鈴木さんも文書をとる癖が裏目に出た。捜査になればこの種のものは全部物証になってしまうからね」と述べた。

西村氏の見立ては正しい。この事件は、別に杉山氏が出てこなくとも東郷氏がいれば解決できることだった。また、先程の発言でもわかるように杉山氏は決して部下を守っていない。これをきっかけとして、杉山氏は鈴木氏のところへ頻繁に説明に出向くようになり、鈴木氏も「杉山は気が利《き》く」と覚えも目出度《めでた》くなった。

その後、杉山氏は韓国公使になった。鈴木氏が中央アジアやサハリンに行くときソウルを経由することが何度もあったのだが、杉山氏は自分がソウルを不在にしている場合以外は、必ず空港に出向き、VIPルームと公用車を用意し、鈴木氏を現職閣僚に対する以上の扱いで丁重にもてなした。パスポート検査も全《すべ》て大使館員が代行し、杉山氏の案内で鈴木氏は焼き肉料亭に向かう。支払は鈴木氏もちで、しかも鈴木氏は金一封を大使館側に渡す。私自身、現金授受の現場に少なくとも二回はいあわせた。

この杉山氏が後に検察側証人として法廷に立ち、鈴木氏の外務省に対する不当な圧力を防ぎ、部下を守るために詫び状提出を余儀なくされたという証言をするのである。

「迎合」という落とし所

さて、結局この一九九九年三月のゴロデツキー、ナベー両教授の訪日経費は、外務省の文化人招聘《しょうへい》予算から出され、支援委員会資金を使わずにすんだ。私としては両教授を呼ぶことができればよかったのであり、支援委員会資金を使うことにはこだわっていなかった。

というよりも、支援委員会予算は外務省予算の延長線上というのが当時の「ロシアスクール」関係者の共通認識であった。現に外務省ロシア支援室には支援委員会のタクシー券が保管・使用されていた。この点について、私は、「支援委員会予算に特に眼をつけた」とあえて認め、西村検事に迎合した。

さらに、この五月三十日付調書で私が西村検事に最も迎合したのは、「この鈴木氏の関与によりゴロデッキー教授絡《がら》みの支出には条約課からのクレームがつきにくくなった」という部分だ。しかし、他の外務省関係者が口を揃《そろ》えて強調した、鈴木氏が協定解釈をねじ曲げろと指示したという事実無根の供述は一切認めなかった。

また、私が訪日経費を捻出《ねんしゅつ》するために支援委員会に関する協定解釈をねじ曲げるように鈴木氏に請託をしたのではないかという外務省関係者の供述もはねのけた。これにより本件で鈴木氏の刑事責任を追及する道は閉ざされたと私は見ている。

私が「自動販売機」状態になり、他の外務省関係者と同じ供述をしていたならば、そこを突破口に検察は私を含む外務省関係者から鈴木氏が関与していないことについても関与したとの供述をとり、鈴木氏逮捕への道筋を整えたであろう。

逆に私が一切妥協をしなかったらどうなったであろうか。検察は、まず、私の「チーム」さらには「チーム」加入には至らないが「チーム」の準構成員であった若い外交官、特に専門職の外交官たちを外国からも呼び戻し、徹底的に締め上げただろう。

さらに外務省内で私と敵対する人々の供述から得た、私や私の「チーム」メンバーの個人的信用失墜につながる情報を流し、メディアを通じた社会的抹殺を図ったであろう。外務省は組織防衛に汲々《きゅうきゅう》としていたので、検察が押してくれれば、若い外交官などいくらでも切り捨てただろう。

現時点で考え直しても、あの時点で検察に迎合したことは正しい判断だったと、私は思っている。国際スタンダードで考えた場合、情報専門家にとって、政治裁判での有罪・無罪は本質的な問題ではない。問題は、私が育ててきた「こと」と人材を生き残らせることである。このことだけを私は考えていた。

決して格好をつけているわけではない。この方が長い目で見て、私に生じうる危険を最小限にし、特殊情報コミュニティーにおける私のプロとしての資格を守るために重要だったのである。

一旦《いったん》、迎合してしまえば、あとはその迎合のレベルで供述調書を作ればよいので、それはそれ程難しい作業ではないと思っていたが、それは大きな間違いで、西村氏は、検察組織の一員として、より深く迎合することを求めてきた。

私は、ここで若干の攻防戦を展開し、五月三十一日に供述調書を三通作成した。一通目は、九九年十一月のゴロデッキー教授の滞在延長、二〇〇〇年一月のゴロデッキー夫妻招聘の経緯で、支援委員会からの支出は協定の趣旨に合致せず、「不正」だと認識していたとの記述にした。

検察官は「違法」だとすっきり認めて欲しいと何度か言ったが、私は「違法性認識は全くない。そもそも違法とは法的評価の話だろう。認識について問うならば、違法性認識はないということだ」と突っぱねた。

検察官は「それじゃ不正という認識で行こう」ということになった。私が「褒められた方法ではないなぁという認識をもっていたが誰も反対しないので大丈夫と思った」ということを供述したら、それが法廷では違法と評価されたというわけだ。要するに私は法律のことがよくわからない頭の悪い人間なので、検察官に「引っかけられた」という体裁をとることにしたのである。

実際は、検察官は私が不正とも違法とも認識していないことはよくわかっていて、私はこんな供述をすれば引っかけられることは百も承知なのだが、折り合いをつけたのである。

招聘・派遣の目的についても、「外務省員としての業務遂行上より深い情報をとるためにゴロデツキー教授との人間的信頼関係を構築することが目的だった」というのが私の認識だが、検察官との交渉の結果、そこから「外務省員としての業務遂行上より深い情報をとるために」を枝切りし、人間的を個人的にし、「ゴロデツキー教授との個人的信頼関係を構築することが目的だった」とした。

法律専門家から見ればこれも検察に対して迎合しすぎているのだが、政治的、外交的には、ターゲットと個人的信頼関係を構築するということは十分説得力がある。私の供述調書は、後に外交専門家が歴史文書として読んだ場合には、決して恥ずかしいものではない仕上がりになったと自負している。西村氏との折り合いの基本原則は次のようなやりとりに尽きている。

「西村さん、外交官というのは一旦、交渉のテーブルにつくとどんな交渉でもまとめたくなるという職業病があるんだよ。西村さんと話をすれば、それはどこか落とし所が見つかるということなんだ。僕の関心は政治的、歴史的事項にある。この事件関連の資料は、外務省が資料を隠滅しない限り、二十八年後に公開される。そのとき、僕の言っていたことが事実に合致していたことを検証できるようにしたい。供述調書や法廷での発言もそこに最大の重点を置きたい。それならば法的な点については譲ろう」

「その取り引きならばこっちも乗れる。供述調書にはできるだけ政治的、歴史的な内容についても盛り込むようにする」

その後、西村氏は特別捜査部から特別公判部に異動になり、法廷で私の刑事責任を追及する役回りを演じるが、私が行う政治的主張については異議を全く差し挟まなかった。これは刑事裁判としては異例のことで、それ故《ゆえ》に私は公判で国策捜査論をとうとう展開することができた。

チームリーダーとして

三通目の供述調書は、国際学会費用の精算についてであった。西村検事は、前島氏による領収書操作についてては私の関与を認める供述をなぜか全く求めてこなかった。この点に関して、私と険悪な言い争いをして消耗することに意義を見いださなかったのであろう。

問題は、前島氏が銀行口座に積んでいた九十万円の扱いだった。これについて、前島氏は佐藤の指示によって、鈴木宗男氏の誕生日プレゼントとして買った万年筆や北方四島に出張する際の贈呈品に使ったが相当部分は積み残されたままだという供述をし、検察は鈴木氏の信用失墜につながるこの部分にこだわりをみせた。

二〇〇〇年一月三十一日に約二十名の外務省関係者が鈴木氏の誕生会を行ったが、そのときは会費制で、プレゼントの万年筆も会費を集めて買った物だ。「日露平和条約への署名はこの万年筆でしてください」といってプレゼントしたのである。

私は、関係者の想《おも》いの込められた贈呈品を事実と違う話で汚《けが》すことは拒否すると強く西村氏に宣言した。西村検事は前島氏に再度確認した上で、「前島も、万年筆は費用を別途精算したかもしれないと言っているので、この部分の供述は求めない」と答えてきた。こうして、この点については私が押し切ることになった。

北方四島への贈呈品について、以前、私が「必要経費についてはこっちに回してくれ」と言ったら前島氏が「僕の方で処理できるお金があるので大丈夫です」と言ったことがあるので、それがこの金ならば一応辻褄《つじつま》はあう。しかし、私がこの金を使えと指示したことはない。そもそも私はこの金については知らない。

西村氏は、「私の指示で前島が預かることになり」との供述を強く求めている。何回か議論の応酬があって「私の了承のもと前島が預かることになり」という落としどころにした。私としては、前島氏が横領をしているというような話にはしたくなく、仕事のための金をそのようにして前島氏が作ったという、恐らくは実態に近い話を残したいと思った。それがひとつの小さな「チーム」であれ、リーダーとしての責任の取り方と、私は考えたのである。

取り調べの最終局面で私は西村氏を挑発してみたくなった。

「西村さん、支援委員会から支出させた三千三百万円を弁済する気持ちは僕にはサラサラないぜ。民事訴訟になったら徹底的に争うからね」

西村氏の答は私の想定を裏切るものだった。

「そんなもの払わないでいいよ。だってあなたいい思いをしたわけじゃないじゃない。ゴラン高原に行くバスの中でもあなたはへばっていたんじゃない。もし訴訟を起こされたら楽しんだ袴田《はかまだ》先生たちに弁済してもらえと騒げばいいよ。これは前島君が口座に積んでいた九十万円だけを返せばいい話だよ。あなたはカネを払うことないよ」

こうして、全体として、奇妙な供述調書群ができあがった。「協定違反」であるとか、「違法」であるとかいう文言は全くないが、自白調書と読むこともできる。しかし、謝罪や反省のことばは全くない。とりあえずの折り合いはついた。一仕事終えたという感じになった。これでそう遠くない将来に外に出ることができるだろう。もっとも検察は鈴木宗男氏を逮捕するだろうから、それまでは鈴木氏と連絡をとる可能性のある私を獄中にとどめるであろうと考えた。

「起訴」と自ら申し出た「勾留《こうりゅう》延長」

六月四日が私の起訴日だった。この日の日記を引用しておこう。

〈(夕刻)検事取り調べの途中で緑川弁護士面会。現時点では何罪で起訴になったかの情報を持ち合わせていない由《よし》。夜、拘置所より、背任罪で起訴された、検察官の要請により第一回公判まで接見禁止措置がとられるとの通報。まあ、妥当なとこか〉

その前日の六月三日、西村氏から、「保釈になった場合、マスコミと接触するか」という質問を受けた。

「もちろん接触するし、言いたいことは言う。ただ僕は体制側の人間だから、基本的に反検察的発言はしないよ」

「僕はわかるけれど、検察の他の連中はあなたの考えをなかなか理解できない。それから、保釈になった後、鈴木さんの関係で、検察が話を聞きたいといったら、協力してくれるか」

「それは断る」

「検察庁に来てくれということではなく、どこか別の場所で会うこともできないか」

「断る」

「どうして。話したいことだけを話せばよいじゃないか。その方が鈴木先生のためになる場合もある」

「それはわかるけれど、それでも断る。どうしてかというと、僕はあちこちでエージェント（協力者）を運営していたが、エージェントというのは結局惨《みじ》めな存在だ。エージェントにはなりたくないんだ。ただし折り合いはつけられる」

「どういうこと」

「僕を勾留し続ければいい」

「エッ。本気か」

「本気だ。勾留中は検察庁の呼び出しに応じる。しかし、保釈後は、一切呼び出しにも応じないし、接触しない。こういう『ゲームのルール』を提案したい。勾留はいくら長くなってもいい。検察が僕を用済みにするまで獄中にいる用意がある」

「ほんとうにそんなことでいいのか。変わってるな」

「別に。僕はここの生活をそれなりに気に入っている。メシはうまいし、外で読めなかった本も読める。語学の勉強にも集中できる」

これは半分私の本心だった。外に出てもマスコミに追われるだけだ。さらに、外国人の友人たちに状況をいろいろ説明しなくてはならないが、その中には気の短い連中もいるので、すぐには会いたくなかった。また、獄中では、難解な神学書・哲学書の理解が外界では考えられないほど深くなる。戦前、無政府主義者の大杉栄が「一犯罪、一語学」といって獄中で各国語を次々とマスターしていったが、神学部を離れてから疎遠《そえん》になっていた古典ラテン語、古典ギリシア語の復習もしたかった。

しかし、同時に政治的動機もあった。情報は人につく。外に出ると鈴木宗男氏についていろいろな情報が入ってくる。知っているとそれを漏らしてしまう危険性がある。獄中ならば先に述べた「クオーター化の原則」で、私の方から漏れる新しい情報はない。また、獄中の方が検察官との接触時間が多いので、その質問から検察庁の関心がわかる。それを弁護団に伝えれば、鈴木氏の闘いに貢献できるかもしれない。咄嗟《とっさ》にそのようなことを考えたのである。

「それじゃ、起訴後、呼び出しても応じてくれるかい」

「独房から応じますよ。喜んで」

「弁護士が保釈や接禁解除で本格的にガタガタ言ってこないかい」

「それはないよ。僕の意向については正確に理解している」

しかし、その頃、私の再逮捕に向けた動きを検察庁は着実に進めていた。だが、そのことについて西村氏はその時点では知らなかったようである。東京地検特捜部も「クオーター化の原則」で活動していたのである。

東郷氏の供述

六月四日の起訴で、ゴロデツキー教授夫妻招聘、国際学会派遣両案件に関する捜査には一応のケリがついたが、情報屋としての私には、どうしても知りたい点が二つ残った。

一つ目は東郷和彦氏が本件についてどのような供述をしているかだ。二つ目は、学者たち、特に支援委員会の仕組みについても熟知し、北方領土交渉について日本外務省のブレインとなっている袴田茂樹青山学院大学教授が検察庁に対してどのような対応をとったかである。私は西村検事との雑談で、ときおりこれらの話を混ぜて情報収集につとめた。

検察庁は、ロンドンに検察官を派遣して、東郷氏から事情聴取を行った。

「東郷さんから話は聞けたの」

「ロンドンに検事を派遣したよ」

「どこで会ったの」

「日本大使館で話を聞きたいと言ったのだけれど、東郷が嫌がったので、結局こっちから東郷の指定したホテルに出向いたよ。君が言ったようにアイルランドにいるみたいなんだけど、東郷は『相手に迷惑をかけたくない』と言って居所については教えてくれなかった。ただ、連絡がつく電話番号はもらっているよ」

「イギリスは外国の公権力行使にとても敏感な国なんだけど、イギリス政府には黙っていたの」

「いや、許可を得たよ。確かにイギリスはうるさい国だと聞いていたんだけれど、別に特に問題もなかった」

「内容はどうだい」

「しょうもない支離滅裂な内容だ」

「西村さんが『しょうもない』というのは僕には有利だということかな」

「そうでもないぜ。東郷は部下を守るという発想の全くない人だよ。君が思っているような人じゃないよ」

「守りに弱いからなぁ。壊れちゃったかな」

「そうだな。東郷を捕まえておけば、前島以上にフニャフニャになっていたと思うと本当に残念だな」

「健康状態はどうかい」

「本人はこれから精神病院に行くと言っていたけどね。事情聴取の途中で何度も休憩をとったよ。でも、うちじゃ詐病《さびょう》じゃないかと疑ってるんだ」

「ふうん」


その後も東郷氏について、西村氏から言及してきたことがある。

「僕たちは外務省が東郷を逃がしたのはけしからんと思っている。検察官でも法務省勤務の経験のある連中は、外務省との人事交流があるので遠慮があるが、僕たち特捜の現場検事にはそういう遠慮はない。東郷が逃げていった経緯を供述調書にしないか。これが組織幹部の責任の取り方かということを訴えておいた方がいい。公判でこの部分を朗読してもよい。裁判官の心証もあなたにとってよくなるぜ」

「竹内事務次官がテルアビブ国際学会派遣は協定違反ではないと言っていたことを含めてならば応じるよ」

「これは国策捜査だから、そんなこと書けないのはあなたにはよくわかっているじゃない。調書のことは一晩考えてみて」

しかし、翌日以降、西村氏がこの問題に立ち還《かえ》ることはなく、私からも言及しなかったので、調書化の話は立ち消えになった。

袴田氏の二元外交批判

袴田氏の供述は、私の背任を裏付ける上で、検察庁に少なからぬ貢献をした。

「テルアビブの京都という日本料理屋で、今回の出張は支援委員会からカネが出ていて、前島君が努力したという話は学者たちにしているぜ。少なくとも支援委員会の仕組みに通じている袴田さんはわかっている筈《はず》だ」

「学者はみんなそんなことは知らないと言っているよ」

「変な話に巻き込まれて、迷惑千万といったところか」

「そんなところだな。そもそも大学教授といった連中は、普段はエラそうなことを言っているんだけれど、警察や検察にはとっても弱いんだよ。特に昔、学生運動で捕まったことのある連中にその傾向が強い。あんたの関係でもみんな全面協力だったな」

「袴田さんはどうだったかい」

「はじめ、えらく口が重いんだ。何度も『被疑者は誰ですか』、『被疑者は誰ですか』と聞いて、なかなか供述に応じようとしない。供述調書にするときも、『容疑が書かれていないけど何に使われるのか』とえらく気にしていたよ。蓋《ふた》を開けてみてよくわかったけれど、袴田はこの件に深く関与している。だからこんなに気にしていたんだ」

「自分のことしか考えていないんだ」

「そういうこと。嫌な奴《やつ》らだね。大学教授って」

「今回の事件を通じて日本の大学に就職するつもりはなくなったよ。もっとも今の大学は前科者はとらないだろうから、いずれにせよ就職できないだろうけどね」

「そうでもないと思うよ。大学は最も前科者の多い所じゃないかな。安保や全共闘世代にはほんとうに前科者が多いよ。あなたなら再就職なんて心配ないよ。この公判を早く終わらせて、とりあえず外国に二、三年行ってほとぼりを冷ましてから、きちんとした日本の大学に戻ってくればいいじゃないか」

「その気にはならないな。ああいう人たちとはもう極力付き合いたくない」

「わかるよ。袴田なんか野中広務が北方領土問題で変な発言をして、それを袴田が批判したら、その後、君と鈴木宗男にひどい目に遭わされたので、あの二人は徹底的にやっつけてくださいという話だったぜ」

ここでいう「変な発言」とは、二〇〇〇年七月二十七日、野中広務自民党幹事長が講演会で、「一つの前提を解決しなければ友好条約なんてありえないんだという考えではなしに」と北方領土交渉へプーチン政権を誘う発言をしたことを指すのだろう。私は続けた。

「具体的に何をされたって言っているの」

「青山学院大学との交流を妨害されたと言っている」

「とんでもない言いがかりだな。小渕さんのイニシアティブではじめた日露青年交流の窓口が青山学院に独占されている状態だったことには、外務省内からもアカデミズムからも批判が強かったんだぜ。青山学院にはロシア学科もなく、ロシア語を話せる学生もあまりいないのに、何で外務省は青山学院の学生との交流だけにそんなに梃子《てこ》入れするのかとね。

ロシア学科ならば東京外国語大学、早稲田大学、上智大学など老舗《しにせ》があるし、東大にだってロシアを勉強している学生はいる。青年交流の訪問先が青山学院から東京外国語大学に変わったのは確かだけど、それは恨まれる筋合いの話じゃないな。現に外語大学の方がロシア語を話す学生も教師も多いから、交流の目的合理性からしても十分説明のつく話だ。それに僕はこのことで袴田さんに文句を言われたことはないよ」

「向こうはどこかに君を呼びつけて、厳しく非難したと言っているぜ」

「僕は記憶力はそれほど悪くないけれど、そんな記憶は全くない。二〇〇一年になってから在京ロシア大使館の幹部が、袴田さんが『実は私の考えは末次一郎先生よりも鈴木宗男さん、佐藤優さんに近いのですが、その辺が関係者によく理解してもらえないので』との釈明をしたので、その幹部は『袴田先生の言動はきちんとフォローしていますが、今の日本政府の考えとは相当開きがあるようですね』と対応しておいたという話を聞いたことはよく覚えているよ。

それで、対露政策については何と言っている」

「鈴木や佐藤はとんでもない二元外交をしていたと非難していたよ」

現役時代、日露関係のオピニオンリーダーである袴田茂樹青山学院大学教授に対しては、私も最大の配慮をしていた。極秘裏に進められていた二〇〇〇年十二月二十五日の鈴木宗男―セルゲイ・イワノフ会談についても、袴田氏には十二月二十四日、成田空港からヘルシンキ経由でモスクワに向かう際に、「私はちょっと機微な用事でこれからモスクワに行く」という電話をして、ヒントを与えている。

その時、袴田氏は「雑誌原稿の締切があるので、至急鈴木宗男さんと会いたいのだけれど、どうして実現してくれないのだ」と詰問《きつもん》調だった。鈴木氏にそのことを伝えると「学者先生の雑誌原稿の締切に俺の日程を合わせることはできないな」と苦笑していた。

検察側の主張によれば、国際学会の帰路に、末次氏、袴田氏のモスクワへの私的旅行に支援委員会の資金を拠出したことが私の背任の論拠のひとつになっている。しかし、私がいくら袴田氏と親しくともそれが私的旅行であった場合に公金を支出するような乱暴なことはしない。それにもし、袴田氏が私的旅行に公金支出を要求したとすれば、その要請自体が違法であり、もしそのような経緯でカネが支出されたならば、刑事責任が追及されるべきである。私はこのときの袴田氏のモスクワ訪問は、公的なものであり、ロシア情報収集の観点から、そしてその情報が対露支援に役立つとの観点から全く問題ないと考えた。

現にモスクワで袴田氏は、コスチコフ元大統領報道官、サターロフ元大統領補佐官、シェフツォバ・モスクワ・カーネギーセンター上級研究員、ルシコフ・モスクワ市長、プリマコフ元首相などと会見し、その報告電報も外務省に送られている。この点について袴田氏はどのように供述しているのであろうか。

袴田氏の〇二年五月二十九日付供述調書が私の公判で、証拠に採用されたので、興味深い部分を正確に引用しておく。因《ちな》みに、この調書には、〈お示しの新聞記事の写しは、先日、私が提出したものです〉（十二頁《ページ》）という記載があるので、五月二十九日以前に少なくとも一回、袴田氏は検察と接触している。

〈……私も末次氏とともに、日露専門家会議等で交流のあったロシアの専門家との意見交換や、下院議員である私の妹（イリーナ・ハカマダ国家院議員）もモスクワにおりますので、私の方から、国際学会終了後、モスクワを訪問したい旨《むね》の希望を、佐藤さんか、前島さんだったという記憶ですが話をしたと記憶しています。その際、私は、プライベートに関わる滞在でもあり、モスクワでの宿泊代は私が負担すると申し出たのですが、結局、佐藤さんか、前島さんからでしたが、ロシアへの専門家への派遣として、費用は外務省で負担するとの話があったと記憶していますし、そう言っていただけるのであればという気持ちでおりましたが、私のモスクワの宿泊費や日当についても外務省が負担してくれるのだと思っていました〉（八頁）

私は袴田氏から直接、あるいは前島氏を経由しても「プライベートに関わる滞在でもあり、モスクワでの宿泊代は私が負担する」という話を聞いたことはない。この点は記憶がはっきりしている。

袴田氏の二元外交批判については西村検事の話と以下の部分が符合する。

〈……私が勤務する青山学院大学では、積極的に外務省が行う日露青年交流事業に協力してきたのですが、それすら、圧力をかけられ、交流事業が行えない状態になりました。そのため、私は、同年（二〇〇〇年）十二月に、ロシアを巡る二面外交（供述調書のママ）として新聞紙上をにぎわせた問題が起きた際、十二月三十日との記憶ですが、都内のホテルで佐藤さんと会い、佐藤さんや鈴木議員の対ロ政策を強く批判するとともに、大学の交流にまで圧力をかけるやり方を強く非難したことがありました〉（四―五頁）

この日、袴田氏の要請に応じて、私がホテル・ニューオータニ本館ロビー階のコーヒーショップ『サツキ』で会ったことは事実だ。袴田氏の主たる関心は、同氏が今後、マスメディアで発表する際の参考として、オフレコ・ベースで鈴木・イワノフ会談の内容を教えて欲しいということだった。私はぎりぎりのところまで袴田氏に説明した。

袴田氏からは「末次一郎氏と鈴木宗男氏の対立に憂慮している。私と末次氏の考えが全面的に一致しているわけではない。目標は一緒なのだから、私と佐藤さんが仲介役になろう」という話があったが、私は「二人とも政治家で、政治家の対立の仲介役に少なくとも私はなれません。それにロシア人は『二つの椅子《いす》に同時にすわることはできない』と言うが、私は鈴木宗男の椅子にすわっています」と答えた。

大学交流について非難されたことはない。決して険悪な会合ではなかった。しかも、二千六百円のコーヒー代は私が負担している。一般論として、相手に本気でクレームをつけているにもかかわらず、相手方に費用負担をさせることはない。

それではこの国際学会の意義について袴田氏はどう供述しているのであろうか。

〈今回のテルアビブで行われた国際学会は、先程も述べたように、我々学者にとっては、純粋にロシア認識を深めるものでしたし、この目的から見てこの学会は極めて有意義であったのは間違いないことです。この深められたロシア認識をどう利用するかは政策レベルの問題であり、われわれ学者の関与すべきことではないと考えています〉（十七頁）

袴田茂樹教授は、現在も日本外務省の対露政策策定における有力なブレインで、「政策レベルの問題」に深く関与している。外務省からの委託に応じてロシアのみならず中央アジア諸国にも頻繁に出張している。

鈴木宗男氏の逮捕

今回の国策捜査が鈴木宗男氏をターゲットとしていたことは疑いの余地がない。私はその露払いとして逮捕されたのである。同時に検察は私を逮捕すれば、外務省と鈴木宗男氏を直接絡《から》める犯罪を見つけだすことができるとの強い期待を抱いていた。しかし、残念ながらその期待は適《かな》わなかった。鈴木氏の逮捕につながらないならば、私は既に用済みなのだが、検察はそうは考えず、私の気持ちを鈴木宗男氏から切り離し、検察のために最大限活用することを考えた。

検察の目標は、逮捕した鈴木氏をいかにして「歌わせる（自白させる）」かに置かれていた。検察は本気だった。本気の組織は無駄なことをしない。

私の分析では、西村氏が私に期待している役割は二つあった。第一は、鈴木宗男氏に関する情報収集である。私しか知らない鈴木氏に関する情報を獲得すること。それに、マスメディアや怪文書で流布《るふ》されている情報の精査である。第二は、何か隙《すき》を見つけて、私と鈴木氏が直接絡む事件を作ることである。

第一について、私と鈴木氏の関係は外交、それも対ロシア外交、対中央アジア外交、そして国際情報の分野に限定されていた。しかも私は経済案件にはタッチしていないので、検察にとっての「おいしい話」に関する情報をもっていない。情報をもっていないというのはこの場合、最大の強みである。知らないことについては伝えることができないからである。

また、西村氏には、鈴木氏の対露外交についてはかなりきちんとしたブリーフィング(説明)をし、西村氏も外務省から秘密情報を取り寄せて私の情報の検証をしているので、鈴木外交が国是に反する利権追求を動機としていたとは考えていない。西村氏が「鈴木先生の対露外交はしっかりとしているという話をしたら、うち(特捜部)の連中から『西村は佐藤に洗脳されている。大丈夫か』と言われた」と冗談を言っていた。ロシア語の諺《ことわざ》で「冗談には必ずある程度の真理がある」というが、外交問題を猛勉強する西村氏の姿に若干の危惧《きぐ》をおぼえた同僚検察官がいても不思議ではない。西村氏はむしろ鈴木宗男氏の人柄、人心掌握術について、私のコメントを聞こうとした。「被疑者の過去を追体験する」というアプローチである。それを摑《つか》んで鈴木氏を落とそうという策略であろう。

これに一切協力しないか、あるいは偽《にせ》情報を流すことも可能だったが、私はそれをしなかった。まず偽情報については、鈴木氏を逮捕して少し経《た》てば、それがガセネタであることは検察に容易にわかるので、そのような稚拙な情報操作には意味がないと考えた。一切協力しなければ敵も情報を一切出さない。情報を取るときは必ずこちらも情報を与えなくてはならない。要はそのプラス・マイナスが五分以上になっていればよいのである。

巷間《こうかん》伝わっている鈴木宗男氏のイメージは、ネガティブな要素が肥大してしまったので、到底この世のものとは思えないような大魔王になっているが、長年、国策捜査を扱った特捜検事にはこれが実像から遥《はる》かにかけ離れていることくらいは気付いている。まず、等身大の鈴木宗男像を摑み、その上で料理したいというのが西村氏の思惑と私は読んだ。

検察が正確な鈴木像を持つことは、無理な事件を作り上げることとの抑止要因になる。この目的に適う範囲で検察の要請と私の知識の間で連立方程式を組んでみて、解がでる場合にだけ協力することにしよう、と考えたのである。

「鈴木さんについて、何を読んだらいいのだろうか。あなたの知恵を借りたい。例えば、中川一郎農水大臣と鈴木さんの関係についてはどう見たらよいのか。ほんとうに鈴木さんは中川さんを慕っているのか。それともあれは見せかけか。そういう基本がわかる本がないだろうか。週刊誌の記事じゃどうもピンとこないんだ」

私は、内藤国夫氏の『悶死《もんし》――中川一郎怪死事件』（草思社、一九八五年）を薦めた。六月十九日に鈴木氏が逮捕されてから四十八時間、私はハンガーストライキを行ったが、そのとき西村氏はこの本を読んだ。六月二十一日に西村氏から以下のような感想を聞いた。

「実に面白い本だったよ。鈴木さんを取り調べる特捜の副部長にも『佐藤氏のお薦め』と言って回しておいた。鈴木さんのパーソナリティーがよくでているね。要するに気配りをよくし、人の先回りをしていろいろ行動する。そして、鈴木さんなしに物事が動かなくなっちゃうんだな。それを周囲で嫉妬《しっと》する人がでてくる。

しかし、鈴木さんは自分自身に嫉妬心が稀薄《きはく》なので、他人の妬《ねた》み、やっかみがわからない。それでも鈴木さんは自分が得意な分野については、全《すべ》て自分で管理しようとする。それが相手のためとも思うけど、相手は感謝するよりも嫉妬する。その蓄積があるタイミングで爆発するんだ。中川夫人の鈴木氏に対する感情と田中眞紀子の感情は瓜《うり》二つだ。本妻の妾《めかけ》に対する憎しみのような感情だ。嫉妬心に鈍感だということをキーワードにすれば鈴木宗男の行動様式がよくわかる」

私はこのときまでに「鈴木氏に嫉妬心が稀薄で、それ故《ゆえ》に他者の嫉妬心に鈍感だ」という見立てを西村検事に話したことはない。この検察官の洞察力を侮《あなど》ってはならないと感じた。

奇妙な共同作業

読者にはこれまでの記述で、西村氏が「難しいお客さん」から供述をとる能力に、どれほど長《た》けているかがわかっていただけたと思う。ある時、西村氏は、「あなたのカネの流れについて整理したいんだけれど、一九九五年四月に帰国してから今年（二〇〇二年）五月に逮捕されるまでのカネの出入りを教えてくれないか」と聞いてきたことがあった。

検察は無駄なことはしない。この作業から何か新しい事件を作りだしていこうとするであろう。他方、拒否したらどうなるか。検察の能力をもってすれば、私の通帳をチェックして、全く無関係なカネの出入りをつなげて話を作ることなど朝飯前だろう。これには応じることが得策だ。特に私は九八年秋以降、外務省と官邸の報償費（機密費）を使っているので、これについては検察にきちんと説明しておく責任があると思っていた。

「うん。いいよ」

私は素直に同意した。後に西村氏は「あんなに簡単に同意してくれるとは思わなかった」と述べていたが、ここにも私の計算があった。

「正確に作りたいんで、検察庁に押収《おうしゅう》されている僕の手帳を見せてもらえるとありがたいんだけれど」と要望したのである。

西村氏はこれに同意した。検察官がそう簡単に被疑者の押収されている手帳を見せるとは思っていなかったので、これには私が意外感をもった。

前に申し上げたように、私の記憶術は映像方式である。手帳のちょっとしたシミ、インクの色を変えること、文字の位置を変化させることで、記憶を再現する手掛かりが得られる。独房にノートがあるので、そのノートに別の手掛かりになる記述をすれば、過去の記憶をもういちど正確に整理することができる。

手帳に暗号は一切使っていない。符号（例えば、「ＮＨＫ」と書いた場合、それは放送局ではなく、クレムリンの友人であるなど。もちろん、これは仮説例で実際に手帳に「ＮＨＫ」などという記号を用いてはいない）はごく一部しか使っていないが、それも特殊情報のプロが見ない限り、それが符号であるということもわからない仕掛けになっている。

手帳を見て、特に鈴木宗男氏に関する記憶を再整理しておくことが重要だった。この時、記憶を整理する作業をしたからこそ、現在も手帳は東京地方検察庁に押収されたままであるが、私はこの回想録を書くことができるのである。

しかし、一日に定着できる記憶量には限界がある。カネのチェックならば、六時間くらい集中すれば、一週間で終えることができる。しかし、それでは記憶の再現には不十分だ。西村氏は、「カネの動きをできるだけ詳しく知りたい」という。私は「望むところだ。コーヒー代一杯まで思い出したものを盛り込みたい」と答えた。西村氏にとっても大歓迎だった。

二人で方法について相談し、西村氏が外務省の報償費資料から得た入金、会食データのシートを作り、そこに私が手帳を見ながら一日ごとの出金をメモにして渡し、入力するという手法をとった。これならば一日毎《ごと》の記憶を再生するという私の目的に完全に合致している。

西村氏は、とりあえず〇一年後半のカネから整理したいと言い出した。第二章で述べたが、同年九月十一日の米国同時多発テロ事件以後、鈴木宗男氏が再起動し、私も再び同氏とともに活発に動くようになった。当然、カネの動きも激しくなる。この辺から何か事件の切っ掛けを摑《つか》むことを検察庁は虎視《こし》眈々《たんたん》と狙《ねら》っているようだった。こうして、ゲームが始まった。

ところで、読者は、これまでの記述で、西村氏の鈴木宗男氏に対する呼び方が、当初の「鈴木」という呼び捨てから、「鈴木さん」、「鈴木先生」と変化してきたことに気付いていると思う。逮捕直後、西村氏は、私と鈴木氏を切り離すことに主眼を置いていた。それになによりも、西村氏自身がこれまで特捜部が収集したデータに基づき鈴木宗男氏に対して激しい憎悪《ぞうお》をもっていることを隠さなかった。私が鈴木氏と親しいのも、鈴木氏が私に対して人事上の便宜を図り、カネを提供しているからだと確信していた。当初の西村氏の発言をいくつか披露しておこう。

「雑居には移らない方がいいぞ。ヤクザが仕切っているからな。雑居に行くと『お前、宗男の舎弟かっ』て言われるぞ」

「なんで鈴木事務所の差入れなんか受け取るんだよ。あんたまだ公務員だろう。断れよ」

「鈴木個人はカネをもってないぞ。ここで君が頑張っても、外に出てから面倒なんかみてもらえないぞ」

「鈴木は人情味があるとかいうけれど、僕は大嫌い。計算ズクの人情だし、第一あいつ下品だ」

　逮捕から十日ほどたったところで、私と西村氏の間で衝突が起きた。

「近いうちに流れが変わるぞ。鈴木のとこにガサ（家宅捜索）をかけるからな。これで鈴木は泥船になるぞ。君が逃げる最後のチャンスだ」

「いいよ泥船で一緒に沈んでも」

「虚勢を張るな」

「虚勢なんか張っていないよ。本心だよ」

「いいかげんにしろよ。自分のことや自分の将来を考えろ。君は孤立無援なんだぞ。外務省で君を守っている人はいないんだぞ」

「孤立無援」というのは嘘《うそ》だ。何人かの仲間は必死で私を守っている。守っているというよりも、真実をそのまま言い続け、検察に迎合していない。

　一方で、鈴木氏の前で土下座し、鈴木氏に「浮くも沈むも鈴木大臣といっしょです」

という宣言をしたり、鈴木氏の海外出張で文字通り腰巾着《こしぎんちゃく》、小判鮫《こばんざめ》のように擦り寄っていた外務省の幹部たちが、「鈴木の被害者」として、それこそ涙ながらに鈴木宗男の非道をなじっている姿が走馬燈《そうまとう》のように浮かんだ。独房生活が一週間を超えたので、拘禁症候群がでて若干涙もろくなっている。思わず涙がでてきた。

「あんまりだ」

私は泣いた。西村氏がここから私を「落とし」にかかってくるのではないかと身構えた。敵の戦略は、まず私に鈴木氏に対する恨み節を言わせ、次に感情的に切り離し、そして検察の「自動販売機」にしていくことだ。もっともこの程度の脅しならば気の弱い私でも耐え抜くことができるだろう。なぜか西村氏は追及をやめた。

「いいよ、いいよもう。あなたほどの人が涙を見せるのだから鈴木さんにもいいところがきっとあるんだ」

このとき、西村氏は鈴木氏にはじめて「さん」と敬称をつけた。私は涙声で続けた。

「拘禁症候群がでているのかもしれない。みっともない姿を晒《さら》して申し訳ない。今まで言っていなかったことをはじめて言おう。ある信頼する幹部に呼ばれたことがある。その人とこんなやりとりがあった」

私は幹部との具体的なやりとりを西村氏に説明した。それは次のようなものだった。

「僕は佐藤君のことをほんとうにレスペクト（尊敬）している。こんなことになってしまってほんとうに済まない。世論の流れがこうなっているからどうしようもないんだ。嵐《あらし》が過ぎるのを待つしかない」

「わかっています。二〇〇〇年までに日露平和条約が締結できなかったのですから、誰かが責任をとらないとならないのでしょう」

「そういうふうに納得しているのか」

「それしかないでしょう」

「そうなんだろうね。鈴木大臣については、外務省のためにあれだけ尽くしてくれた人なのだから、別の解決法もあったのではないかと思う……。恨んでいるだろうな」

「これも仕方のないことなのでしょう。僕や東郷さんや鈴木さんが潰《つぶ》れても田中（眞紀子外相）を追い出しただけでも国益ですよ。僕は鈴木さんのそばに最後までいようと思っているんですよ。外務省の幹部たちが次々と離れていく中で、鈴木さんは深く傷ついています。鈴木さんだって人間です。深く傷つくと何をするかわからない。鈴木さんは知りすぎている。墓までもっていってもらわないとならないことを知りすぎている。それを話すことになったら……」

「そのときはほんとうにおしまいだ。日本外交が滅茶苦茶《めちゃくちゃ》になる」

「僕が最後まで鈴木さんの側《そば》にいることで、その抑止にはなるでしょう」

「それは君にしかできないよ。是非それをしてほしい。しかし、僕たちはもう君を守ってあげることはできない」

「大丈夫です。そこは覚悟しています。これが僕の外交官としての最後の仕事と考えています」

「やめるつもりなのか。その必要はない。やめてはいけない。君が活躍するチャンスは必ず来る」

「もういやなんです。この仕事が。実を言うと以前からやめたいと思っていました。好きなこととできることは違います。そのことは鈴木さんにも話していました。特殊情報は僕の好きな仕事ではありません。ほんとうにやりたいのは、学生時代からやり残している中世の研究なので、アカデミズムに戻りたいと考えています。しかし、それも無理でしょう。嫌な感じがします。僕が受けた行政処分では終わらないでしょう。これから何事もありえます」

ここまで話してから、最後に私は西村検事にこう言った。

「西村さん、僕は外務省員として最後の仕事をしているのですよ」

「汚ねぇー。何て汚ねぇー組織なんだ。外務省は」

西村氏は吐き捨てるように言った。私の見間違えでなければ、西村検事の眼に涙が光った。

それから西村氏は、私との会話では、鈴木宗男氏に敬称をつけるようになった。

外務省に突きつけた「面会拒否宣言」

六月五日、夜の取り調べ中に、拘置所職員がやってきて、「接見等を一部解除し、六月六日午前九時に外務省斎木昭隆《さいきあきたか》人事課長、大菅岳史《おおすがたけし》首席事務官との面会を許可する」との連絡があったので、私はその場で「面会を拒否する。そんな許可を俺は必要としない。今更なんだ。来るのが遅い」と凄《すご》みをきかせて述べた。

西村検事が「わかりました。すぐにこちらから外務省に佐藤さんは会う意思がないということを連絡しておきます」と言って、その場を納めた。職員が立ち去るとただちに西村氏は検察事務官を呼び、留守を頼み、十分程して戻ってきた。

「外務省に電話しておいたよ。『佐藤さんは会いたくないと非常に強い意思をもっておられるようです』と伝えておいた」

私は西村氏から「会うように」と説得されると思っていたが、そのようなことばは一言もなかった。

翌六月六日、朝いちばんで緑川由香弁護人との面会を終え、待合いボックスに入ると、拘置所職員が「一〇九五番、一般面会、外務省、斎木課長他一名」と言ったので、私は「面会拒否」と答えた。暫《しば》くして、年輩の責任者が来て、「もしよかったら、面会拒否の理由を聞かせて」と尋ねるので、「面会拒否の理由の説明も拒否。半蔵門法律事務所の大室征男主任弁護人と接触してくれ」と答えた。

その夜の取り調べで、西村氏は「あなたはほんとうに先例のないことばかりするんだから。役人で検察庁の呼び出しに応じないのも初めてだし、起訴後、役所の人と会わないのもはじめてだ。前島君は会ったんだけれど、あなたから聴聞《ちょうもん》ができないので、さて外務省はあなたたちにどういう処分をかけたらいいのか困っているね。しかし、僕はこの問題に関しては中立」と笑いながら言った。

私は「外務省の人たちとは会わなくても、検察庁の任意取り調べには応じる」と答えると、西村氏は「御協力ありがとうございます」と言ったので、二人で笑った。

検察官と被告人の基本的利害が対立しているのに、心理的には妙な雰囲気になってきた。強制取り調べ期間が終わって、お互いに気が緩んでいる。検察官のペースに巻き込まれないようにと言い聞かせた。

西村氏からは、「前島君と三井物産との関係であなたにも聞きたいことがいくつかでてきたんだけど、協力してほしい」ということなので、私は実態について特に警戒心ももたずに話していた。六月七日も三井物産の話が続くので、私が「再逮捕でも考えているのか」と尋ねると、西村氏は「今のタイミングでは何とも言えないね。全体像を見てからの話だ」と答えた。西村氏の尋問も、背任事件のときとは異なり、形だけ聞いてみるという感じだったので、私としてもこの件で再逮捕される可能性については考えていなかった。むしろ中央アジア絡《がら》みで私と鈴木宗男氏を絡める事件を作ろうと西村氏が知恵を巡らしているのではないかと疑っていた。

しかし、週明け、六月十日月曜日の大森一志弁護人が伝えてきた新聞記事の内容で、私は認識を全面的に改めることになる。

大森弁護人は「八日付日経新聞朝刊に、佐藤さんの指示で前島が三井物産に国後島ディーゼル発電機供与事業の入札価格を漏洩《ろうえい》したという記事がでているんですが、気味が悪いです。ソースは特捜と思われるので、十分に注意してください」と言う。

私は、週末の西村検事による取り調べについて説明した。

その日の夜の取り調べで、私は単刀直入に切り出した。

「土曜日（六月八日）の日経新聞に、僕が三井物産に入札価格を漏らしたという記事が出ているんだけれど、新聞に出すのは最終段階だよね。これが特捜のやり方なのかな」

西村氏は怪訝《けげん》な顔をして「なあに、その話」と答える。私が記事の内容について述べると、西村氏は事務官を呼び、一時退席した。戻ってきた西村氏は、憤慨した口調でこう言った。

「ほんとうに知らなかった。いまディーゼル班に文句を言ってきた。『僕はいま、佐藤に日経新聞の記事についてどうなっているのかと詰め寄られているんだぞ、いったいどうなっているんだ』と。あなたには正直に言うが、ディーゼルと僕のやっている外務省関連事件は班が違うんだ。僕は完全情報をもっていない。だからどういう構成で事件を作ろうとしているかわからないんだ。僕だって『ガキの使い』じゃないんだから、こんな取り調べはやらない」

　事実、その後、一週間、西村氏は三井物産絡みの尋問をしなかった。私は、「任意取り調べ期間に、西村さん以外の検察官から要請が来ても断る。再逮捕になった場合も西村さん以外が担当ならば、房籠《ご》もり、仮に強制取り調べになっても、完全黙秘をする」と伝えた。西村氏は「そういうこと言わないで。別の検事が話を聞きたいと言ってきても、一回だけは取り調べに応じて。そうじゃないと僕があなたを囲い込んでいると思われる」と冗談半分に答えた。

　弁護人は毎日面会に来る。東京拘置所の面会室は全体で二十室あまりで、その内、弁護人用は半分しかない。弁護士にとって、刑事被告人を抱えるということは、実は面会のために半日を潰すということである。しかし、弁護人はそのような恩着せがましいことは言わない。私を独房に戻す途中、拘置所職員が私に耳打ちしてくれた。

「佐藤さんの弁護士さん、毎日、二時間も三時間も待っているんですよ。ほんとうに熱心です。私たちは見ていてわかるんですよ。弁護士さんがどれくらい一生懸命やっているかは……」

私は弁護人に対して、毎日の取り調べ状況を詳細に説明した。弁護人の反応は興味深かった。

「佐藤さん、検察官も人間ですからね。被疑者から『あなた以外の取り調べには応じない』などと言われると嬉《うれ》しくなっちゃうんですよ」

「検察官をしていると、ときに被疑者のファンになって、共犯事件では自分の被疑者のために『よい席』を取ろうと他の検察官と争ったりすることがあるんですよ。そこには検察官しか知らない人間ドラマがあるんです」

さて、三井物産問題を巡っては、検察の舞台裏では何が行われているのかと私は想像をたくましくした。

第五章　「時代のけじめ」としての「国策捜査」

鈴木宗男と杉原千畝《ちうね》

私は二〇〇二年六月四日に背任で起訴され、同年七月三日に国後島《くなしり》ディーゼル発電機供与事業を巡る偽計業務妨害で再逮捕されることになる。この間、まる一カ月の間は、西村検事の任意取り調べに応じるとともにこの機会を利用して、「国策捜査」の本質を理解すべく努力した。まさしく、「餅《もち》は餅屋」だ。西村氏にとって私が日露外交についてのよき「教師」であったように、私にとって西村氏は国策捜査の内在的ロジックを捉《とら》えるための最大の〝教師〟であった。この学習の成果を私は論文にまとめようと考えた。

私は岩波書店の発行する月刊誌「世界」の「世界論壇月評」にロシアの新聞論調について毎月寄稿していた。まだ、逮捕される前の三月末に「世界」編集部の人たちと一杯やりながら話したことがある。私が「どうも周囲の空気がおかしい。多分、六対四の確率でパクられると思う。次に会うときは、東京拘置所の面会室だ」と述べたところ、ある編集者が「そのときは是非獄中手記を書いてもらいます」と答え、私も了承した経緯があった。

拘置所に収監されてからも岩波書店の親しい編集者たちからは何度も心のこもったメッセージをもらった。特にある編集者から弁護人経由で司馬遷《しばせん》『史記列伝』(岩波文庫)が差し入れられたが、このアプローチは私の琴線に触れた。「史記の世界とくらべれば私の周辺に起きたことなどは矮小《わいしょう》なことだ。そうだ、歴史にきちんとした記録を残すことが私が今後なしうる唯一《ゆいいつ》の社会的貢献なのだ」と思った。

私は、西村検事とのやりとりを踏まえた上で「現下の所感（〇二年六月二十二日付）」と題した手記を書き上げた。この論文は弁護人とよく相談した結果、公判対策上の観点から寄稿を見送ることになったが、弁護人や検察官に私の国策捜査観を伝える上では有益だったと思う。

この手記で主張している多くの部分は、これまで述べてきた内容と重複するので、ここでは紹介しないが、ユダヤ人問題に関連して私が論文の中で紹介した鈴木宗男氏と杉原千畝のエピソードを引用したいと思う。

〈一九九一年八月、ソ連共産党守旧派によるクーデター未遂事件後、バルト三国（リトアニア、ラトビア、エストニア）の独立が各国により認められ、同年十月、日本政府もこれら諸国との外交関係樹立のために政府代表を派遣することになった。そして当時外務政務次官をつとめていた鈴木宗男が政府代表に命じられ、在モスクワ日本大使館三等書記官として民族問題を担当していた私が通訳兼身辺世話係として団員に加えられた。鈴木との出会いが後の私の運命に大きな影響を与えることになろうとは、当時は夢にも思っていなかった。

鈴木は、杉原千畝（すぎはらちうね、イスラエルではセンポ・スギハラと呼ばれることが多い）元カウナス（当時のリトアニアの首都）領事代理が人道的観点からユダヤ系亡命者に日本の通過査証（ビザ）を与え、六千名の生命を救った史実に大きな感銘を受け、当時の外務省幹部の反対を押し切り、杉原夫人を外務省飯倉公館に招き、謝罪している。外務本省は、訓令違反をし、外務省を退職した外交官を褒め讃《たた》える鈴木の言動に当惑し、この話題がランズベルギス・リトアニア大統領との会談で提起されることを警戒していた。

私は別の観点から杉原問題をランズベルギスに提起することには反対だった。実はランズベルギスの父親は親ナチス・リトアニア政権で地方産業大臣をつとめ、ユダヤ人弾圧に手を貸した経緯があり、また、一九九一年時点でのランズベルギスを中心とするリトアニア民族主義者とユダヤ人団体の関係もかなり複雑だったからである。私は鈴木にランズベルギスの背景事情を説明し、杉原問題を提起することは不適当であると直言した。鈴木は私の意見によく耳を傾け、しばらく考えた後にこう言った。

「佐藤さん、ランズベルギス大統領は、ソ連共産全体主義体制と徹底的に闘って、リトアニアに自由と民主主義をもたらした人物である。それであるならば、杉原さんの人道主義を理解することができるよ。一流の政治家というのはそういうものだ」

鈴木はランズベルギスとの会談で杉原問題を提起した。ランズベルギスは「命のビザ」の話に感銘を受け、カウナス市の旧日本領事館視察日程を組み込むように同席していた外務省儀典長に指示するとともに、ビリニュス市の通りの一つを「杉原通り」に改名すると約束した。私は一流の政治家が大所高所の原理で動く姿を目の当《ま》たりにし、少し興奮した。

この話は、イスラエルやユダヤ人団体ではよく知られている。内閣官房副長官時代の鈴木が小渕《おぶち》総理訪米に同行したとき、シカゴの商工会議所会頭が「杉原ビザ」の写しを示し、「私はこのビザで救われました。あなたがその杉原さんの名誉回復をしてくれたのですね」と話しかけてきたとのエピソードを鈴木は私に語ったことがあるが、イスラエルの外交官、学者が鈴木をユダヤ人に紹介する際には「鈴木宗男さんがセンポ・スギハラの名誉回復をしました」といつも初めに述べるのが印象的だった。鈴木のイスラエル、ユダヤ人社会における高い評価は、私たちがテルアビブ大学との関係を深める際にも大いに役立った〉

下げられたハードル

国策捜査を巡る西村氏とのやりとりは実に興味深かった。

以前に述べたように、逮捕後、三日目の時点で西村氏は「本件は国策捜査だ」と明言し、その上で「闘っても無駄だ」ということを私に理解させようと腐心した。

私は「僕もついこの前まで末端だけれど国家権力を行使する側にいたので、国家が本気になったとき、他の如何《いか》なる集団や個人も太刀打ちできないことはわかっている。ただ死ぬときは自分がどうして死ぬのかをきちんと理解してから死にたい」と答えた。

西村氏は、「外ではマスコミも、検察庁も、そして弁護団も熱気に煽《あお》られているんだろうけど、君は意外に冷静なんだね」とつぶやいた。このときから西村氏と私の間では、国策捜査とは何であるかについて、ときおり議論するようになった。

国策捜査は「時代のけじめ」をつけるために必要だというのは西村氏がはじめに使ったフレーズである。私はこのフレーズが気に入った。

「これは国策捜査なんだから。あなたが捕まった理由は簡単。あなたと鈴木宗男をつなげる事件を作るため。国策捜査は『時代のけじめ』をつけるために必要なんです。時代を転換するために、何か象徴的な事件を作り出して、それを断罪するのです」

「見事僕はそれに当たってしまったわけだ」

「そういうこと。運が悪かったとしかいえない」

「しかし、僕が悪運を引き寄せた面もある。今まで、普通に行われてきた、否《いな》、それよりも評価、奨励されてきた価値が、ある時点から逆転するわけか」

「そういうこと。評価の基準が変わるんだ。何かハードルが下がってくるんだ」

「僕からすると、事後法で裁かれている感じがする」

「しかし、法律はもともとある。その適用基準が変わってくるんだ。特に政治家に対する国策捜査は近年驚くほどハードルが下がってきているんだ。一昔前ならば、鈴木さんが貰《もら》った数百万円程度なんか誰も問題にしなかった。しかし、特捜の僕たちも驚くほどのスピードで、ハードルが下がっていくんだ。今や政治家に対しての適用基準の方が一般国民に対してよりも厳しくなっている。時代の変化としか言えない」

「そうだろうか。あなたたち（検察）が恣《し》意的に適用基準を下げて事件を作り出しているのではないだろうか」

「そうじゃない。実のところ、僕たちは適用基準を決められない。時々の一般国民の基準で適用基準は決めなくてはならない。僕たちは、法律専門家であっても、感覚は一般国民の正義と同じで、その基準で事件に対処しなくてはならない。外務省の人たちと話していて感じるのは、外務省の人たちの基準が一般国民から乖離《かいり》しすぎているということだ。機密費で競走馬を買ったという事件もそうだし、鈴木さんとあなたの関係についても、一般国民の感覚からは大きくズレている。それを断罪するのが僕たちの仕事なんだ」

「一般国民の目線で判断するならば、それは結局、ワイドショーと週刊誌の論調で事件ができていくことになるよ」

「そういうことなのだと思う。それが今の日本の現実なんだよ」

「それじゃ外交はできない。ましてや日本のために特殊情報を活用することなどできやしない」

「そういうことはできない国なんだよ。日本は。あなたはやりすぎたんだ。仕事のためにいつのまにか線を越えていた。仕事は与えられた条件の範囲でやればいいんだよ。成果が出なくても。自分や家族の生活をたいせつにすればいいんだよ。それが官僚なんだ。僕もあなたを反面教師としてやりすぎないようにしているんだ」

西村氏は、自分に言い聞かせるようにそう言った。

鈴木氏が逮捕される直前、西村氏は「鈴木先生だって、納得できないと思うよ。『やまりん』なんて、既に国会質問でクリアーされた事件で逮捕されるんだから」と切り出した。東京地検特捜部が鈴木宗男氏逮捕の突破口にした事件は、北海道の伐採会社「やまりん」から五百万円を受領した斡旋収賄《あっせんしゅうわい》容疑であった。鈴木氏は、「やまりん」から受け取ったのは内閣官房副長官への就任祝いとしての四百万円で、林野庁にも不当な働きかけはしておらず、しかもこのカネは後で返却していたので、賄賂《わいろ》ではないと主張している。私が注意深く耳を傾けると西村氏はこう続けた。

「賄賂だって、汚いのとそうじゃないのがある。鈴木さんの場合はそうじゃない方だ。潰《つぶ》れかけているかわいそうな会社を助けたわけで、道義的には恥ずかしい話じゃない。しかし、賄賂は賄賂だ。この辺は法適用のハードルが低くなってきたんだから、諦《あきら》めてもらわなくてはならない」

「それは諦めきれないだろうな。それに可罰的違法性の観点からも問題があるんじゃないか」

前にも述べたが、可罰的違法性の観点とは、厳密に言えば法律違反だが、誰もがやっていることなので、あえて刑事罰を与えるには及ばないという意味だ。要するに「お目こぼし」の範囲内ということだ。

「可罰的違法性については、一般の公務員が十万円現金で賄賂をもらったら、確実にガチャン（手錠をかけられるの意味）なんで、問題ないよ。以前のように、政治にはカネがかかるという常識を国民が認めなくなったから、『やまりん』でも鈴木さんがやられるようになったんだよ」

「ちょっと表現が違うような気がするな。検察がメディアを煽った効果がでたので、『やまりん』でないところから事件を作ることができるようになったということじゃないかい」

「いや。そんなことはないよ。国策捜査は冤罪《えんざい》じゃない。これというターゲットを見つけだして、徹底的に揺さぶって、引っかけていくんだ。引っかけていくということは、ないところから作り上げることではない。何か隙《すき》があるんだ。そこに僕たちは釣り針をうまく引っかけて、引きずりあげていくんだ」

「ないところから作り上げていくというのに限りなく近いじゃないか」

「そうじゃないよ。冤罪なんか作らない。だいたい国策捜査の対象になる人は、その道の第一人者なんだ。ちょっとした運命の歯車が違ったんで塀の中に落ちただけで、歯車がきちんと嚙《か》み合っていれば、社会的成功者として賞賛されていたんだ。そういう人たちは、世間一般の基準からするとどこかで無理をしている。だから揺さぶれば必ず何かでてくる。そこに引っかけていくのが僕たちの仕事なんだ。だから捕まえれば、必ず事件を仕上げる自信はある」

「特捜に逮捕されれば、起訴、有罪もパッケージということか」

「そういうこと。それに万一無罪になっても、こっちは組織の面子《メンツ》を賭《か》けて上にあげる。十年裁判になる。最終的に無罪になっても、被告人が失うものが大きすぎる。国策捜査で捕まる人は頭がいいから、みんなそれを読みとって、呑《の》み込んでしまうんだ」

私は、政治家に対するハードルが低くなっているということについてもう少し踏み込んで聞いてみた。西村氏は、民主党の山本譲司元衆議院議員の例について述べた。

「山本譲司の件なんか、いい例だと思うよ。あの秘書給与流用なんかみんなやっていることだし、今までの基準では詐欺《さぎ》罪に問えるようなもんじゃなかった。山本さんも逮捕に反発して、はじめの一日は完全黙秘したんだ。ただ、二日目からはよく話すようになった」

「なんで特捜は山本譲司をターゲットにしたの。あの時点で民主党をやっつけないとならない理由があったの」

「そうじゃないよ。あれは山本事務所の中がガチャガチャして、内部告発があったんで、こっちとしても手をつけざるを得なくなったんだ。それに流用した秘書給与でカツラを買っているなんていうのは全く嘘《うそ》だし、山本さんが個人的に使ったカネなんてないんだぜ。カネは全部事務所の運営のために使っていたんだ。マスコミはひどいことばっかり書いて、気の毒だったよ」

「でも実刑になったんだろう」

「そうだよ。検察庁は実刑になるとは予測していなかったんだ。あの判決は意外だった。世論が税金の使い方に厳しくなったことに裁判所が敏感に反応したのだと思う。裁判所は結構世論に敏感なんだ。こっちとしては山本さんは上にあげると思っていたんだが、呑み込んじゃったね」

「高裁に行ったら執行猶予《ゆうよ》をとることができただろうか」

「できたと思う。この山本事件で秘書給与に関するハードルがとっても下がったんだよ。これによって国会議員の秘書給与に対する見方が変わった。そういう意味で『時代のけじめ』をつけたんだよ」

西村氏は、官僚の例として、イ・アイ・イ・インターナショナルの大蔵官僚過剰接待問題をあげる。

「高橋治則（イ・アイ・イ・インターナショナル代表）の事件は覚えているだろう」

「ノーパンしゃぶしゃぶの話だろう」

「そう。それまでカネをもらうと賄賂だが、接待に関しては問題ないというのが官僚の常識だったじゃないか」

「そうだね。しかし、あれで民間とメシを食うことが窮屈になったんで、情報屋の僕らからすると迷惑な話だ」

「それは、情報という特殊な世界の人の常識で、一般国民の常識ではない。検察は一般国民の目で判断するんだ。大蔵には行きすぎがあった。接待を賄賂と認定したのは画期的だったんだが、あのときはこっちが追いきれなかった。上まで捜査を十分に伸ばすことができず、結局、田谷（広明・元東京税関長）、中島（義雄・元主計局次長）を取り逃がしてしまったので、大蔵の体質は十分に変化しなかった。それで、その後ちょっとたってから大蔵では榊原《さかきばら》（隆・元証券局総務課長補佐）の過剰接待、風俗接待のようなしょうもない事件が起こったんだ。

今回のあんたの事件でも東郷を取り逃がしてしまったけれどね。でも、うちが大蔵をあげる事件をしなければ、金融と財政の分離もなければ、大蔵省の財務省への再編もなかったぜ。大蔵省の機能を転換するためにあの国策捜査はひとつの『時代のけじめ』をつけたんだ」

ケインズ型からハイエク型へ

西村氏の説明には確かに説得力がある。私が逮捕、起訴され、その後も勾留《こうりゆう》されているのは、佐藤優と鈴木宗男を絡《から》める事件を作り、現下の政官の関係を摘発、断罪し、検察官のことばでいうところの「時代のけじめ」をつけるためだ。ここまではそれほど難しい操作を経ずにも分析できる。問題はその先だ。なぜ、他の政治家ではなく鈴木宗男氏がターゲットにされたかだ。それがわかれば時代がどのように転換しつつあるかもわかる。私は独房で考えをまとめ、それを取り調べの際に西村氏にぶつけ、さらに独房に持ち帰って考え直すということを繰り返した。

その結果、現在の日本では、内政におけるケインズ型公平配分路線からハイエク型傾斜配分路線への転換、外交における地政学的国際協調主義から排外主義的ナショナリズムへの転換という二つの線で「時代のけじめ」をつける必要があり、その線が交錯するところに鈴木宗男氏がいるので、どうも国策捜査の対象になったのではないかという構図が見えてきた。

小泉政権の成立後、日本の国家政策は内政、外交の両面で大きく変化した。森政権と小泉政権は、人脈的には清和会（旧福田派）という共通の母胎から生まれてはいるが、基本政策には大きな断絶がある。内政上の変化は、競争原理を強化し、日本経済を活性化し、国力を強化することである。外交上の変化は、日本人の国家意識、民族意識の強化である。

この二つの変化は、小手先の手直しにとどまらず、日本国家体制の根幹に影響を与えるまさに構造的変革という性格を帯びている。それと同時に、私の見立てでは、この二つの変化は異なる方向を指向しているので、このような形での路線転換を進めることが構造的に大きな軋轢《あつれき》を生み出す。この路線転換を完遂するためにはパラダイム転換が必要とされることになる。

内政上の変化についてもう少し掘り下げてみたい。「小さな政府」、官から民への権限委譲、規制緩和などは、社会哲学的に整理すれば、「ハイエク型新自由主義モデル」である。このモデルでは、個人が何よりも重要で、個人の創意工夫を妨げるものは全《すべ》て排除することが理想とされる。経済的に強い者がもっと強くなることによって社会が豊かになると考える。

それでは、経済的に強い者と弱い者の関係はどのように整理されるのだろうか。強者が機関車の役割を果たすことによって、客車である弱者の生活水準も向上すると考えるのである。

鈴木宗男氏は、ひとことで言えば、「政治権力をカネに替える腐敗政治家」として断罪された。

これは、ケインズ型の公平配分の論理からハイエク型の傾斜配分の論理への転換を実現する上で極めて好都合な「物語」なのである。鈴木氏の機能は、構造的に経済的に弱い地域の声を汲《く》み上げ、それを政治に反映させ、公平配分を担保することだった。

ポピュリズムを権力基盤とする小泉政権としても、「地方を大切にすると経済が弱体化する」とか「公平配分をやめて金持ちを優遇する傾斜配分に転換するのが国益だ」とは公言できない。しかし、鈴木宗男型の「腐敗・汚職政治と断絶する」というスローガンならば国民全体の拍手喝采《かっさい》を受け、腐敗・汚職を根絶した結果として、ハイエク型新自由主義、露骨な形での傾斜配分への路線転換ができる。結果からみると鈴木疑惑はそのような機能を果たしたといえよう。

ここまでの分析については、西村氏も全面的に同意見であった。

西村氏は、「自民党の政治には、日本的な社会主義の要素があると思う。公共事業も、その本質においては公平配分を担保するためのものと思う。鈴木さんの場合、政治資金が大きいといっても、それは幅広く集めているからで、個々の政治献金の額は小さい。だから今までは贈収賄として摘発することができなかった。

しかし、基本的な構造は、政治の力をカネに替えることで、それが社会的機能としては公平配分を担保しているとしても断罪しなくてはならないという時代状況がやってきたということなのだろう。小泉路線は、当事者がどう認識しているかは別として新自由主義的な傾斜配分路線をひたすら走っていることは間違いない。鈴木さんは時代に遅れた」と語った。

鈴木宗男氏を断罪することの背後には、このような社会・経済モデルの転換がある。しかし、この要因だけならば、鈴木氏以外の多くの政治家がそのターゲットになりうる。橋本龍太郎元総理や森喜朗《よしろう》前総理でもよかったわけだ（もっとも、二〇〇四年に日本歯科医師連盟による政治献金問題で、橋本氏や野中広務《ひろむ》元幹事長がターゲットとされ、政治的影響力を失っていった背景にも公平配分路線から傾斜配分路線への転換があると見れば、公平配分路線を堅持する政治家は遅かれ早かれ政界から排除されるという力が確実に作用している）。

しかし、鈴木氏が余人をもって替えがたいターゲットとなったことは説明できない。ここに別の要素、つまり排外主義的ナショナリズムの昂揚《こうよう》があると私は考えた。

「国際協調的愛国主義」から「排外主義的ナショナリズム」へ

私は、他の公平配分型政治家にない鈴木氏独自の要因として、同氏が最も得意とする外交に焦点をあててみた。

誰もが自分の国家、民族を愛する気持ちをもっている。戦後のぬるま湯の中で育った日本人は、政治家であれ官僚であれ、はじめはナショナリズムや愛国心についてはあまり自覚をもたない。しかし、外交官になったり、また政治家としてある程度のキャリアを積み、国際政治や外交案件に従事するようになると国家意識、民族意識を強くもつようになる。

外交に触れたばかりの政治家は極端な自国中心主義、排外主義的なナショナリズムに陥りやすいが、だいたいこれは一時的現象で、国際政治の現実に対する認識を深めると、極端な自国中心的ナショナリズムが日本の国益を毀損《きそん》するとの認識も強くもつようになる。

ナショナリズムには、いくつかの非合理的要因がある。例えば、「自国・自民族の受けた痛みは強く感じ、いつまでも忘れないが、他国・他民族に対して与えた痛みについてはあまり強く感じず、またすぐに忘れてしまう」という認識の非対称的構造だ。また、もうひとつ特筆すべきは、「より過激な主張がより正しい」という法則である。

国際協調主義と両立する健全な愛国主義（パトリアティズム）と自国中心・排外主義的ナショナリズムの境界線はひじょうに脆《もろ》い。

排外主義的ナショナリズムでは、民族的帰属によって人間を区分し、民族が国家と一体になり、あたかも意思をもった主体であるかの如《ごと》く行動する。これを社会哲学的には「ヘーゲル型有機体モデル」と定義することができる。要するに民族とは一匹の動物のようなもので、ある人は頭、ある人は心臓、ある人は尻尾《しっぽ》というようにそれぞれの持ち場があるが、どれか一つでも切り離しては意味をもたないという考え方だ。

日本国家（例えば虎《とら》）にとって、それぞれの人が日本人であるということ（虎の頭、心臓、尻尾等）だけで、他の外国人（熊《くま》の頭、心臓、尻尾等）と本質的に区別される。

排外主義的ナショナリズムを野放しにするとそれは旧ユーゴやアルメニア・アゼルバイジャン紛争のような「民族浄化」に行き着く。東西冷戦という「大きな物語」が終焉《しゅうえん》した後、ナショナリズムの危険性をどう制御するかということは、責任感をもった政治家、知識人にとっては最重要課題と思う。

国際協調を考慮し、時には自国中心のナショナリズムを抑えることが日本の国益を増進することもある。真に国を愛する政治家、外交官はこのことをよくわかっている。橋本龍太郎、小渕恵三、森喜朗の三総理、鈴木宗男氏は排外主義的ナショナリズムが日本の国益を毀損することをよく理解していた。それだからこれらの政治家は、第二章で説明した「地政学論」を採用し、推進したのである。

北方領土問題について、鈴木宗男氏、東郷和彦氏と私は、「四島一括返還」の国是に反する「二島返還」、あるいは「二島先行返還」という「私的外交」を展開したと非難されたが、これは完全な事実誤認に基づくものだ。前に述べたように、鈴木氏、東郷氏、私の考え方は、歯舞《はぼまい》群島、色丹《しこたん》島、国後島、択捉《えとろふ》島に対する日本の主権（もしくは潜在主権）を確認した上で平和条約を締結するという基本線から外れたことは一度もない。ただ、ロシアと現実的に嚙《か》み合う交渉について種々の工夫をしたに過ぎない。この工夫なくして外交は成り立たない。

しかし、事実誤認に基づく非難がこれほどまでに国民世論を搔《か》き立てたことについては冷静に分析する必要がある。北方領土問題について妥協的姿勢を示したとして、鈴木氏や私が糾弾された背景には、日本のナショナリズムの昂揚がある。換言するならば、国際協調的愛国主義から排外主義的ナショナリズムへの外交路線の転換がこの背景にある。

鈴木バッシングの過程で昂揚したナショナリズムは、その後の日朝国交正常化交渉にも大きな影を落とすことになる。このような排外主義的ナショナリズムの昂揚が、日本の国益に合致するかどうかについても冷静に検討しなくてはならない。私は、それは国益に合致しないと考えるのだが、そのような声は現下の状況では聞き入れられないであろう。

鈴木宗男氏は、「公平配分モデル」から「傾斜配分モデル」へ、「国際協調的愛国主義」から「排外主義的ナショナリズム」へという現在日本で進行している国家路線転換を促進するための格好の標的になった。鈴木氏をターゲットとしたことによって、二つの大きな政策転換が容易になったと言っても過言ではない。このように整理すれば、鈴木疑惑の背景にある構造が見えてくるようになる。

そして今回の路線転換がこのまま進めば、同一土俵上の軌道修正ではなく、ゲームが行われる基盤自体を替えるパラダイム転換を引き起こす。「鈴木政治」を断罪することで、パラダイム転換に向けての流れが一挙に加速したように、私には見える。


このような私の見方に対して、西村氏は一応の理解を示したが、内政上の「時代のけじめ」に関する私の説明に較《くら》べれば、腹にストンと落ちなかったようであった。

「僕は外交の深いところはよくわからないからな。確かにナショナリズムが強化されているとは思う。それに君の事件を巡っても、瀋陽《しんよう》総領事館の事件（北朝鮮人の亡命者を日本総領事館が受け入れようとしなかった事件）でも、外務省は面倒なことには誰も触りたがらず、フニャフニャしていて、そのくせ外交特権に安住していることに対して国民には激しい憤《いきどお》りがある。しかし、それが排外主義的ナショナリズムにつながるということとはちょっと違うような気がする」

「西村さん、僕が言っているのは、個々の事例を超えた、いわば空気の問題なんだ。自国の外交官がだらしない、国を売っているという声が出てくるときは、その背景に必ず排外主義的ナショナリズムの昂揚があるんだよ」

「それは認めるけど、そこから鈴木さんに結びつけるのは、ちょっと無理があるんじゃないかな。むしろ鈴木先生のすぐ怒鳴るとか、自分の後援者に強引に仕事を落とさせるとかいう、先生本人としては普通のこととして、実のところ相当乱暴なことをしても気付かないパーソナリティーに鈴木さんがターゲットになった要因があったように思える」

この辺は、検察官と外交官の視座の違いなのだろう。私も大きな事件が起きるとき、当事者のパーソナリティーは少なからぬ役割を果たすことがあると考える。例えば、九三年十月、戦車が国会議事堂に大砲を撃ち込んだモスクワ騒擾《そうじょう》事件は、エリツィン大統領の個性抜きにはありえない悲劇だった。しかし、パーソナリティーが問題となる前に、そこに存在している時代状況を解明することが分析専門家として必要な洞察力なのだと私は考える。

鈴木氏が国策捜査の対象となった大きな要因は、この二つだという見立てでまず間違いない。そして鈴木氏のパーソナリティー、さらに第二章で述べた田中眞紀子《まきこ》女史との対決が、国民の目線から悪役鈴木宗男を形成する上で大きな役割を果たした——。

ここまで分析を進めたところで、私はもういちど壁に突き当たった。それは鈴木氏が国策捜査の対象となった二つの要因が、私の見立てでは異なるベクトルを指向していることだ。

内政上の転換の基礎となる「ハイエク型新自由主義モデル」と「ヘーゲル型有機体モデル」は基本的に両立できない。なぜなら、ハイエク型新自由主義モデルでは、究極的には外部に対する「窓」を持たない個人が基礎単位となるのに対して、ヘーゲル型有機体モデルでは個人ではなく民族や国家が基礎単位となるからである。頭、心臓、尻尾が基礎単位ではなく、虎、熊といったそれぞれの動物が基礎単位になる。だからヘーゲル型有機体モデルでは、日本国家（国民）、中国国家（国民）、アメリカ国家（国民）を基本に論理を組み立てる。

一方、ハイエク型新自由主義モデルでは、強い者が日本人である必然性はない。規制緩和は外国人に対しても完全に開かれている必要がある。そしてこの新自由主義モデルを徹底すると国家も民族も必要なくなる。

本来、両立しえない二つの目標を掲げ、現在日本の政策転換が進められているように私には思えてならない。この絶対矛盾が自己同一を達成し、新たなパラダイムを構築するのであろうか。それとも、この矛盾が解消されず、現在断罪されつつある鈴木氏に代表される公平配分路線、国際協調的愛国主義の価値がもう一度見直されることになるのか。この点について最終回答を出すのは時期尚早だ。

「あがり」は全《すべ》て地獄の双六《すごろく》

国策捜査について考察を進めるうちに、私は「国策捜査」が「冤罪事件《えんざい》」とは決定的に異なる構造をもつことに気付いた。

冤罪事件とは、捜査当局が犯罪を摘発する過程で無理や過《あやま》ちが生じ、無実の人を犯人としてしまったにもかかわらず、捜査当局の面子《メンツ》や組織防衛のために自らの誤りを認めずに犯罪として処理する。従って、犯人とされる人は偶然、そのような状況に陥《おとしい》れられてしまうのである。

これに対して、国策捜査とは、国家がいわば「自己保存の本能」に基づいて、検察を道具にして政治事件を作り出していくことだ。冤罪事件と違って、初めから特定の人物を断罪することを想定した上で捜査が始まるのである。

そして検察はターゲットとした人物に何としても犯罪を見つけだそうとする。ここで犯罪を見つけだすことができるとすれば、それが微罪であるとしても、検察は犯罪を摘発したわけだから、検察が犯罪をデッチあげたわけではない。国民は拍手喝采する。他方、どうしてもターゲットに犯罪が見つからない場合はどうするのか。理論的には検察は事件化を諦《あきら》める。しかし、世の中は理論通りには進まない。そのときは検察は事件を作るのである。この場合も国民は拍手喝采して検察の「快挙」を讃《たた》える。

要するに一旦《いったん》、国策捜査のターゲットになり、検察に「蟻《あり》地獄」を掘られたら、そこに落ちた蟻は助からないのである。だからこのゲームは「あがり」は全て地獄の双六なのである。このような「体験的国策捜査観」を私は率直に西村検事にぶつけてみた。

「君の言う、『あがり』は全て地獄の双六という表現は、とってもいいし、正しいと思うよ。ただし、いつも言っていることだけど、僕たち（特捜部）は、冤罪はやらないよ。ハードルを下げて、引っかけるんだ。もっとも捕まる方からすると理不尽だと思うだろうけどね」

「なかなか『悪かった』と謝る気持ちにはならないだろうね。強いて言うならば『悪かった、悪かった、運が悪かった』ということだろうな」

「アハハ。そうそう運が悪い。ただね、国策捜査の犠牲になった人に対する礼儀というものがあるんだ」

「どういうこと」

「罪をできるだけ軽くすることだ。形だけ責任をとってもらうんだ」

「よくわからない。どういうこと」

「被告が実刑になるような事件はよい国策捜査じゃないんだよ。うまく執行猶予《ゆうよ》をつけなくてはならない。国策捜査は、逮捕がいちばん大きいニュースで、初公判はそこそこの大きさで扱われるが、判決は小さい扱いで、少し経《た》てばみんな国策捜査で摘発された人々のことは忘れてしまうというのが、いい形なんだ。国策捜査で捕まる人たちはみんなたいへんな能力があるので、今後もそれを社会で生かしてもらわなければならない。

うまい形で再出発できるように配慮するのが特捜検事の腕なんだよ。だからいたずらに実刑判決を追求するのはよくない国策捜査なんだ」
「それにしては、中村喜四郎（元建設相）、山本譲司（元民主党衆議院議員）、中尾栄一（元建設相）、村上正邦（元労働相）と国策捜査では実刑ばかりが続くじゃないか」
「中村喜四郎の場合は、過激派みたいにほんとうに黙秘するもんだからこっち（検察）だって『徹底的にやっちまえ』という気持ちになるよ。それ以外については、どうして実刑になったかは、実のところ僕にもよくわからないんだ。むしろ政治家に対して裁判所の姿勢が厳しくなっていることの方に理由があると思う」

西村氏の説明は検察官の内在的ロジックをよく言い表している。もっとも私がそのロジックに付き合う必要はない。国策捜査を批判する場合には、検察側の論理構造をよく押さえた上で、それと噛み合う批判をしなくては意味がない。一部に最近、国策捜査が頻発していることを「検察ファッショ」と呼び、この状況を放置すれば戦前・戦時中のように広範な国民の権利自由が直接侵害されるような事態になると警鐘を鳴らす向きもある。

しかし、私の見立てでは、この批判には論理的飛躍がある。最近、検察が政治化していることは事実だ。しかし、国策捜査との絡《から》みでは、その政治化が広範な国民に危機を及ぼすには至っていない。国策捜査のターゲットとなるのは、一般国民ではなく、第一義的に国家の意思形成に影響を与える政治家で、その絡みで派生的にそのような政治家と親しい関係をもつ官僚や経済人だ。一般国民は、むしろ検察に対して「もっとやれ」とエールを送っているのである。より正確に言うならば、一般国民からの応援を受けることができるように検察が情報操作工作を行っているのである。

だが、そのような情報操作工作によって、逆に国民の検察に対する期待値が上がり、その期待に応《こた》えるために国策捜査で無理をするという循環に検察が陥っている。この構造が当事者である検察官、被告人、司法記者にはなかなか見えないのである。

ハンスト決行

さて、前に述べたように、私が日経新聞朝刊（二〇〇二年六月八日付）に国後島ディーゼル発電機供与に関する疑惑報道が掲載されたことを六月十日に指摘した後、西村氏は断片的な質問を二つ三つしたことを除けば、この件に関する取り調べを中止した。その後、ディーゼル案件についての取り調べは六月二十一日に再開されるのだが、それまでは、私のカネの流れについての整理と国策捜査に関するかなり突っ込んだ意見交換を行った。

その間、他の特捜検事が前島氏や三井物産関係者に対する取り調べを鋭意進めていたようである。六月十三日付朝日新聞朝刊にも、私が主導し三井物産に入札価格を漏洩《ろうえい》したという趣旨の記事が出た。さらに、同日、外務省人事課から私に対して三井物産への価格漏洩の有無について弁護人を通じて照会があった。

私はその日の夜の取り調べで西村氏に、「外務省からの照会は、検察庁の動きと連動しているか」と質《ただ》した。西村氏は「新聞記事に関しては検察のリークではなく、前島の弁護人が前島によい席をとらせるためにやっているのだろう」という見方を示したが、外務省からの照会に関しては「捜査妨害だ。外務省に文句を言ってくる」と憤慨して、一時席をはずした。

翌日、西村氏から、「外務省からの照会は検察庁とは何の関係もない。外務省はあなたを懲戒免職にしたいので、ちょっとでも引っかかりそうなことがないかと聞いてきたんだ。別に答える必要はないよ」という説明があった。

当然のことながら私は、三井物産絡みで検察がどのような絵柄を作っているのかが気になる。しかし、西村氏はこの件については何も言わなかった。

西村氏は、鈴木宗男氏の逮捕が近付いてきていることについて、私に情報を流してくる。たとえば、六月十三日には、「僕たちは鈴木さんを『やまりん』でやろうと思っている。『やまりん』本体は鈴木さんに遠慮しているが、子会社の方はもうもたない。あと二週間くらいで逮捕だろう。時の流れは検察に有利だ」という情報を流してきた。

私はこれらの情報を正確に弁護人に伝える。「クオーター化の原則」に基づいて弁護団は活動しているので、私の方に鈴木氏の様子や外部での報道は伝わってこない。しかし、毎日の面会で、弁護人の緊張感が日に日に高まってくることを感じた。

私は鈴木氏の逮捕に備えて、弁護人に鈴木氏宛《あて》のメッセージを託し、同時に鈴木氏の逮捕に抗議して四十八時間のハンストを行うとの決意と声明案を伝えた。弁護人は、私の健康状態がよくないこととハンストという時代遅れの手法が検察と拘置所を極度に刺激するとの理由で強く反対した。しかし、私は譲らなかった。

六月十六日、夜の歌番組の合間に流れたラジオニュースで、この日、東京地検特捜部が鈴木宗男氏に対し、『やまりん』への斡旋収賄《あっせんしゅうわい》容疑で事情聴取を行ったことを知った。前に述べたように、拘置所はラジオで、朝七時のNHKニュースを正午に、正午のニュースを午後七時に厳重な検閲をした上で流すので、この放送では鈴木氏関連の情報は隠されているが、生放送の歌謡曲番組の途中で流れる情報は検閲から漏れている。このニュースをきちんと聞いてメモにつけていると外界の様子が相当つかめるのである。

六月十七日の取り調べの際に私は西村氏に「鈴木先生の逮捕は秒読みに入っていると思うんだけれど、検察としては三井物産絡みで何か事件を作ろうと考えているのか」と端的に尋ねた。

西村氏は「現時点で僕はディーゼル班には入ってないので、何とも言えないんだ」と答えた。

翌十八日朝、弁護人から「明日、衆議院が逮捕許諾を承認するので、鈴木さんは明日からは東京拘置所に住むことになる」という話があった。私は鈴木氏に、「この中での生活は、心を鬼にすることでは続けられない。鈴木先生自身が本物の鬼になることだ」とのメッセージを伝えた。それと同時にハンストを決行するので、新聞記者に声明を流して欲しいと頼んだ。

この日の取り調べで、私は鈴木宗男氏の逮捕に抗議して、明日から四十八時間のハンストに入ることを西村氏に伝えた。

同時にハンスト声明の内容について、「鈴木宗男氏の逮捕に抗議してハンストに入る。ここで不当逮捕と言っていないことに注目して欲しい。僕の逮捕にせよ鈴木さんの逮捕にせよ、検察には検察の理由があるのだろうから、それが不当だったかどうかは判決が確定してからしか言えない評価の話なので、あえて不当の文字を入れていない。だが、鈴木さんの逮捕に抗議する政治的権利は勾留《こうりゅう》されている僕にもあると理解している。

それから、僕も鈴木さんも歴代総理の命令に従って、日露平和条約を締結するという国策のために走っていたんだけれど、それが今度は新たな国策で潰《つぶ》されようとしているのだということは訴えておきたい。僕は不意打ちは嫌いなのでこのことは検察庁に事前に伝えておく」と言った。

西村氏は浮き足だって、「ちょっと連絡してくる」と言って席を外した。西村氏が席に戻ってきてから次のようなやりとりがあった。

「教えてくれてどうもありがとう。うちの上の方はたいへんだ。『何、ハンストだと』とだいぶ興奮している。そうすると明日、明後日は、取り調べは拒否ということだね」

「そうさせてもらう。金曜日（六月二十一日）の夕刻以降だったら応じるよ」

「じゃあそうしよう。身体《からだ》こわさないように気をつけてね。鈴木さんに対するあなたのスタンスをこれではっきりさせるわけだね」

「そういうこと」

六月十九日の夕食から、私はハンストに入った。担当の職員には事前にハンスト入りを通報した。看守から「うち（拘置所）としては、食事の受け取り自体を拒否されるよりも、あなたが食事を一旦受け取り、手を付けないで返すという方が助かる」ということだったので、そのことばに従った。拘置所職員が神経を張りつめていることを肌で感じる。拘置所の就寝時間は午後九時で、午前七時の起床まで十五分に一回巡回するのが規則だが、ハンスト中は五分に一回は私の様子を見に来る。独房で、ハンスト中に旧約聖書を通読するとの目標を決め、弁護人との面会時間以外は一日中、小机に向かっているのだが、ちょっと独り言を言うと看守がすぐに飛んでくる。

ハンスト二日目、三日目には、幹部職員が訪問してきて、「生意気な職員はいないか」、「処遇に不満はないか」と聞いてくる。私は「筋を通したいので、先生方にはいろいろ御迷惑をかけ、恐縮しています」と答えると、幹部職員は「とにかく、体調を崩さないように。水分だけはきちんととってください」と言う。医務の職員も血圧を測りに来る。六月二十日の夕食は、麦飯、チキンカレー、カリフラワー・ブロッコリ・人参《にんじん》の水煮、らっきょうだったが、それにバナナがついてきた。もちろん食事には一切手を付けなかったが、バナナはもったいないので、ハンスト後に食べることにして独房の隅に置いた。このバナナを見ると食欲が猛烈に刺激される。

その晩、夢を見た。夢の中で私はバナナを食べていた。朝、目が覚めると、夜中に思わずバナナを食べたのではないかと不安になった。部屋の隅を見ると、バナナが無事残っていた。四十八時間のハンストを終え、消化によいと思ってまずバナナを食べたが、激しい下痢をした。胃腸が相当弱っていたようである。

拘置所規則では、自殺未遂をはじめとする自傷行為は重大な規律違反である。ハンストは当然自傷行為に含まれるので、大きな問題になった。私はハンスト後、拘置所側の私に対する対応が厳しくなるものと想定していた。しかし、想定とは逆の方向に、ハンストを契機に私に対する拘置所職員の対応が本質的に変化し、人間的温かさを感じるようになった。ハンストが終わったとき複数の看守から「体調は大丈夫かい。あんたの誠意は宗男さんに通じたよ」と言われた。更にしばらく経《た》ってからある若い拘置所職員に「ハンスト宣言をする人はときどきいるんですけど、本当に何も食べない人は珍しいですよ。佐藤さんはほんとうに食べなかったんですってね。筋を通すっていうのは立派なことですよと僕たちは話しています」と言われた。私がハンストという時代遅れの手法で筋を通したことをイキに感じた拘置所職員たちがいたことは確かだ。ハンスト後、拘置所職員と踏み込んだ話をすることが多くなった。

後に西村氏から、「あのハンストは政治的にとても上手だったと思うよ。もってるカードの中で最大の効果をあげることができた。まず、自分の逮捕でハンストをすれば、世間からは一種の『わがまま』としか受け止められない。それを他人のことに絡めてする。また、声明文も激昂《げっこう》した調子ではない。あなたが意識する『思考する世論』に関心をもたせるという点ではいちばん効果的だ。しかもこのカードを一回しか切らない。それだから逆に世論への印象が強い。『宗男のためにハンストした男』というコピーがずっとついてまわる。あなたは実によく計算しているよ」との評価を聞いた。

恐らく、この事前通報に対する見返りなのだろう。この日の取り調べで西村氏は三井物産絡みで重要なヒントを私にくれた。

「三井物産についてなんだけれど、こっちとしてはあなたを疑っている」

「冗談じゃない。僕は何もやっていないぜ。テルアビブのときのように、あなたたちが周囲を固めておいて、最後に残った真っ黒い穴に入れと言っても今度は断る。西村さんと話しているとこっちが引きずられる危険性があるから、今度は房籠《ご》もり、供述拒否だ」

「『穴に入れ』とは言わないよ。ただこっちで証拠を集めていって、その結果、これはどうしようもないなということになったら、『穴に入った方がいいよ』と勧めることはあるかもしれない」

「そういう勧めは断る」

「まあそう言わないで。まだ取り調べの時期じゃないよ。データを揃《そろ》えている段階だ。それに誰が取り調べるかも決まってないしね」

検察は本気だ。三井物産、鈴木氏、私を結びつけるどういうシナリオを検察が作ろうとしているのか。独房生活では、何か一つのことにこだわりをもつと、それが思考の中で急速に肥大する。この頃になると私も独房生活のコツを少し身につけた。悪いシナリオについてはあまりくよくよ考えず、具体的に危機が迫ったところで知恵を巡らすことだ。

「前島供述」との食い違い

六月二十一日、四十八時間のハンスト後、初めての夕食を堪能《たんのう》し、独房で横になっていると、看守がガチャガチャと鍵《かぎ》を開け、「調べ」と言った。

さて、鈴木氏の逮捕を受け、検察は私にどのように対峙《たいじ》してくるのであろうか。取調室に入るなり、西村氏は、「鈴木先生は元気にしているよ。大きな声で取り調べに応じている。取り調べを担当している谷川副部長も『鈴木さんはいい人だ』と言っている」と参考情報を提供してきた。

その上で、「僕が三井物産の関係についても取り調べることになった。ディーゼル班に組み入れられることになったんだ。これからは取り調べ時間が長くなるかもしれないが、協力して欲しい」と言った。

私は「西村さんが相手ならば応じよう」と、その申し出を受けることにした。そして、その日から細かい取り調べが始まったのだった。西村氏の細かい質問に答え、第三章で述べた北方四島におけるディーゼル発電事業と私の絡みについて、実態ベースで詳細に話した。西村氏はそれを淡々と聞き、メモをとっていった。

六月二十四日に私の方から、「そろそろあなたたちの絵柄を教えて欲しいのだけれど」と水を向けると、西村氏は次のように述べた。

「まず、三井物産が談合をし、不正が行われていたことは確実だ。第二に、鈴木さんがディーゼル入札を巡り、何らかの動きをしていた蓋然性《がいぜんせい》が高い。第三に前島が入札価格を漏らしたことも確実だ。第四に、それならば前島の動機は何なのかということになる。佐藤チームの仕事か、それとも前島の個別利益かということになる。第五に、鈴木さんと三井物産をつなぐルートがどうなっているのか確定しなくてはならない。三井―前島―佐藤―鈴木という流れなのか、三井―前島―支援室―鈴木なのか、まだ見えてこない。今のところはこんな絵柄だよ」

「前島は何て言っているの」

「涙の訴えをしている。『佐藤が会合でディーゼルは俺が仕切っていると言っていた。全《すべ》て佐藤の指示でやった』と言って泣いている」

「そんな話を聞くとこっちも泣きたくなるな。僕も涙の訴えでもしてみようか」

「もう。そういうこと言うんだから」

「取り調べ状況について、弁護人に言って毎日、司法クラブと霞《かすみ》クラブにファックスを流してもらうようにするか」

「あなたならやりかねないので恐ろしい。ファックスとか獄中手記とか、ハンスト、房籠もりとか、そういう面倒な話はもういいかげんにやめて欲しい。僕だってあなたのためにできるだけ良心的に取り調べをしていることをわかってほしい」

「それはよくわかっている。だから正直に供述しているじゃないか」

「しかし、僕の立場としてはあなたの話を聞いて『はいそうですか。わかりました』とは言えないんだ。現時点で僕が言えることは、君の供述と前島の供述が完全にぶつかっているということだけだ」

六月二十五日の取り調べでは、前島氏が検察庁に対して追加上申書を提出したとの話を聞いた。西村氏によれば、「前島の上申書では、佐藤の前でわれわれキャリアは怖くて何も言えないような状態だったということだ。外務省もこの流れに乗っかろうとしている。しかし、どうも僕の腹にストンと落ちないんだ。前島の話を聞いていると、その片鱗《へんりん》からあなたとけっこう楽しく仕事をしていたような感じがするんだな。怖くて何も言えなかったというような感じじゃない」ということだった。

「西村さん、僕がほんとうに怖く見えるかい」

「それは怖いよ。意思力が強いし、それに格好をつけるからね。プライドが高いんだよ」

「そんなことないよ。プライドなんかないよ、ほんとうに。僕は気が弱いんだ。それに格好なんかつけていないよ」

「いや、格好をつけている。もう、面倒なんだから」

「取り調べ状況のメモは毎日上にあげているんだろう。上はどう反応している」

「『西村、どうして佐藤の取り調べを宇宙の果てみたいなところでやってるんだ。もっと中心に引き寄せろ』と言われる。僕は、『僕が宇宙の果てみたいなことを言っているんじゃなくて、佐藤が言っているんです』と言うんだが、みんなとても嫌な顔をしている。ディーゼル班の部屋にはあまり寄りつかないようにしているんだ」

「背任だって呑《の》み込んだし、今回だって正直に話しているんだから、立派な供述態度じゃないか」

「それはうち（特捜）では立派な供述態度じゃないの。立派な供述態度というのは、まず罪を認めて『ゴメンナサイ』して、それから反省していますというのを言うの。あなたの供述態度はそれからほど遠い。だから背任だって、僕は『ゴメンナサイ』とか反省していますなんてことばは一言も書かなかったじゃない。できるだけあなたの考えに近づけて調書を作ったつもりだぜ」

「それには感謝している。しかし、西村さんはどうして謝罪や反省を僕に言わせようとしないんだい」

「公判になってからあなたがどういう態度を取るかが目に浮かぶからだ。そのとき調書にゴメンナサイとか反省とかあなたの態度とかけ離れている文言があると任意性に疑念が生じるというのが周囲に対する説明。だけど、あなたの心情も少しは反映させたいと思っているんだぜ」

「前島の話のどこがストンと腹に落ちないんだい」

「同一犯罪者の手口はだいたい同じなんだよ。背任のとき、あなたは鈴木さんや東郷などいろいろな人を巻き込んで、話を大きくするなかで自分の目的を達成した。ディーゼルは、あなたは黒幕に回りこそこそ画策しているという絵柄なんだけど、これはあなたの手口じゃない。

そもそも前島と三井物産におかしな関係があるということにいちばん最初に気付いたのは僕なんだ。支援室の連中を調べたときにそういう話が聞こえてきて、ここには何かあると思った。あなたの影が全然でてこないんだよ。あなたから鈴木さんにカネがいっていれば実に面白い話になるんだけど、そんな感じがしないんだな」

「カネなんかいってないよ」

「ほんとうだな。三井が蓋《ふた》を開いて、物証が出てきたら、覚えていろ。徹底的にやってやるからな」

「心配しないで大丈夫だよ、僕経由でカネなんかいってないよ」

「とにかくこっちは人を疑うのが仕事なんだ。あなたを信頼していて、もし裏切られたら、僕は傷ついてほんとうにどういう暴れ方をするかわからないからね。お金が鈴木さんのところにいっていたら、ほんとうに教えてね」

「いってないって」

後に独房で私は弁護人から差し入れられた偽計業務妨害関連の供述調書の写しを読んだ。前島氏が何度も「佐藤が飯野（政秀）に鈴木代議士のところにあいさつに行けと言ったのは謝礼をもっていけという意味と思いました」との供述をしていることを知り、私は愕然《がくぜん》とした。このような前島供述がある以上、検察庁の一員として西村氏に期待されていたのは、私から「三井物産から鈴木宗男にカネがいっている」という供述をとることだったが、西村氏は無理な取り調べをしなかった。

再逮捕への筋書き

西村氏は、鈴木氏の動静についていろいろ参考情報を提供してくれた。当時のメモから興味深い部分を抜き出してみよう。

〈鈴木先生はだいぶ参ってきている。もともと活動的な人なんで、ここでの生活が退屈なんだと思うよ。今は『新聞を読ませろ』と言っている。『やまりん』は片付いた。鈴木さんの供述がなくても乗り切ることができる。鈴木さんが逮捕されたんで企業側の態度が変わった。前にも言ったけど、これは破廉恥《はれんち》事件じゃないよ。かわいそうな人を助けてあげただけだ。それが国策捜査で引っかけられただけだ。運が悪かったと思うしかない〉（六月二十七日）

〈鈴木先生はここでの生活に飽きている。『早く起訴しろ』と言って怒っている。しかし、今は政治家でも保釈は早くならない。田中角栄の時代とは違うんだ。あのときは否認していても二十三日で保釈になった。今では否認していれば第一回公判までは絶対外に出ることはできない。政治家も一般人もハードルは一緒だ。鈴木逮捕によっても世論がおさまらない。議員辞職をすればおさまるかもしれない。それから世論をおさめるためにも外務省、支援委員会と鈴木さんを絡《から》める事件を作らなくてはならない。これは国策捜査の本質に関わる話なんだ〉（六月二十八日）

〈鈴木先生、金曜の夜から月曜の午後まで、だいぶ落ち込んでいたよ。『私はもうだめです』とか言い出して、こっちが心配したんだけれど、月曜の夜からは元気になった〉（七月一日）

〈鈴木さんは感情の起伏がでてきている。喜怒哀楽が激しい。特に娘さんのことが心配なようだ。谷川副部長もこの辺には配慮して無理な取り調べはしていないよ〉（七月三日）

それと同時に西村氏に付与された主要な課題は、私を鈴木氏から切り離すことだった。連日、以下のようなやりとりが続けられた。

「あなたも鈴木宗男先生との関係をもういちど考え直して欲しい。あなたの将来のこともある。ほんとうに真面目《まじめ》に自分のことを考えてみないかい」

「上からそう言えと言われているの」

「それもある。しかし僕自身の考えとしてもあなたは鈴木さんから離れた方がいいと思う。鈴木さんとの関係をもたないで活動した方があなたの才能を生かせるんじゃないだろうか」

「いろいろ心配してくれるのは有り難いけれど、僕は今のままでいくことに決めているんだ」

「そう早く結論づけないで。もういちどよく考えてみなよ。鈴木さんと切れないのかな」

「僕にとって、今の状況で鈴木さんは国益そのものだからなあ。それに個人的心情もあるよ」

「鈴木さんと切れずにハンストなんかするから三井物産の件にしても疑われるんだ。ディーゼル班の連中は、僕を除く全員が鈴木・佐藤の間にはとてつもなく大きな秘密が隠れていると考えているんだ」

「そんなものはないよ」

「そうなんだよな。あなたの供述態度からすると鈴木さんにカネがいっているならば、否認ではなくて、『これは鈴木先生にたいへんな迷惑をかけることになるので僕はなんにも言えない。黙秘します』という対応の筈《はず》なんだ」

「何度も言うけどカネはいってないんだよ」

西村氏は再逮捕が近付いているとのシグナルをかなりストレートに送ってきた。

六月二十七日には西村氏から、「前島供述がある以上、三井事件が成熟すれば、あなたは逮捕される」と言われた。

六月二十九日に西村検事は、「前島の供述をもう一度読み直してみたんだけれど、しっかりしている。かなり早い段階の調書から、佐藤の指示で違法行為に手を染めたということになっている。また、佐藤に相談して入札価格を漏らしたという点についても固い。前島は、『ディーゼルで三井から一つ無理な話を聞いてから、次々と聞いてやらざるを得なくなった。鈴木へのつなぎについては佐藤に依頼するしかなかった』と言っている。こういう前島供述があるので、あなたは共犯として逮捕される。もっとも現時点で前島の話を呑み込めとは言わない。言ってもどうせ呑み込まないだろうから」と言ってきた。

「西村さん、どうして事実と違う話を呑み込まなくてはならないんだ。これじゃ僕が供述しても意味がないじゃないか。こっちの言うことは一切信用しないのか。これが特捜のやり方なのか」

「いや、あなたを信用しないということじゃなくて、話のどことどこをつなぎ合わせていくかということなんだと思う。誰でも仕事をするときにはロマンティシズムとリアリズムがある。北方領土へのディーゼル発電機供与についても日露平和条約というロマンでつないでいくとあなたのような話になる。逆に、人事、出世というリアリズムでつないでいくと前島のようになるんだ。どんなに立派な仕事をするときにも役人には誰でも人事でよい思いをしたいという気持ちは潜んでいるもんだよ」

「僕にはそんな気持ちはなかったぞ」

「………」

「前島が人事でいい思いをしたと言っているけれど、実際にどういういい思いをしたんだ。あいつは出世よりも『こと』の成就《じょうじゅ》に関心をもっていたぜ。ここだけは自信をもっていえる。いったいどんないい思いをしたと言っているんだ」

「本人がいい思いをしたと言っているんだから僕たちにそれを疑う理由はない」

「違う。あなたたちがそういう話を作っているだけだ。背任のときもそうだが、鈴木さんや佐藤の人事への影響力などというのは前島の動機になりえない。それを西村さんはわかっている筈だ。だいたい人事のために犯罪を犯すなんて組み立てをするのがおかしい。あなたたち特捜検事の人事に対する関心が強すぎるからそう見えるんだ」

私も少し言いすぎた。しかし、西村氏はふつうに対応する。

「そうだね。僕たちは人事の話が大好き。特捜の検事が集まると誰がどこに行ったとか、誰はどこに行きそうだとか人事の話が延々と続くよ」

「それで再逮捕のタイミングはいつになるんだい」

「何とも言えないんだけれど、来週中にもありうると見ていてほしい」

その後、翌六月三十日は取り調べが全くなく、七月一日、二日にはディーゼルについて実質的なことは何も聞かれなかった。私はいよいよ再逮捕が近付いたと感じ、探りを入れてみた。

「西村さん、なんで三井関連の取り調べをしないの」

「いま三井について細かいチェックをしても意味がないよ。三井側の蓋が開けばまたやり直しになる」

「蓋は開きそうなの」

「三井は開き始めているけど、まだ大嘘《おおうそ》をついているね。入札価格の漏洩《ろうえい》はないと言っている」

「蓋をこじ開けるということかい」

「人聞きが悪いことを言わないで。熱心にお話しを聞いているということだ。飯野、島《しま》嵜《ざき》の供述と、物証がポイントだね。商社は会食や接触については必ず報告書を作っているからそこから何かでてくるよ」

「それで僕を主犯とする話を作っていくのかい」

「そんなことはない。これまでの調べの流れでも検察のターゲットはあくまでも三井だよ。そこからどうつながるかだ。鈴木先生を含めてね。もちろんカネがでてきて鈴木さんに行きつけば面白いと僕たちは思っているよ。新聞でも佐藤主犯説をとっているのは東京新聞だけだ。これはうち（検察）のソースとは違うよ。そうそう、前島があなたについて不思議なことを言っていたよ」

「なあに」

「前島は、『結局のところ僕はマイホームパパで、佐藤さんのように全《すべ》てを投げ出して仕事をすることはできなかった。佐藤さんは捨て身で仕事をしていた』と言っていたんだけど、僕はその話を聞くとやはり前島君はあなたに今も敬意を払っていると思うんだよ。ただ、自分のロマンについて言うことを前島は諦《あきら》めちゃったんだね。とにかく早くこの事件を片付けて家族と再出発することだけを考えている。供述を変えるつもりもないし、法廷でも証言すると言っている。だからこっち（検察）としても前島証言でいけると思っているんだ」

「前島の選択はそれはそれで尊重するよ。ただ僕は違う選択をした」

「そう結論を急がないで。飯野、島嵜の供述が前島供述についていけば、この流れになるよ」

「それもことばの使い方がおかしいんで、『ついていく』ではなく検察が『ついていかせる』ということなんだろう。相当乱暴な調べをするんじゃないのかい」

「人聞きの悪いことを言うなよ。無茶はしないぜ。ただ、商社はいろいろなことをやっているので、揺さ振れば何でもでてくるからね。その辺の材料もよく集めておいてから、お話しを聞くくらいのことはするね」

「恐ろしい話だね。狙《ねら》われたら誰も逃げることはできないね」

「そういうこと。鈴木先生やあなたとの付き合いがあったんで運が悪かったと諦めることだね」

再逮捕の日

七月二日からアイスクリームの購入が可能になった。冷房のない独房は恐ろしく暑い。アイスクリームは一時半過ぎに配達されるのだが、これは囚人にとって夏の何よりの楽しみだ。七月三日、私は独房で横になりながらアイスクリームの配達を楽しみにしていると、突然、独房の鍵《かぎ》が開いた。看守が「緊急の検事調べがある」と言う。

西村氏が動転した雰囲気で伝えてくる。

「再逮捕になる。もう少し後になると思っていたんだが、三井関係者がもたなくなってきたのでこれから逮捕する」

「この場でかい」

「いや、東京地検で再逮捕する」

「面倒だな。ここではできないのかい」

「できないので、後で東京地検で会いましょう。それから拘置所に戻ってきて簡単な取り調べをします。あなたへの連絡が間に合ってよかった」

　アイスクリームを食べそびれて残念だ。再逮捕されて拘置所に戻って来る頃には溶けてしまうだろうということが何よりも気にかかった。囚人心理とは不思議なもので、再逮捕と食べ物の比重は同じくらいなのである。幸いアイスクリームは看守が冷凍庫で保存していたので、再逮捕後、独房に戻ってからおいしくいただくことができた。これで機嫌がかなりよくなった。

　護送車はマイクロバスで中央が遮光カーテンで仕切られている。私は前の方に乗ったが、後に人の気配がする。恐らく前島氏なのだろう。元気にしているのかと気になったが声をかけることはやめた。

　再逮捕まで、東京地方裁判所地下の仮監で長時間待たされた。嫌な空間だ。後に弁護人から聞いたところでは、再逮捕があまりに突然なので、いつもは検察官の請求に応《こた》えて即時に逮捕状を発行する裁判所が、少し時間をかけた故《ゆえ》に私の仮監詰めも長くなったとのことだ。どれくらい待った後であろうか、仮監の鍵が開いた。屈強な看守三人と責任者一人に囲まれて西村検事の執務室に入る。

西村氏が「どうもどうも。職員の方が四人もいるんですか」と驚いて言う。

「こっちは凶悪犯だからな」と私が答える。

「まあまあ、そういうことをおっしゃらずにおかけになって下さい。ちょっと長いですけれど、これから逮捕状を読みます」と言って西村氏は早口で逮捕状を読み上げ、「まあ、こういう非道《ひど》いことが行われていたので、これから誰がどういう持ち分を果たしたかということを中心に取り調べを進めていきますので、どうぞよろしくお願いします」と述べた。

いつにもまして馬鹿《ばか》丁寧だ。拘置所職員たちもきょとんとしている。西村氏は、「佐藤さんのお考えは既に聞いていますので、弁録（弁解録取書）は『ただいま検察官に聞かされたことについては身に覚えがありません。弁護人は引き続き大室征男、大森一志、緑川由香の三先生にお願いしたいと思っています』ということでいいですね」と聞く。私は「そうです」と答え、署名、指印して儀式は終わった。

独房に戻って夕食をとり、今日の様子について弁護団に宛《あ》てて手紙を書いていると、取り調べの呼び出しがかかった。調室に入るなり開口一番に私がたたみかけた。

「さっきのＮＨＫニュースで、鈴木議員の意向を受けて三井以外は北方四島のディーゼル事業を取れないようにしたのは佐藤で、僕が主犯だというニュースを伝えていたけれど、そういうシナリオで話を作っていくのかい」

西村検事は、「そういうことじゃないよ。ちょっと待ってね」と言って席を外した。戻ってくると西村氏はニタニタしながら、「文句を言ってきたよ。『余計なことを話す奴《やつ》がいるから佐藤が暴れて調べにならない。いい加減にしてほしい。ほんとうに難しい奴を調べるこっちの状況もわかってくれ』と言ってきた。今日は取り調べはなし」と言った。

「それで上の反応はどうだったかい」

「『黙秘はしていないんだな。弁録には応じたんだな。よしよし』ということだった」

それに続けて西村氏は、急に馬鹿丁寧なことば遣いでこんな話をする。

「三井物産の人たちも『コラ、お前ら、何をしでかしたんだ』という話じゃないんです。談合というのは日本の文化なんで、絶対になくならないんです。本気で価格競争で叩《たた》き合ったら会社ももたないし、それに手抜き工事が起きたりして、みんなが迷惑するんです。みんなやっていることなんですが、これは違法なんで、見つかったときはガタガタ言わないで『ゴメンナサイ』と言って頭を下げてしまえばいいんです。

駐車違反といっしょなんです。ですから『駐車場がないのがおかしい』などといった言い訳をしても無駄なんです。三井物産の場合は、『よく仕事をしましたね。でもちょっとやりすぎでしたね。こんなことになってしまって運が悪かったですね』というのが真相なんです。ハイ」

「西村さん、その手に乗って僕が認めることはないよ。それよりも飯野さんは大丈夫かい。彼はすごく生真面目《きまじめ》なところがあるので、こういう環境に耐えられるか心配なんだ」

今度は西村氏が真顔になって答える。

「そうなんだ。ちょっと思い詰めているところがあるので、取り調べ担当検事も万一、自殺するようなことがあるといけないと思って逮捕を早めたんだ。ほんとうは金曜日（七月五日）に逮捕するつもりだったんだ」

前にも述べたことだが、検察の論理からすれば、金曜日の逮捕が最も望ましい。金曜日に逮捕すれば、月曜日の午前中まで弁護人との接触はできない。この間、被疑者はカビ臭い独房に閉じこめられ、金曜日の晩から、土、日と徹底的に怒鳴りあげられ厳しい取り調べを受ける。孤立無援だという感情が強まる。被疑者を早期に落とすには金曜日の逮捕が最も合理的なのである。

そして西村氏はこう続けた。

「いまの時点で前島の供述を押しつけることはしないよ。その点は良心的にやる。三井がついてくれば前島供述の価値が上がる」

「それは前にも言っているけど、ことば遣いが違うんだって。『ついていく』ではなくて検察が『ついていかせる』んだ」

「まあそう言わないで。証拠の出方でどうしようもない状況になってきたら僕からあなたに『こうした方がいいと思うよ』、『認めた方がいいと思うよ』と助言、説得することはある」

「そういう説得はあらかじめ断る」

「まあそう言わないで。これが僕の仕事なんだから」

　検察官に逮捕されると四十八時間以内に裁判所に送られ、勾留《こうりゅう》決定の儀式が行われる。また仮監生活だ。前回の勾留決定公判のとき、血を流したスキンヘッドの男性の印象が、あまりに強烈だったので気が重い。

　七月五日朝、私はかなり早く護送車に乗せられ、拘置所の中庭で出発をしばらく待っていた。窓のブラインドは降ろされているが、隙間《すきま》から少しだけ外界が見える。手錠と捕縄をつけられた飯野氏の姿が見えた。

　うつろな瞳《ひとみ》で中空をぼんやりと見つめている。モスクワのカジノで見かけたときの飯野氏の姿、更に赤坂の小料理屋で「僕は今も絵描きのつもりなんです。シベリアの大地をキャンバスにして大きなビジネスの絵を描いてみたいんです」、「佐藤さん、商社員は役人さんが思う以上にナショナリストなんですよ」などと熱く語ったときの姿が思い浮かんでくる。「飯野さん、この拘置所が人生の終着点じゃないよ。ここから出発なんだ」と声をかけたいのだが、それもできない。

取調室の不思議な会話

私が再逮捕されたことで、弁護人は怒り心頭に発した。

「佐藤さんが正直に供述したのに逮捕するのはおかしな話です。必要なことは既に全部話し、検察庁としてもこんな事件に佐藤さんを巻き込むのは無理だとわかっていながら逮捕するのは不当なので、一切、供述を拒否するのがよいと思います。完全黙秘、房籠《ごも》りをするべきです。西村検事には『必要なことは公判で話す』と言えば十分です」

しかし、今回は私が供述することを望んだ。西村氏の立場に対する配慮も少しあったが、それは弁護人には言わなかった。また、北方領土絡《がら》みの案件について、鈴木氏の利権絡みであるというような事実無根の話が作られるならば、日本国の名誉が傷つけられると思った。

西村氏以外の検事は三井物産と鈴木氏、外務省関係者の真の関係を理解していない。供述をすれば検察は私を引っかける事件を作り上げてくるだろう。供述をしなくても私の有罪を確実にする仕掛けを作る能力が検察にはある。国家権力が本気になれば何でもできるのだ。

　弁護人は司法府の独立をほんとうに信じているようだが、私はまったく信じていない。むしろ、私が供述をすることで、少しでも実態に近い記録を残すことができるのではないか、そして、それは歴史的に価値があるものではないか──。

　これが私が供述に固執した最大の動機だった。私はこの思いを弁護人に対して丁寧に説明した。最後に弁護人が言った。

「佐藤さんが話したいと言うならば、それは止めません。ただ、今度は前島さんへの心情に引っ張られないようにしてね」

「大丈夫です。テルアビブ国際学会は僕が企画した話ですが、これは僕と全く関係ありません。前島に対する姿勢も全く別ですよ」

　西村氏には弁護人とのやりとりを伝えた。西村氏は真顔になって説得をはじめた。

「黙秘とか房籠りとかは絶対にやめた方がいい。君も僕たちの性格を知っているだろう。供述拒否なんかしたら、『そこに何が隠れているんだ。何としても暴《あば》き出してやれ』ということになる。『ワン、ワン』と激しく吠《ほ》えまくる連中がでてくる。僕はそれを避けたい。僕が担当している限り無理はしない。全《すべ》ては三井物産が完全に開いてから調べる。

物証や他の人の供述のない話について、僕は君にカラ当てすることはしない。だから変なことはやめてほしい」

「カラ当て」とは、根拠はないが検察官の勘でひっかけ質問をすることだ。

「しかし、検察庁の理解では強制取り調べ権というのがあるんだろう。房籠りをしても引きずり出して調べればよいではないか。一度そういうことも経験してみたい。自分の限界がどれくらいかを試してみるのも面白いかもしれない」

「面倒なことはやめよう。あなたが戦線をあまり拡大すると僕の手を離れてしまう」

「わかったよ。西村さんを信頼するよ」

その後は、和気藹々《あいあい》としたいつもの会話に戻った。

三井物産の蓋《ふた》が開くまでには時間がかかる。取り調べが手持ちぶさたになったので、西村氏はノート型パソコンに向かいながら作業を進め、私は鈴木宗男氏の著作を読んで時間を潰《つぶ》すという不思議な時間の過ごし方をした。再逮捕以前に、私は駄目元でひとつのお願いをしたのだ。

「『宗男の言い分』（飛鳥新社）を読みたいんだけど、検閲許可を出してくれないかなあ」

これは鈴木氏の逮捕後に出されたインタビュー集で、ジャーナリストの歳川隆雄《としかわたかお》氏と二木啓孝《ふたつきひろたか》氏がまとめたものだった。

「それは難しいな。あなたのことが書いてあるからね」

「それだから読みたいんだ。記述の事実関係について、そっちの質問には正直に答えるよ。それなら検察にもメリットがあるじゃない」

「わかったよ。それじゃ証拠物としてあなたに見せて取り調べをすることにする」

「了解」

　西村氏も私も基本的に黙っているのであるが、ときどきこんな話をした。

「佐藤は頑強に否認するのでこちらは机を叩《たた》いてガンガン取り調べている」

「そうそう。検察庁と基本的利害関係が対立しているので、ひじょうに険悪な雰囲気だ」

「そうそう。いかなる利害の一致もない。険悪な雰囲気だ」

「しかし、西村検事に対してはほんのちょっとだけ信頼関係がある」

　西村氏は右手の親指と人差し指の間に数ミリの隙間を作ってこう言う。

「そうそう。佐藤優との間にはほんの少しだけ信頼関係がある」

「しかし、それは僕にとって本質的な問題ではない。検察庁とは基本的利害が対立している」

「そうそう。だからガンガン机を叩いて取り調べている。しかし、もしかすると調室の中にいる僕たち二人がいちばん冷静なのかもしれないね」

「そうだね。どうしてなんだろうね」

「よくわからないね」

　西村氏は、徐々に調書を作り始めたいと言い出した。

「どうせあなたは、反発するだろうから、前島の話とは合わせないよ。ただし飯野の話とは嚙《か》み合うようにするよ」

「どうして。僕の言うとおりに書けばよいじゃないか」

「それはあなたのためにならない。これは決して引っかけているわけじゃないんだ。あなたに引っかけは通じないことくらい僕もよくわかっている。弁護士にも聞いてごらん。検察官が被疑者の言いたいことをそのまま調書に取るときは罠《わな》があるんだ」

「どういう罠」

「いい気持ちになって、話をしていても、あなた以外の全員と違う話になっているので、法廷に出たときに『こいつ一人だけ違うことを言っていて嘘をついているに違いない』ということで、結局、有罪になる。検察庁の高等戦術なんだ。鈴木先生なんかこっち(検察)の思惑に気付かず、スラスラ供述している。これが後で高くつく。だからあなたは飯野の話とは合わせておいた方がいいぜ。これはあなたのためになる話なんだ」

当然のことながら、この話を私は弁護人に伝えた。弁護人はちょっと首を傾《かし》げて言った。

「西村さんの言うことは確かに事実です。まず特捜の調書は『早い者勝ち』でいちばん最初に自白した者の話にあわせてストーリーを作って、他の供述はそこに押し込みます。説得を試みてもあくまで否認する被疑者については、他の供述からできるだけ懸け離れた調書を作り、多数決で嘘をついているという認定を裁判所にさせるのが特捜の手なんですが、普通はそういう手の内を被疑者にあかすことはありません。

そういう話をする西村さんは相当変わっています。佐藤さん、何か裏があるかもしれません。検察官に気を許してはダメですよ。どんな罠が仕掛けられているかわからない。少しでも疑念がある場合には飯野さんの調書を見せてもらうか、きちんと読み上げてもらい確認することです」

「検察庁とは基本的に利害関係が対立しているとの認識は動きません。西村検事との人間関係に引っ張られることはないので心配しないでください。怒鳴ったり、高飛車の態度をとる検事ならば、こっちも黙ったり、小馬鹿《こばか》にした対応をとるのですが、西村の対応は実に誠実なんですよ。人間として本気で勝負をかけてきている感じがするので実に疲れます。取り調べの時間は短いんですが、独房に戻るとくたくたですよ」

「頑張ってくださいね。佐藤さんも辛《つら》いと思うけれど、西村さんも同じくらい辛いんだと思いますよ。取り調べ状況を上に報告すると『もっと厳しくやれ』、『早く歌わせろ（自白させろ）』と西村検事自身が相当締め上げられているはずです」

私は供述調書作成にあたって、少しでも疑問点があると西村氏に調書の読み上げや、提示を要求した。西村氏はそれに応じた。このことを弁護人に報告すると弁護人はまた怪訝《けげん》な顔をする。

「普通、検察官は被疑者がいくら要求しても供述調書を読み上げたり、ましてや見せたりはしません。西村さんは本当に変わっていますね」

西村氏が取り調べの途中で若干、感情的になってまくし立てたことがある。

「君と話していると頭がおかしくなりそうだ。普通、一つ目の事件（背任）を呑《の》み込んだら、二つ目（偽計業務妨害）も呑み込む。どうせ量刑は同じなんだから。それなのに何でこんなに頑張るんだ。三井からあんたや鈴木さんにカネがいっているわけでもない。それなのに大きな秘密が隠れているわけでもない。それなのに何でこんなに頑強なんだ。

しかし、僕がだんだん君と話していて違和感を感じなくなっているのが怖ろしい。僕も頭がおかしくなっているんじゃないだろうか。君のことについては、他の検事に話しても理解してもらえないんで、ただ『変わっている』とだけ説明している。しかし、こんな取り調べをしていると僕はほんとうに政治事件を扱っているんじゃないのかもしれないという気になってくる」

ある日の取り調べで西村氏が、こんなことを訊《き》いてきた。

「あなた、弁護士への手紙はいつ書いているの」

「だいたい午後書いているよ」

「弁護士を相当煽《あお》っていないかい」

「そんな覚えはないな」

「『官僚や商社マンなどは子供の頃からほめられるのに慣れ、怒鳴られるのに弱いので、ストーリー作りのための恰好《かっこう》のターゲットになります』なんていう話を聞くと、検察庁が相当ひどい取り調べをしていて、それと断固闘わなくてはならないと弁護士も戦闘意欲を燃やすのではないだろうか。僕はそんなに厳しい取り調べをしているかな」

「相当厳しい取り調べをしていることは間違いないよ。僕にとっては怒鳴られている方が楽だ。黙秘すればいいんだから」

西村氏が抜き出したのは、私が弁護団に宛《あ》てた手紙の一部だ。それは、次のような内容だった。

〈……今回は、国策捜査の手法について、私なりの見方を記します。国策捜査の場合、

『初めに事件ありき』ではなく、まず役者を決め、それからストーリーを作り、そこに個々の役者を押し込んでいきます。その場合、配役は周囲から固めていき、主役、準主役が登場するのはかなり後になってからです。ジグソーパズルを作るときに、周囲から固め、最後のカケラを『まっ黒い穴』にはめこむという図式です。役者になっていると思われるにもかかわらず、東京地検特捜部から任意の事情聴取がなかなか来ない場合は要注意です。主役か準主役になっている可能性があります。ストーリー作りの観点から物証よりも自供が重要になります。ストーリーにあわせて物証をはめ込んでいくという手法がとられます。私がかつて行っていた仕事の経験からすると、情報収集・分析よりも情報操作(ディスインフォメーション)工作に似ています。国家権力をもってすれば、大抵の場合、自供を引き出すことに成功します。特に官僚や商社マンなどは子供の頃からほめられるのに慣れ、怒鳴られるのに弱いので、ストーリー作りのための恰好のターゲットになります。情報操作工作の場合、外形的事実に少しずつ嘘《うそ》を混ぜ、工作用ストーリーを作り上げて行きます。ストーリーが実態からそれ程かけ離れていない場合、工作は成功します。国策捜査の場合、どの様なストーリーが形成されるかについて、私は注意深く観察しています〉(二〇〇二年七月十日付弁護団への手紙—その二十六)

何か問題があったのかと思って、私はこう尋ねてみた。

「僕の手紙が検察庁で何か波紋を呼んでいるの」

「うん。今日、上に呼ばれて『佐藤はいつ手紙なんか書いているんだ。西村、お前、ちゃんと昼から調べているのか』と怒られた。僕の方は『あいつは文章を書くのが速いので、朝のうちに書いているんでしょう』と答えておいた。しかし、あの内容は検察が冤《えん》罪《ざい》を作っていると言わんばかりで挑発的だぜ」

「冤罪なんて一言も書いていないじゃないか。それに飯野や島嵜のこともどうせ怒鳴りあげているんだろう」

「そんなひどいやり方はしないよ。熱心に話を聞いているだけだ。飯野の蓋はほとんど開いたよ。ただし『佐藤さんに迷惑はかけたくない』とあなたへの想《おも》いは強いね。島嵜君は頑張っているけれど、もうすぐ開くと思う。それから飯野さんの話を聞いていて、君との関係で『アレッ』と思うようなことがあるんで、そのうちまとめて聞くよ」

「今すぐでもいいよ。正直に本当のことを答えるよ」

「いや、全部データをそろえ、まとめて聞くことにする」

「もったいぶっているんだね」

「あなたに聞くときは全てデータをそろえてからじゃないといろいろうるさい注文をつけられるからね。まあ、そう遠い先の話じゃないよ」

三つの穴

七月十七日、西村氏から次のような話があった。

「三井の蓋が完全にあいた。最初、最も頑強だった島嵜が全て話し出した。北方四島のディーゼルの話だけでなくODA関係でも、出てくるわ出てくるわ『島嵜君大活躍の巻』だ。鈴木先生のところへのカネも出てこなかった。これは基本的に島嵜の犯罪で、君はどんどん遠ざかって事実上、幇助《ほうじょ》の役割しか果たしていない」

「でも首謀者としてやるわけだろう」

「そんなことはないよ。関与は部分的だけど共犯だということで全体にかかる形になる。幇助にはならない。これは国策捜査だからこの点は仕方がないのさ」

「それはわかるよ」

「そこであなたについては否認で組み立てるよ」

「いずれにせよ検察には僕を有罪にする自信はあるわけだろう」

「もちろんさ。こっちは組織なんだぜ。そこで僕の方としては三つ穴を掘る。こっちの希望としては、その全部の穴に落ちて欲しいんだけれど、それはあなたが呑まないだろう」

「いいよ。そんな話は聞きたくない。そういう穴に入るのはまとめて断る」

「まあそう言わないで最後まで聞いて。第一の穴は、前島が三井に価格漏洩《ろうえい》することについてあなたが了承していたという穴。これはほんとうに真っ黒い穴で、ここに落ちてくれると僕としてはいちばん助かる。しかし、あなたはこれには抵抗が強いので絶対に呑まないと思う」

「当たり前だ」

「わかった。それじゃこれについては明確な否認調書をとってもよい。そこで第二の穴になる。どんなことをしてでも三井物産に取らせるように前島に包括的指示を与えたという穴だ。動機については北方領土問題の特殊性に鑑《かんが》み、三井物産に取らせるのが国益ということでいい」

「それも断る。第一、どんなことをしても三井に取らせろと指示したこともないし、思ったこともない」

「僕は国益上の理由からあなたは相当無理をしてでも三井物産に取らせようとして、前島はあなたの気持ちを付度《そんたく》していろいろな踏み越えをしたというのが真相にかなり近いところと思っている。あなたは頭がいいから、違法なことをしろとは言わない。しかし、商社がどういう行動をするか、前島が線を越えることには気付いていたと思う。これが僕の正直な見立てだ」

　西村氏は勝負に出てきた。確かに私は北方領土の特殊性に鑑み、事情に通じた商社が受注することが望ましいと考えていた。しかし、私は談合実態について知らされていなかったし、前島氏が違法な便宜供与を三井物産に対して行うなどとは思っていなかった。私は違法行為など何も行っていない。国益の観点から公務員としてできる範囲で三井物産との協力関係を構築しただけだ。三井がロシア側の仕掛ける罠に落ちないようにしなければならない。それは日露平和条約交渉をまとめあげるために不可欠だった。もし、他の商社が受注したならば、その商社とも同様の関係を構築すべく努力しただろう。ただそれだけのことだ。西村氏には申し訳ないが、この穴に落ちるわけにもいかなかった。

「西村さん、それは違うよ。僕はほんとうに談合には気付かなかったんだ。激しい競争が行われていると思っていた。もちろん三井が取ることが望ましいとは思っていたよ。それは政治的にまったく恥ずかしい話ではない」

「そう。これは破廉恥《はれんち》事件ではない。記録さえきちんと残れば、この線で認めちゃえばいいじゃないか。それに下手に偽計業務妨害だけが部分無罪になったりすると、こっち（検察）は組織の面子《メンツ》に賭《か》けて上にあげるぜ。時間が数年無駄になる。呑み込んじゃった方が全て速く終わるぜ」

正直言って、長期裁判は嫌だ。ここで呑み込んでしまいたくなった。しかし、ここは筋を通さなくては一生後悔することになると思った。

「御配慮には感謝するけれど、二番目の黒い穴にも入ることはできない」

「わかったよ。無理強いはしない。この穴はそんなに悪くないと思ったんだけどね」

　そして、西村氏は最後の提案を行った。

「これから話す穴は、鈴木宗男さんと絡《から》める話なので抵抗があるかもしれないが、あなたが入ることのできる最後の穴と思う」

「どういう穴なの」

「以前にあなたが供述してくれた、鈴木さんがディーゼル事業は『三井物産に委《まか》せたらいいんじゃないか』と述べたことを飯野に伝えたという話を偽計業務妨害に結びつけていく。あなたの調書だけでは有罪にできないが、飯野、前島の方で固めて、がんじがらめにするというのがこちらの戦略だ」

「穴に入るということでなく、実態について話したら結果として穴に落ちたということならば仕方ないね」

「それじゃそれで組み立てる。ただしこちらもあまりスカスカな調書は作れないので、飯野で裏がとれている話で、何カ所かあなたを絡めるが、それについては協力して欲しい」

「それはいいよ。要するに実態を供述して、それで検察に陥《おとしい》れられるということならば、僕には異存はない」

「御協力ありがとうございます。しかし、これは案外難しい作業なんだぜ」

「そこはあなたは法律のプロだから何でもできるだろう。西村さん、一点だけ確認したいことがある。あとで鈴木さんも偽計で起訴するということにはならないだろうね。それならばこっちは黙秘する」

「そこは僕を信じて欲しい。政治家には政治家らしい犯罪がある。偽計で鈴木さんをもっていくようなみっともないことはしない。但《ただ》し、どこかでカネが出てきたら別だぜ。そのときは贈収賄《ぞうしゅうわい》でやる。もっともそのときは今あなたとした約束もなしで、もう一回別の筋で調書を取り直す」

一九九八年十一月に私が前島氏同席のもとで飯野氏に「三井に委せたらいいんじゃないか」という鈴木宗男氏の発言を伝えた件、丸紅の資格審査を巡って私が鈴木氏に電話をかけた件、それから九九年十月、国後島「友好の家」完成式典の席上、鈴木氏がディーゼル発電所を国後島にも作ると発表したことを飯野氏に伝えた件については、第三章でその詳細をすでに述べたが、西村氏はこれら三件に関してそれぞれ調書にとった。そして、これが西村氏が私に思わせぶりに述べた飯野氏から聞いた「『アレッ』と思うようなこと」だった。

最終日の七月二十三日、西村氏は、否認調書を準備してきた。

「否認調書を準備してきたよ。ただし、問答式になるよ」

「どうして問答式になるの」
「問答式にするというのは、検察庁がこの内容については同意していませんということを裁判所に伝える意味があるんだ」
「要するに『嘘をついています』というニュアンスを伝えるということだね」
「そんな下品な言い方をしないでよ。あくまでも検察庁はそのような供述には同意できないということだ」

調書の内容は次のようなものだった。

〈問：前島陽《あきら》に対して、国後島ディーゼル発電機供与事業を三井物産に落札させるように指示したことはありますか。

答：そのような事実はありません。そもそも私は分析第一課、前島はロシア支援室に所属しており、私が前島に対して指示や命令をする関係にありません。

問：前島陽から、国後島ディーゼル発電機供与事業に関し、入札価格もしくはその基礎になる積算価格を三井物産に漏洩するとの相談を受け、それを了承したことはありますか。

答：そのような事実はありません。入札予定価格もしくは積算価格を業者に漏洩することは違法であると認識しているので、そのような相談がなされた場合には、漏洩を止めるべきと言ったでしょう〉

否認調書の内容を伝えると弁護人は驚いた。

「これはほんとうの否認調書じゃないですか。特捜がこんな調書を作ることはありませんよ。西村さんはどうかしてるんじゃないですか」

結局、否認調書は開示されず、永遠に東京地検の文書庫で眠ることになった。西村氏にこの辺のいきさつを聞いてみた。

「あなたから否認調書をとったので、怒られたよ。僕は『争点を明確にするためにとったんだ』と言ったんだけど、上からは『争点はこっち(検察)が知っていればいいんだ』と言われたよ」

「結局、本件は否認になってしまって、あなたには迷惑をかけたんじゃないか」

「この件はあなたに最初からこだわりがあったんで仕方ないよ。もっとも上は『よくここまで話がとれたな。西村以外だったらできなかっただろうな』という評価なので、そんなにひどい目には遭っていないよ」

「それを聞いて安心した」

確かに西村検事以外が担当になれば、検察庁は私からひとことも供述をとれなかったであろう。同時にこの攻防戦を通じて、私は西村氏と同氏の活動を高く評価する上司や同僚検察官がいる東京地検特捜部に、皮肉ではなく、心底好印象をもつようになる。

「私が行っていた対露秘密交渉も、こういう上司や同僚たちに囲まれていれば、どれだけ苦労が少なく、若い仲間たちをきちんと守ってやることができたことか」と心の中でつぶやいた。

私は七月二十四日に起訴され、このゲームも終わりになった。

再々逮捕を狙《ねら》う検察との持久戦

しかし、その後も検察庁は鈴木宗男氏と私の間に犯罪を作り上げることを諦《あきら》めなかった。西村氏は、冗談半分に「うちとしても相当無理をして佐藤を背任で捕まえたので、ここで鈴木宗男と佐藤優を絡める事件を作らないとあなたに申し訳ない」と述べていたが、八月に入ってから本格的な取り調べが再開された。

この取り調べの事情については、外交的にデリケートな問題が多く含まれるので、私としてもこの本で詳しく述べることはできない。このことについては将来、全貌《ぜんぼう》を述べることも恐らくないであろう。

検察の基本的な組み立ては、鈴木宗男氏を贈賄、私を収賄とする贈収賄事件を作ることであった。具体的には二〇〇〇年十二月二十五日のセルゲイ・イワノフ・ロシア安全保障会議事務局長と鈴木宗男氏の会談に関して、私が職務権限を利用して特別の情報提供や便宜供与を鈴木氏に対して行って、それに対して私が鈴木氏からカネや接待を受けたという構図である。政治家が官僚に賄賂を渡すというきわめて変則的な事件の構成であるが、何度も申し上げた通り、当時の鈴木叩《たた》き、外務省批判の世論を背景にすれば、どのような事件でも作ることができると考えた特捜部幹部がいたとしても不思議ではない。

私は、カネの流れはもとより外交機密に触れる点を含め、西村検事にはすべて実態を話し、その上で再々逮捕されることになれば、外交機密や特殊情報の話について供述調書に痕跡《こんせき》が残らないように検察と取り引きしつつ、事実関係について供述する。それで検察が犯罪を作り上げていくならば、それに抗する術《すべ》はないと状況を分析していた。

本件については、外務省の斎藤泰雄欧州局長、すでにオーストラリア大使館に転勤していた小寺次郎元ロシア課長、在モスクワ日本大使館の篠田研次《しのだけんじ》公使らも取り調べを受けたこと、さらに、その内容の概略についても私は西村氏から聞いている。

検察庁は再びロンドンに検察官を派遣し、東郷和彦氏の取り調べを行った。このとき西村氏は私にストレートに相談してきた。

「鈴木・イワノフ会談について、正確なことを東郷さんに話してもらわないとならないんだけれど、どうしたらいいだろう。率直なところを教えてもらえないだろうか」

「西村さんはよくわかっていると思うけれど、この件については、とても機微な要素があるので、外交問題を引き起こしたくない。国益を毀損《きそん》するようなことがあってはならないから、検察庁で日露平和条約交渉についていちばん通暁《つうぎよう》している西村さんがロンドンに行って直接東郷さんから話を聞くのがいいと思う」

「僕も実はそれがいちばんいいと考えている。本件が事件化される場合にも外交に絡む変な問題にはしたくない。僕はその点はほんとうによく理解しているので、僕のことを信頼して欲しい」

「テルアビブ事件のときの西村さんの配慮には感謝している。西村さんのことは全面的に信頼しているよ」


しかし、西村氏は東京にとどまることになった。この話の三、四日後、私は再度西村氏から相談を受けた。

「実は僕はどうしてもここ（東京）をはずせなくなった」

「誰がロンドンに行くの」

「若い検察官だ。そこでお願いなんだけど、あなたから東郷さんに宛《あ》てて直筆の手紙を書いてもらえないか。その手紙の中で、検察庁を信頼して、外交問題についても鈴木宗男先生との関係についても何があったのか包み隠さず話してほしいと伝えてもらえないだろうか」

「西村さん、僕は東郷さんの性格をよく知っているけれど、檻《おり》の中にいる僕が検察庁を通じて手紙を送っても、東郷さんはそれが僕の真意とは思わないよ。カウンター・プロダクティブ（逆効果）だ」

「どうしたらいいだろう。何かよい知恵はないだろうか」

私はしばらく考えて答えた。

「そうだ。全く同じ手紙を二通作ろう。一通を検察庁に預け、もう一通を僕の弁護団を通じて東郷さんに渡るようにする。僕は東郷さんから、東郷さんと家族ぐるみで付き合っている弁護士の名前を聞いて知っている。その弁護士と連絡をとれば、東郷さんのところに手紙は届くと思う」

「しかし、あなたの弁護団は『闘う弁護団』だから、うち（検察）と手を握るという話にはならないよね。それからあなたの弁護団は鈴木さんの弁護人も兼ねているから、この方法はとれないな。なにか他にいい知恵がないだろうか」

「それならばロンドンに行く飯島検事には、東郷さんのふたごのお兄さん（東郷茂彦元ワシントン・ポスト記者）が文藝春秋《ぶんげいしゅんじゅう》から出した『祖父東郷茂徳《しげのり》の生涯』をちゃんと読んでから話を聞いた方がよいとアドバイスしてほしい。東郷さんの内的心情の世界をきちんと理解して、まず東郷さんを安心させて、それから話を聞いたらいいと思うよ。とにかく今や検察庁で外交にいちばん詳しいのは西村さんなんだから、変な問題に発展しないように西村さんに頼むしか僕には術がない」

「わかった。ところで、君はどうしてロンドンに行くのが飯島検事だということを知っているんだい」
「この前、取り調べが中断したときに（検察）事務官が『飯島P』（Pとはprosecutor［検察官］の頭文字）と書いた紙を見せていたから勘を働かしたんだよ」
「油断も隙《すき》もあったもんじゃないな。僕は何でこんな難しい人を調べなくてはならないんだ」

西村氏は真摯《しんし》に取り調べを行い、日に日に疲労困憊《こんぱい》していくのに対し、私は拘置所生活にも慣れ、体調もよくなってきた。取り調べ時間は夜、三時間程度で、それ以外の時間、私は独房で本を読んだりメモ作りをしている。

西村氏は、資料の読み込みや書類作成、更に会議で、私とは比較にならないほどの作業を抱えている。それに私は独房から調室までは徒歩三、四分と文字通り「職住一体」であるが、西村氏の場合、これに通勤が加わる。西村氏も検察事務官も七月末頃から目の下に隈《くま》ができ、疲労が目立つようになってきた。普通ならば被疑者に八つ当たりの一つもするのであろうが、二人とも私に対する対応はいつも丁寧だ。長期戦は取り調べ側よりも被疑者にとって有利だというのが私の実感だった。

西村氏が検察官との打ち合わせで席を外しているときに検察事務官がつぶやいた。

「佐藤さん、よくこの環境でいつまでももちますね。暑さで参ってしまいませんか」

「そんなに悪い環境かな。食べ物はおいしいし、アイスクリームだって買えるから大丈夫だよ。それより皆さんの方がたいへんだね。休みもずっととれてないんじゃないんかい。タクシー券もないんでしょう」

「そうなんですよ。いつも終電なんです。いつまでこんな状態が続くんでしょうか」

「検察庁次第だね」

「そうですよね。でも前島さんなんか、早く呑み込んで、第二の人生を始めようとしているじゃないですか。検察官たちは『前島さんは頭がいい』と言っていますよ。佐藤さんは第二の人生なんて考えないんですか」

「考えているよ。それに僕はあまり頭がよくないんだ。だから自分できちんと納得してからでないと第二の人生できっと悔いが残ると思って、前島さんとは別の選択をしたんだよ」

「そうですか。それにしてもこの環境でよくもちますね」

確かにエアコンのない独房は猛烈に暑い。室温が三十五度を超えると、部屋に買い置きをしている食パンや菓子パンに四、五時間でカビが生えてくる。また、汗でノートや便箋《びんせん》が濡《ぬ》れ、その上にボールペンを走らせると汗と共に出た脂《あぶら》で、ペン先のボールが空回りし、壊れてしまう。だから日中は書く作業ができない。昼、横になっていても暑さで意識が朦朧《もうろう》としてくる。

しかし、これも耐えられる範囲だ。中央アジアに抑留された日本兵は、夏はそれこそ四十度を超える灼熱《しゃくねつ》の中でソ連兵の監視下、強制労働をさせられた。それと較《くら》べれば不平不満を述べるような環境ではない。そう自分に言い聞かせた。

やけ酒

八月六日は珍しく午後二時過ぎに取り調べがあった。西村氏の様子が少しおかしい。妙に黙り込んで、席を何度も中座する。顔から血の気が引いている。相当重い二日酔いのようだ。

「西村さん、昨日はだいぶ飲んだの」

「臭《にお》うかい」

「それは全くないから大丈夫だけれど、顔色が悪い。日本酒やワインではなく、ウイスキーや焼酎《しょうちゅう》のような蒸留酒系の二日酔いだ」

私もロシアで酒を飲む機会が多かったので、醸造酒系の二日酔いと蒸留酒系の二日酔いの区別は顔色でだいたいつく。

「実は焼酎を飲み過ぎた。一人でほとんど一本飲んでしまった」

「どうしたの」

「とっても信頼する先輩の検事と飲んでいたんだけど、ちょっと荒れて愚痴ってしまった」

「大丈夫かい。あなたたちの世界は、あまり周囲に隙は見せられないんじゃないかい」

「相手によるよ。『西村、また変な奴《やつ》の調べをやらされているのか』と言われたよ。『そうです。変わった奴なんですけどね。話を聞いているとこっちの頭がおかしくなりそうになるんですよ』といろいろ話した。あなたには言えないけれど、うちもいろいろ難しいんだよ」

「具体的にはわからないけれど、だいたい想像はつくよ。しかし、西村さんでなければ僕から供述はとれないからね。それに西村さんは検察官という職業が好きなんでしょう」

「好きだよ。僕は職人なんだよ。その先輩からも『そんな奴はお前しか調べができないな』と言われたよ。君は外交官が好きじゃないのか」

「ここに入ってから考えたんだけど、心底好きな仕事ではない。できることと好きなことは違う」

「ほんとうにそう思うのか」

「本心だよ」

恐らく、西村氏は、「昼からきちんと佐藤を取り調べろ」という指令を誰かから受けているのだろう。その姿を見て私は「西村氏の職人気質に引き寄せられてはならない。このゲームで検察官は誰であれ敵だ」と自分に言い聞かせた。

東郷氏は飯島検事に相当詳しく供述したようだった。西村氏から私と東郷氏しか知らない話を含め、外交機密の相当微妙な話について聞かされた。もし本件が事件化される場合、供述調書の残し方を巡っては、相当面倒な折衝を西村氏と行わなくてはならず、また、西村氏のレベルで外交機密の漏洩《ろうえい》を抑えることができるかと心底不安になったが、そのような素振りは一切見せずに、東郷氏の供述について事実関係を整理していった。

ある日、私は東郷氏の様子について西村氏に尋ねてみた。

「東郷さんの調書は取れたのかい」

「取れたよ。外交についても自分から資料をもってきて、身振り、手振りを交えながら延々としゃべっていたようだ。鈴木宗男の圧力から外務省を守った功労者であるのに外務省が自分を切り捨てたのはケシカランとまくし立てていたよ。東郷はあなたが思っているような人じゃないよ。残念ながらあなたを守る気持ちは全くないな。自分のことしか考えていないよ」

「健康状態はどうだったかい」

「ときどき大きな声を出したり、手を振り上げていたけれど、今回の話は理路整然としていたということだ。途中で何回か休憩を求めたらしい。事情聴取が終わった後にまた精神病院に行くと言っていたけれど、うちでは詐病《さびょう》の可能性を疑っているんだ。でももう世論は東郷に対して関心をもっていないので、検察庁としても深追いはしないよ」

「少し状況が落ち着いたら日本に戻って来るつもりなのかな」

「日本には戻って来ないと言っていたそうだ」

さて、前島氏は七月二十六日に保釈されたが、三井物産の飯野氏、島嵜氏は、偽計業務妨害について全面自白したにもかかわらず、八月に入っても獄につながれたままだった。

八月初め、私が面会室の待合ボックスから「一〇九五番」と呼び出されて外に出ると飯野氏とすれ違った。拘置所規則では、囚人同士が目で合図をすることも禁止されているのだが、私たちは軽く会釈《えしゃく》をした。飯野氏は髭《ひげ》をそり落とし、だいぶやつれていた。拘禁症状が出ているようで、目が涙で潤《うる》んでいた。

八月十九日の取り調べで西村検事は、「明日、飯野さんは保釈になるよ。島嵜君はもうしばらくいてもらう。八木副部長を怒らせたからね」と私に告げた。八木副部長とは、背任事件で前島氏を取り調べた「ドラえもん」検事で、保釈後、私が司法クラブ記者から聞いた話によると、八木氏は「割り屋」と言われており、同氏にかかるとどのような被疑者でも必ず自白をするということだ。

その数日後、読売新聞が一面トップで島嵜氏が政府開発援助（ＯＤＡ）絡《がら》みでモンゴル政府高官に賄賂《わいろ》を渡した事案を東京地検特捜部が外国公務員に対する贈賄の初ケースとして摘発するとの記事がでていた。更にその数日後、今度は朝日新聞がこの事案については東京地検が摘発を見送ったとの記事を掲げた。この辺の経緯についても私は率直に西村氏に尋ねてみた。

「西村さん、『島嵜君大活躍の巻』はその後どうなったの。読売が外国公務員に対する贈賄の第一号として摘発すると書いたのを数日後に朝日が打ち消すなんて異常じゃないかい。検察内部で捜査方針を巡って綱引きがあり、読売、朝日を使って代理戦争になっているんじゃないかい」

「そんなことはないよ。三井は相当のことをやっているんだぜ。モンゴル高官をソープランドで接待した際の裏のお小遣い帳まで出てきた。僕たちとしては事件にしたいと思っていた。島嵜は最初は頑強で、前島君との面識すら否定していたよ。しかし、一旦《いったん》認めてからは、どんどんしゃべり、まさに『島嵜君大活躍の巻』だった。その中でモンゴルの話も出てきたんだ。自供もきちんととれている。外国公務員への贈賄に関するこの法律が、法実務的観点から欠陥があることと、このニュースが表に出て、三井物産の清水社長が引責辞職したので、うち（検察）の上の方には『もうこれでいいじゃないか』という感じもあって、ああいう幕引きになったんだよ」

今回の国策捜査の特徴は、検察庁の三井物産と丸紅に対するダブルスタンダード（二重基準）に顕著に現れている。実は、島嵜氏から丸紅プラントは、入札に加わらない対価として五千万円の「降り賃」を得ている。しかも、このカネは日本国民の税金から出ている。しかし、丸紅関係者は刑事責任を全く追及されていない。この辺の事情についても西村氏に率直に尋ねてみた。

「何で丸紅は見逃されているの」

「僕たちも丸紅は三井から五千万円ももらってけしからんと怒っている。しかし、国策捜査だから鈴木さんと関係のある三井物産だけがやられて丸紅はおとがめなしなんだ」

要するに三井物産は運が悪く、丸紅は運がよかったのである。

結局、九月十七日の第一回公判に、既に保釈になっていた前島、飯野氏は、スーツ姿、ネクタイ着用で登場したが、勾留《こうりゅう》されていた私と島嵜氏は手錠、捕縄付きで法廷に引き立てられた。島嵜氏は第一回公判で罪状をすべて認めたので、その日のうちに保釈になった。

不可解だった突然の終幕

取り調べがかなり進んだある日、西村氏はつぎのようにつぶやいた。

「この話を事件化すると相当上まで触らなくてはならなくなるので、うち（検察）の上が躊躇《ちゅうちょ》しはじめた。昨日、上の人間に呼ばれ、『西村、この話はどこかで森喜朗《よしろう》（前総理）に触らなくてはならないな』と言われた」

「西村さん、それは当然だよ、鈴木さんにしたって僕だって、森総理に言われてセルゲイ・イワノフとの会談を準備したんだから」


八月二十四日の土曜日は、珍しく深夜まで取り調べがあった。再々逮捕が近いという嫌な予感がした。しかし、翌二十五日の日曜日は取り調べが全くなく、読書三昧《ざんまい》で一日を過ごした。

八月二十六日、午後二時過ぎに独房の鍵《かぎ》が開き、いつものように取調室に向かった。取調室の中に入ると、一昨日までは室内に山のように積み重ねられていた書類が一つ残らず撤去されており、机の上からはノート型パソコンもプリンターも撤去されていた。


西村氏がにこやかに言う。

「これで佐藤優関連の捜査は終わりです。御協力どうもありがとうございます。お会いできてほんとうによかったです」

西村氏は机の上に両手をついて深々とお辞儀をした。

「何をおっしゃいますか、西村さん。こちらこそ、西村さんの思いの通りにならず、申し訳なく思っています」

私も深々と頭を下げた。それに続けて私は言った。

「唐突な終わりだね。いったい何があったの」

西村氏は、捜査が終了した経緯について率直に説明した。この内容について、私は読者に説明することはまだ差し控えなくてはならない。しかし、ひとことだけ言っておきたいのは、西村氏の説明が踏み込んだ内容で説得力に富むことだった。私は西村氏に答えて言った。

「そうすると今回の国策捜査をヤレと指令したところと撃ち方ヤメを指令したところは一緒なのだろうか」

「わからない。ただし、アクセルとブレーキは案外近くにあるような感じがする。今回の国策捜査は異常な熱気で始まったが、その終わり方も尋常じゃなかった。ものすごい力が働いた。初めの力と終わりの力は君が言うように一緒のところにあるかもしれない」

「西村さん、僕にもそんな感じがする。体制内の政治事件だからね。徹底的に追及すると日本の国家システム自体が壊れてしまう」

「しかし、ここで政官の膿《うみ》を出しきっておかないと、また近い将来に外務省と政治家絡みで国策捜査が行われるぜ。今回の経験で国策捜査には一定の幅があるということがよくわかったよ。捜査に対するブレーキのかかり方を見て少し怖くなった。僕にも自己保身はあるからね」

「それは当然だと思うよ。自分の身は自分で守らないと」

今後の見通しについて西村氏は以下の助言をした。

「あと残っているのは公判だけだ。あなたは争うだろうから一年くらいはかかるだろう」

「求刑はどうなるの」

「全《すべ》て認めている前島とのバランスがあるのであなたは懲役二年半になる。但《ただ》し、三年を切っているということは、『検察庁としては執行猶予《ゆうよ》でいいですよ』ということだ」

「法廷では政治的に言いたいことは言わせてもらうよ。それから国策捜査論も展開する」

「それは構わない。あなたの公判は僕が中心になって担当するので、できるだけ異議も差し挟まないようにするよ。但し、裁判官の心証だけは気をつけてね。あの連中はプライドが異常に高いので政治的なことを言われると嫌がる。特に今回あなたの裁判長になった木口《きぐち》（信之《のぶゆき》）は典型的な司法官僚だ。自分がいちばん頭がいいと信じているタイプ

なんだ。裁判の進行をできるだけ急ぐことにしか関心がなく、歴史的記録を残すという
あなたの問題意識を理解できないと思う。その点だけは気をつけた方がよい」

第一回公判の一週間前、西村氏は、特別捜査部ではなく特別公判部の検事として取り調べにやってきた。呼び出しの看守が首をかしげて「特別公判部の取り調べなんて珍しいね」と言った。実際には取り調べではなく、西村氏は御機嫌伺いにやってきたのである。このときの西村氏とのやりとりを私は今も鮮明に覚えている。

私は西村氏に端的に尋ねた。

「西村さん、この国策捜査は結局のところ何のために必要だったのだろうか」

西村氏はしばらく沈黙した後に答えた。

「正直に言うけれどわからない」

「僕は西村さんのことも検察庁のことも全然恨んでいないよ。こういう形で人生の切り替えがなされるならば、それはそれでよいことだと思っている。率直に言って、あの嵐《あらし》のような生活から抜け出せてほっとしている面もある」

「そう言ってもらえると僕もほっとするよ。僕もあなたと会えたことはよかったと思っている。調室の中の会話も知的刺激に富んでいたよ」

「僕については政治犯を気取っているという認識なんだろうね」

「いや、君は政治犯を気取っているのではない。政治犯なんだ。君の動機はカネでもなければ出世でも名誉でもない」

「それならば愉快犯か」

「愉快犯でもない。あなたも鈴木さんも政治犯だ。あなたや鈴木さんは二〇〇〇年までの日露平和条約締結という目標のためにはどんな手段でも使っていいと考えた。もしそれが成功していれば、鈴木先生は英雄だったし、官邸入りし、あなたも恐らく鈴木さんと一緒に官邸に入っていただろう。しかし、平和条約はできず、しかも、あなたたちは政争に敗れた。だから捕まった。

あなたにせよ鈴木さんにせよ、目的のためには手段を選ばず、平気で法の線を越えるので、僕はいわば法に対するテロリストとして、カネや出世を動機とする連中よりもより悪質だと自分に言い聞かせている。あなたたちは革命家なんだ。それが恐らくあなたの考えていることともいちばん嚙《か》み合うのだと思う」

「西村さんの言わんとすることはよくわかる。但し、僕はテロリストではない。革命も考えていない。体制の内側の人間だ」

「あなたが体制の内側の人間で、自分のことは省みずに国益のために一生懸命仕事をしてきたことはよくわかっている。しかし、これは国策捜査だ。国策捜査がどういうものか、あなたはよくわかっている筈《はず》だ。あなたが憎くてやっているわけじゃないんだ。これが僕の仕事なんだ。僕はあなたができるだけ早くこの裁判を終わらせ、社会で活躍することを本心から望んでいる」

私はこれを西村氏の本心と受け止めた。

それから

二〇〇二年九月十七日に東京地方裁判所で第一回公判が行われた。私だけが本件は国策捜査であるとの認識を述べ、罪状を否認したので、前島氏、飯野氏、島嵜氏とは、公判の途中で分離となり、手錠と捕縄をかけられ退廷させられた。この日に小泉総理が平壌《ピョンヤン》に渡り、金正日《キムジョンイル》と会談したので、夕刊紙面はほとんど日朝首脳会談で占められ、私の事件などはベタ扱いと思っていたが、各紙が写真入りで、私が本件が国策捜査であると述べたことが見出しに躍った。

もう西村氏と話をすることはないと思っていたが、その後、西村氏は一度、東京拘置所を訪ねてきた。このときは私の弁護人が検察庁に押収《おうしゅう》されている預金通帳と印鑑の還付を申請したのに対し、佐藤本人からどの印鑑と通帳が対応しているかについて確認するというのが口実であったが、実際は御機嫌伺いだった。

「冒頭陳述は西村さんが書いたの」

「違うよ。若い検事が書いた。僕が指示したのは、三井が丸紅に『降り賃』として五千万円払っていることを書けということと、若い検事から『東郷の位置付けをどうしますか』と聞かれたので『共犯だ』と答えただけだ」

「鈴木宗男と外務省の関係をもっと厳しく糾弾するのかと思ったけれど、そうでもないね」

「検察側の冒頭陳述なんてだいたいあんなものだよ」

その後、鈴木氏の近況や外務省の様子について西村氏は貴重な情報を伝えてくれた。それから、私たちは少しだけ取り調べの頃の思い出話やお互いの手の内について披露し、笑った。西村氏がポケットから銀色の懐中時計を取り出して言った。

「そろそろ行かないと。僕はあなたの弁護人じゃないから、もうここには来れないと思う。だから言っておきたいことがあるんだけれど」

「なんだい」

「あまりストイックにならないで欲しい。こんなところにいつまでもいたらだめだ。真面目《まじめ》に保釈を考えろ。弁護士から話があれば僕もできるだけのことをする」

「ありがとう。その気持ちだけで嬉《うれ》しいよ。ただ鈴木先生はまだしばらくここにいるよね」

「鈴木さんへの義理はもう十分果たしたよ。あなたが他の外務省の人たちや業者と違って、最後まで鈴木先生と切れなかったのは、対露平和条約交渉の盟友だったからだ。あなたは友だちを裏切らないし、盟友を見捨てない。そういう人だ。でももう十分鈴木さんへの義理は尽くしたし、鈴木先生もそれはわかっているよ。もっと自分のことを考えないと。それから、あなたがいつまでもこんな中にいるとそれは社会的損失だよ。外交のことでも国策捜査のことでも、どんどん書いて問題提起をしていけばいいじゃないか」

「検察にとって都合のよくないことも書くよ」

「それは仕方がないよ。もったいないよ。これで社会的に活躍しなくなってしまうのは。国策捜査に巻き込まれた人で、これまでとは別の方面で能力を発揮している人はいくらでもいるよ。だから早く外に出ることを考えることだ。鈴木さんはあと一年は外に出られないよ。それに鈴木さんの十年裁判に付き合う必要はないよ」

「いや、ある程度のところまで付き合うことに決めたんだ」

「わかった。でもほどほどにしておきなよ。裁判なんて時間の無駄だよ。これ以上は言わない。ただ、弁護士には遠慮せずに、少なくとも週一回は接見（面会）に来てもらうようにした方がいい。それから食べ物でも本でも欲しいものは遠慮なく弁護士にお願いしたらいい。独房でストイックな生活をしていると知らず知らずのうちに神経が参ってしまう」

「わかった。弁護士には遠慮しないで何でも頼むよ」

「それから、外に出てからは、仕事や他人のためにではなく、もっと自分の欲望に忠実に生きて欲しいと思う。あなたのこれまでの生き方はあまりにも自分を犠牲にし過ぎているよ。それはよくない」

「いや、僕は僕でそれなりに楽しく生きてきたつもりだ」

「ほんとうにそうだろうか」

「ほんとうにそうだ」

「それならばもうこれ以上は言わない」


西村氏が言ったとおり、鈴木宗男氏の勾留はその後一年近く続いた。結局、私も五百十二日間、約一年五カ月を東京拘置所の独房で過ごした。公判では西村氏と一言、二言、挨拶《あいさつ》を交わす以外には、お互い被告人、検察官という役割分担に従い、法廷ゲームを続けていった。〇四年一月、司法クラブの記者から四月の人事異動で西村氏が東京を離れるという話を聞いた。


二月二十三日の公判が私が西村氏と顔を合わせる最後の日になった。開廷は午前十時であるが、この日、私は少し早く東京地方裁判所に着いた。四〇六法廷に向かっていくと廊下で西村氏と出会った。

「どうも」

「異動になります。水戸に行くことになりました」

「新聞記者から聞いています。御栄転おめでとうございます。西村さん、それにしても公判を思ったよりも引っ張っちゃって悪かったね」

「もう。あなたはわがままなんだから。仕方ないね」

和気藹々《あいあい》と話を続けようとしたところに西村氏の上司にあたる吉田正喜検事が駆け寄ってきて甲高い声でわれわれ二人を怒鳴りつけた。

「二人とも、立場をわきまえてください。一般の人が見ていたらどう思いますか。いい加減にしてください」

西村氏も私も返事をせずにその場を離れた。普通の検察官ならば先輩検察官にペコペコ頭を下げるのであろうが西村氏はそれをしない。職人気質なのだ。

公判が終わった後、吉田氏は早く退席した。私は検察官席に近寄り、西村氏に声をかけた。

「もうお会いすることはないと思いますが、ほんとうにお世話になりました」

「こちらこそお会いできてよかったです」

「西村さん、あなたは検察庁の良心なんだからちゃんと出世してくださいよ。御活躍を期待しています」

「この公判の結果、左遷《させん》されることになると思うよ」

「そんなこと言わないで」

四月に西村氏は水戸地方検察庁のナンバー・スリーに異動になった。

その後、吉田氏が事実上の検察の代表者となることにより、公判の進捗《しんちょく》状況が一変した。吉田氏は東郷和彦氏が証言台に立つことを阻止すべく全力をあげて画策し、この工作は成功した。私は吉田氏の「業績」を是非とも歴史記録に残したいと考え、〇四年六月二十九日、第三十一回公判の被告人質問でその責任を果たした。このときの記録に残った私の発言をそのまま引用しておきたい。

〈緑川由香弁護人：東郷元欧州局長も、一時は証人になることに前向きとも思われるような、そういう回答をもらっていた時期もあったんですが、結局、証人として出頭を拒否されてしまったということについて、どのようにお考えですか。

佐藤優被告人：とても残念に思います。それとともに、前回、大室征男弁護人のほうから本法廷で説明がありましたが、いったん東郷さんは証言する意向を固めたんですが、それを中止するに至った背景には、東京地方検察庁特別公判部の吉田正喜検事の、東郷さんの代理人に対する働きかけがあります。これは、被告人並びに弁護人の防御権を侵害するものと考えられますので、極めて遺憾であります〉

九月に吉田氏は最高検察庁事務取扱に栄転した。

結局、私は西村氏と一度も握手をしなかった。なぜならば国策捜査というこのゲームで、西村氏はあくまでも私の敵で、敵と和解する余地が私にはなかったからである。しかし、西村尚芳《ひさよし》検事は、誠実で優れた、実に尊敬に値する敵であった。

獄中年表

【2002年】

2月22日	国際情報局分析第一課主任分析官から外交史料館課長補佐に異動
5月14日	東京地検特捜部に背任容疑で逮捕。東京拘置所に収監される
	前島陽元ロシア支援室総務班長（課長補佐）も同容疑で逮捕
16日	東京地裁にて勾留決定
17日	取り調べで西村尚芳検事の攻勢始まる
6月4日	背任罪で起訴。勾留延長
19日	鈴木宗男衆議院議員斡旋収賄容疑で逮捕に抗議して48時間のハンスト決行
7月3日	偽計業務妨害容疑で再逮捕
	三井物産飯野政秀部長ら三人も同容疑で逮捕
24日	偽計業務妨害罪で起訴。勾留再延長
9月17日	第一回公判

【2003年】

3月22日	東京拘置所の新獄舎に引っ越し
8月29日	鈴木宗男氏保釈
10月6日	ゴロデツキー教授来日し、公判で証言
8日	東京拘置所から保釈される（勾留日数512日）

【2004年】

4月1日	西村検事、水戸地方検察庁へ異動
5月	東郷元オランダ大使、公判での証言を拒否
10月12日	検察側論告求刑（懲役2年6カ月）
11月10日	弁護人最終弁論・被告人最終陳述

【2005年】

2月17日	第一審判決（懲役2年6カ月執行猶予4年）。即日控訴

第六章　獄中から保釈、そして裁判闘争へ

拘置所の「ゆく年くる年」

冷え込みが激しい。獄窓の鉄格子《てつごうし》の間から雪が降っているのが見える。今日は二〇〇三年一月三日、金曜日、獄中生活二百三十五日目だ。元旦《がんたん》に配付された「おせち料理」の重箱を今日中に返却しなくてはならない。年末・年始の「特別配給」は驚くほど豪華だ。年末年始の獄中生活について少し紹介してみよう。

二〇〇二年十二月二十七日（金）

今日が面会最終日。その後、一月五日まで九日間、囚人は外界から遮断される。その間は差し入れも一切入らない。だから、多くの囚人が年内に保釈になるように全力を尽くす。また、ここ数日は面会室もたいへん混雑している。恐らく三時間くらい待ったのではないだろうか、大森一志弁護人が面会に来てくれた。昨日は緑川由香弁護人が面会に来てくれた。年末の忙しい中、弁護人の心遣いに胸が熱くなる。

昨日も今日も面会室では囚人が大声で泣きだし弁護人に対し、「先生、なんとかしてくださいよ。保釈にならないんですか」と訴える声が壁を通して聞こえてきた。私は拘置所職員から「正月には特別の配給があるよ」という話を聞いていたので、是非それを体験してみたいという好奇心から、保釈については全く考えなかった。

十二月三十一日（火）

午後三時過ぎに、割子そば、一口羊羹《ようかん》、栗饅頭《くりまんじゆう》、一口カステラ、揚げ煎餅《せんべい》、ビスケットの詰め合わせが配られる。小学生時代の夏祭りに配られた「お菓子セット」を思い出す。拘置所のラジオはいつも午後九時に中断されるが、今日は深夜零時十分まで延長される。一年に一度の例外だ。レコード大賞、紅白歌合戦、更にゆく年くる年の冒頭を聞くことができる。

二〇〇三年一月一日（水）

朝一番で特別配給品が配られた。紅白の饅頭と重箱。内容も充実している。蟹《かに》クリームコロッケ、鶏《とり》唐揚げ、ミカン・パイン・チェリーのコンポート、漬け物（野沢菜・大根）、野菜煮付け（椎茸《しいたけ》・筍《たけのこ》・昆布）、豚肉角煮、塩鮭《しおざけ》、牡丹海老《ぼたんえび》、数の子、昆布佃煮《つくだに》、酢蛸《すだこ》、羊羹、伊達《だて》巻き、紅白蒲鉾《かまぼこ》、豆きんとん、黒豆。

食事も特別だ。三が日は麦が入っていない「銀シャリ」だ。もっとも古米なので、実は麦が入っていた方が風味があっておいしい。ただしおかずは豪華版だ。餅《もち》もつきたてで温かい。

朝食：大根の味噌汁《みそしる》、イカ塩辛、芋きんとん
昼食：手作り餅、雑煮（味噌味）、焼きそば、マスクメロン、牛乳
夕食：ビーフステーキ、ミックスベジタブル（コーン・人参《にんじん》・グリーンピース）、鱈《たら》子《こ》スパゲティー、ベーコン・クリームシチュー、カフェオーレ

一月二日（木）
朝食：茄子《なす》と玉葱《たまねぎ》の味噌汁、鯛《たい》味噌、漬け物
昼食：豚汁、鮪《まぐろ》刺身、山芋のとろろ、海藻サラダ
夕食：手作り餅、汁粉、蒟蒻《こんにゃく》と野菜の煮付け、茶碗《ちゃわん》蒸し、りんご、牛肉大和煮缶詰、みかん缶詰

一月三日（金）
朝食：わかめとジャガイモと麩《ふ》の味噌汁、なます、煮豆
昼食：鰻《うなぎ》の蒲《かば》焼き、大根の煮付け、卵と野菜のスープ、プリン
夕食：手作り餅、雑煮（醬油《しゆうゆ》味）、イカとナムルのあえ物、蟹缶詰、イカ缶詰、バームクーヘン、レモンティー

北朝鮮では金日成《キムイルソン》、金正日《キムジョンイル》の誕生日に特別配給があると言うが、それよりも東京拘置所の正月の食事は豪勢だと思う。しかし、胃袋が少し疲れてきた。いつもの拘置所の食事が懐《なつ》かしくなってきた。

歴史に対する責任

九月十七日に初公判が始まってから、公判準備の作業を除いて、私は読書と思索、そしてメモ作りで毎日を過ごしている。前島、飯野、島嵜《しまざき》の三被告人が罪状を全面的に認め、私は全面否認なので、公判は初日に分離された。

三人とも家族水入らずの正月を送っているのだろう。個人が国家権力と闘っても勝つことはできないとの諦《あきら》めで、とにかく公判をできるだけ早く終わらせ、人生の再出発を図るというのも一つの選択だ。それはそれなりに尊重しよう。

しかし、私は別の選択をした。歴史に正確な記録を残しておきたい。そうすれば、二〇三〇年には、私たちとゴロデツキー教授の関係、テルアビブ国際学会に関する外交文書も、北方四島へのディーゼル発電機供与事業に関する外交文書も原則的に公開される。そのとき検察のストーリーと私の供述のどちらが正しいかが明らかになる。諦めてはならない。歴史に対する責任を果たすんだ、と意気込んでいた。

そのためには、私が考える三人のキーパーソンに証言してもらわなくてはならない。

ゴロデツキー教授、鈴木宗男衆議院議員、東郷和彦元欧州局長だ。この三人をどうやったら法廷に連れてくることができるか。暖房のない独房で、背中を丸めながら、獄窓の雪を眺めつつ私は考えを巡らせた。

映画やテレビドラマの法廷シーンは、証人が前言を翻《ひるがえ》して被告人が無罪になったり、これまで頑強に犯行を否認していた被告人が良心に目覚め、泣き崩れて罪を認める情景が頻繁にでてくるが、実際の法廷での駆け引きは、法技術的観点からの激しい応酬なので、観客にとってはそれほど面白い見せ物ではない。

公判には野球の試合のように攻撃と防御の順番がある。被告人の犯罪を証明する責任は検察庁にあるから、まず検察官が証人に対して主尋問を行う。これに対して、弁護人が主尋問で議論になったことの枠内で反対尋問を行う。その反対尋問の後、検察側が再主尋問を行う。その後、裁判官が証人を尋問し、一丁上がりになる。

検察側が請求した証人の取り調べが全《すべ》て終わると、今度は弁護側請求の証人について、弁護側が主尋問の側に回り、同じゲームが繰り返される。稀《まれ》に弁護側請求の証人に対して検察側が主尋問を行いたいとする場合があるが、この場合は双方請求という手続きをとり、双方が主尋問、反対尋問を行う。

証人は、宣誓の上、証言するので、自己が刑事責任を問われる可能性のあることについては黙秘できるが、それ以外は全て真実を包み隠さず証言しなくてはならない。嘘《うそ》をついた場合には偽証罪に問われることがある。偽証罪は三カ月以上十年以下の懲役と定められている。

これに対して被告人が法廷で行うのは、証言ではない。宣誓なしの供述なので、言いたくないことは言わないでよいし、嘘をついた場合でも偽証罪に問われることはない。

これだけ聞くと被告人は証人に較《くら》べて気楽そうに見えるがそうではない。仮に証言と被告人の供述が矛盾した場合、偽証罪の縛りがかかるだけ証人の証言の方が信憑性《しんぴょうせい》が高いとみなされる。特に国策捜査のように国家が特定の人物を初めからターゲットにして行われる捜査では、証人が事実と異なる証言をすることもよくあるが、それに対して証人が偽証罪に問われることはまずない。

検察側は、私の共犯とされた前島陽《あきら》氏、飯野政秀氏、島嵜雄介氏の他、外務省・支援委員会関係者、業者など八名を証人に請求し、裁判所はその全員を採用した。

弁護側は二十名以上の証人を請求したが、裁判所に採用されたのは六名だった。私が歴史に正確な記録を刻み込むために是非とも証言台に立って欲しいと考えていた三人の内、裁判所はゴロデツキー教授、東郷和彦元欧州局長を証人に採用したが、東郷氏は出廷しなかった。鈴木宗男氏について、裁判所は弁護側の証人請求を却下した。こうして第一審段階では、東郷氏、鈴木氏の「生の声」を公判記録に残す道は閉ざされた。

ロシア人、イスラエル人にとって「友だち」ということばがどれだけ重い意味をもつかについては以前に何度か述べた。私の逮捕については、ロシアのメディアで大きく報じられたのでゴロデッキー教授から弁護人に私の安否について気遣うメッセージが入ってきた。

「歴史に正確な記録を残すことが所与の条件下、私が知識人として行わなくてはならない責務と考えている」というメッセージを私はゴロデッキー教授に伝えた。

教授は私の考えを正確に理解してくれた。緑川由香弁護人がヨーロッパに渡り、ゴロデッキー教授と接触した。ゴロデッキー教授は、訪日し、宣誓の上、証言することについて前向きに検討すると約束した。しかし、唯一《ゆいいつ》の不安は、日本の検察当局が、佐藤優の背任事件の共犯としてゴロデッキー氏を逮捕、起訴することであった。

この不安を解消する上で、ある検察庁幹部が貢献してくれた。検察庁の立場としては、ゴロデッキー教授を証人として採用する必要はない。しかし、検察の起訴状朗読や冒頭陳述で私の背任の動機がゴロデッキー教授の利益も図ることにあったとしている以上、同教授の証言が不可欠とする被告人・弁護人の理屈にもこの検察庁幹部は理解を示した。

日本にゴロデッキー教授の幼なじみが永住しているので、弁護人がこの人物を検察庁幹部と引き合わせた。この検察庁幹部は、「検察庁のターゲットは佐藤優被告人だけなので、ゴロデッキー教授が訪日しても逮捕されたり刑事責任を追及されることはない」

と明確に伝えてくれた。この結果、ゴロデツキー教授は証言台に立つことを最終的に決断した。ゴロデツキー教授を迎えての公判は〇三年十月六日に行われることになった。

確定死刑囚

余談だが、東京拘置所では二〇〇三年三月二十二日に、半世紀に一度の大行事があった。新獄舎への引っ越しだ。

もっとも拘置所は過剰収容なので、旧獄舎も継続して使う。重罪を犯すと冷暖房完備で、施設も整っている新獄舎で比較的快適な生活を送る。ちょっとした犯罪の場合には、昭和初期に建った獄舎で暑さ、寒さに苦しむという逆説的状況が生まれた。もっとも新獄舎はハイテク機材で監視体制も厳しいが、囚人にはそれが見えないようになっている。

獄中の引っ越しは、二、三日前に独房にある書類、書籍、缶詰、衣類などを段ボール箱に詰めておくと雑役担当の懲役囚が事前に新獄舎に運んでおいてくれる。囚人は当日、銭湯の脱衣場でよく使われているプラスチック籠《かご》に私物を入れて移動するだけだ。

私のように独房暮らしで、接禁措置が付されている要注意人物については（因《ちな》みに私の階にはそのような要注意人物が多い）、職員がひとりずつ付き添い、数メートルの間隔を開けて、旧獄舎から新獄舎に向けて行列がゆっくり進む。全体で移動距離は二百メートルもないのであるが、囚人は運動不足で脚の筋肉が衰え、しかも年輩者も多いので、途中で何度も何度も休憩をとる人もいる。そうすると行列が止まる。新獄舎に移り、私は今まで気付かなかったある事実を知ることになる。

新北舎三階に居住していた囚人は新獄舎B棟八階に移動した。職員、雑役担当の懲役囚に一部異動があったが、階の責任者である担当は替わらなかった。〇三年四月八日から保釈になる十月八日までの百八十四日間、私は確定死刑囚の人たちの隣人になった。隣人とはいっても、私も死刑囚も、他人と話をすることを厳しく禁じられている要注意人物だったので、直接言葉を交わしたことはない。何度か目で挨拶《あいさつ》をしたことがあるだけだ。

独房には、薬物中毒で禁断症状が出る人や、あるいは精神的重圧に耐えられず、心身に変調を来《きた》す人などがいるが、このとき隣り合わせになった死刑囚のうちひとりはいつも沈着冷静で、看守たちからも囚人たちからも尊敬される立派な人物だった。

ある日、三十歳代の人柄のよい黒縁眼鏡をかけた看守が、「面会。お母さんだよ」と言うと、私の隣房の確定死刑囚が、「おふくろ。すぐに行きます」と言って、独房から廊下を小走りに面会場の方へ向っていく姿が見えた。

独房の中から、私はその死刑囚の後ろ姿を見ていたが、背中にはうれしさがにじみ出ていた。私も母親のことを思い出した。

確定死刑囚数名がB棟八階の入り口から最も遠い場所に収容されていた。死刑囚を隣合わせにしないため、その間には、拘置所当局に対して協力的な未決勾留者《こうりゅうしゃ》を住まわせるようになっていた。沈着冷静な死刑囚は三十一房、私は三十二房、その隣の三十三房にも死刑囚が住み、それがいちばん奥の独房で、その先には屋内運動場につながる廊下がある。

拘置所は死刑囚の動静についてはとても神経を尖《とが》らせ、内部の他の囚人に対して知られることを含め、厳しく情報を管理している。偶然が何回か重なって、私は隣人が死刑囚であり、その内の一人が具体的に誰であるかを知ることになった。

〇三年四月七日、B棟八階の職員から、

「ちょっとお願いがあるんだけど。房を替わってもらえないかな。ちょっと難しい人たちのいるとこで、そこに挟まれているとみんな参っちゃうんだが、あなたなら大丈夫だと思うから頼む」という話があった。

私は看守たちにはいつも気を遣ってもらっているので快諾した。担当の看守は確定死刑囚たちに対するよき理解者のように見受けられた。三十三房の判決確定を間近に控えた死刑囚が若干神経過敏になっていたため、周囲とトラブルが生じていたことが原因だった。そのトラブルの具体的内容についてはここでは書かないが、職員たちは実にたいへんだったと思う。移動当初、私は隣人が死刑囚だということに気付かなかった。私が三十二房で生活をしていて気付いたのは、一週間に一、二回、三十二房と三十三房にビデオ付きテレビが入れられ、二時間くらい映画を鑑賞していることだ。『男はつらいよ』や『千と千尋《ちひろ》の神隠し』の音楽や、隣人の笑い声が聞こえてくる。私もビデオを見たくなり、あるとき看守に、「先生、ビデオはどういう手続きをすれば見ることができるのですか」と尋ねた。

看守は唇に指をあてて、小声で、「あとで説明する」と答えた。後で、看守が私の独房の中に入ってきて、「ほんとうは言っちゃいけないんだけれど、『確定者』だけ。あとはあなたわかるでしょう」とヒントを与えてくれた。

通常、拘置所で刑が確定すると無罪・執行猶予《ゆうよ》の場合を除き、その日のうちに丸坊主《ぼうず》にされ、囚人服に着替えさせられ、独房内で「袋貼《は》り（紙のショッピングバッグ作り）」の作業（懲役）に従事するようになり、その後一、二週間で刑務所に移送される。

確定者で、囚人服にも着替えず、東京拘置所にとどまり続けるのは死刑囚だけだ。ビデオの謎《なぞ》を解くことによって、私は両隣に収容されているのが確定死刑囚であるという認識をもつようになった。それにしてもビデオの音楽や台詞《せりふ》とともに聞こえる隣人の笑い声が、いつの日か行われる死刑執行と不可分であると思うとやりきれない気持ちになる。

三十一房の隣人

ところで、拘置所では、毎週月曜日と木曜日が髭剃《ひげそ》り日で、電気カミソリが貸し出されるが、自費で電気カミソリを購入すると毎日一回、髭を剃ることができる。カミソリが紛れてしまわないように独房の番号と氏名が記されているのであるが、ある日、間違えて「三十一房、誰某《だれそれ》」と書かれた電気カミソリが私の独房に差し入れられた。これで私は隣人の氏名を知ることになった。

三十年以上前、共産主義革命を目指して大きな事件を起こした人物だった。この事件については、当時の警察関係者が手記を書き、それが映画化されたり、種々の評論もでており、この事件をモデルにした小説もいくつも書かれている。

独房は、畳部分が三畳、それに一畳のフローリングの床の上に洋式便所と洗面台がある。新獄舎に移り、コンクリート床がフローリングに、洗面台が旧獄舎の一・五倍くらいになり、洗面器を洗面台の上に置いて水を溜《た》め、顔を洗ったり、洗濯ができるようになったことは生活環境改善で大きな意味をもった。

三十一房の隣人は清潔好きで、朝起きて点検、朝食が済むと箒《ほうき》で入念に掃除している音が聞こえた。また、拘置所では、下着類は独房内で洗濯することが認められ、それを雑役担当の囚人に渡して干してもらうのであるが、隣人はこまめに洗濯をしていた。私は横着をして洗濯物は全《すべ》て「宅下《たくさ》げ」（囚人の私物を外部の人に引き取ってもらうことを意味する拘置所用語）し、洗濯をした衣類を差し入れてもらうようにしていた。

独房暮らしをしていると隣人の生活が気になる。面会や公判、入浴で移動するときに、廊下から他の独房の様子が目に入る。拘置所の内窓は特殊なガラスでできているので、独房の内側から外側は見えにくいが、看守がいる廊下から独房内部の様子はよく見える。

三十一房の隣人は朝日新聞を購読していた。新聞から記事を切り抜き、スクラップ帳を作っていたようである（拘置所側は囚人にナイフや鋏《はさみ》をもたせないので、隣人はほぼ毎日のように「切り抜き願い」を書いて、拘置所側に新聞の切り抜きを作らせていた）。

独房の壁沿いに書類が山のように積まれ、その上に画用紙に描かれた山の絵が立てかけてあった。この絵は私が保釈になるまでずっと同じ場所に置かれていた。恐らく隣人が起こした事件の舞台になった山の絵なので大切にしているのだろう。

隣人は健康維持にも気を遣い、拘置所の規則の範囲内で、できる機会は全て利用し、身体《からだ》を動かしていた。具体的には、〇九：四五—一〇：〇〇がストレッチ体操、一四：四五—一五：〇〇が房内体操の時間だが、壁を隔てて伝わる振動で隣人が運動していることがわかる。また、入浴のない日は、屋内運動場で一日三十分運動時間がある。その機会をいつも利用していた。私は昔から体育が嫌いなので、運動にはほとんど出なかったが、隣人が元気そうに運動場に向かっていく姿をよく見かけた。

拘置所では「ゴミ上げ」という号令とともに、月曜日、木曜日に看守が順番に独房の扉を開けてゴミを捨てる。拘置所でも「燃やせるゴミ」、「燃やせないゴミ」を分別して出さなくてはならないが、独房内にゴミ箱はひとつしかない。隣人は新聞紙でゴミ箱をもう一つ作って、対応していた。

因みに私は食パンの入っていたビニール袋を隠匿《いんとく》して、第二のゴミ箱にしていた。ビニール袋所持は厳禁だが、「お目こぼし」に与《あず》かっていた。何事も規則ずくめで、拘置所生活は窮屈だ。

三十一房の隣人がゴミを出した後、私がゴミを出す。隣人のゴミの中にライオネス・コーヒーキャンデーの赤色の包み紙がいつも大量に捨てられていた。未決勾留者が自費で購入できるのはカンロ飴《あめ》だけだが、確定死刑囚は購入可能商品のリストが異なりコーヒーキャンデーを買うことができるようだ。

拘置所ではインスタントコーヒーを平日は二回（午前十時と午後三時）、休日は一回（午前九時）しか飲めないので、コーヒー党にとって、このキャンデーはほんとうに重宝する。私が大森一志弁護人に相談して調べてもらったら、拘置所指定の売店経由でコーヒーキャンデーの差し入れができることがわかったので、早速入れてもらうことにした。今も街でこのキャンデーを見ると確定死刑囚の姿を思い出す。

隣人の肉声で、いくつか印象に残っていることがある。

新獄舎は、ニスやペンキの臭《にお》いで、ときどき目が痛くなったり、また小机の上に食事の際に配給される茶（一リットル入りの小型やかんに入れる）を置くとくさい臭いがした。隣人が拘置所職員に対して、「みんな黙っているけど、これはシックハウス症候群だよ。こういうことは拘置所も問題意識をもってもらわないと」と述べた。

私を含め、他の囚人たちが心では思っていても口に出さないことを代弁していた。

独房には外側に窓がある。その向こうに幅一メートルくらいの廊下があり、さらに外側の壁に大きな窓（壁窓）がついている。新獄舎は冷暖房完備で、独房もきれいで、旧獄舎のようにカビが大量発生することもないが、壁窓が曇りガラスなので外界が全く見えない。旧獄舎は、壁窓の上の方は透明なプラスチックになっていて、月や星、雲や鳥の姿が見えた。また、防音も不十分だったので、作業をする囚人や職員の声、猫や鳥の鳴き声がよく聞こえた。これに対して新獄舎は防音が行き届いているので静かだ。

また、旧獄舎時代、面会場や医務室に行く際には中庭を通るので、外気に触れたり、猫、鳩《はと》、雀《すずめ》などの姿を目の当《ま》たりにしたり、夏には蟬《せみ》の声に気分を和ましたりもした。これが長期間勾留されている囚人にとっては大きなやすらぎになるのだ。しかし、新獄舎はこのような自然に触れる機会が全くない。

結局、物理的な生活環境は改善されたが、心理的圧迫度は強まったのである。囚人からの不満が多いので、しばらく経《た》ったところで、外の廊下に観葉植物が置かれるようになった。確かにこれがあると心が和む。観葉植物は、ゴムの木ともみの木の鉢植えが交互に置かれていたが、九月にもみの木が撤去された。

そのとき隣人が、「先生、あの木はもう戻ってこないんですか」と淋《さび》しそうな声で尋ねていた。私ももみの木に情が移っていたので、その淋しさがよくわかった。

拘置所では精神に変調を来す人もいる。私の独房の向かい、三十五房の囚人が、徐々に精神に変調を来しはじめ、夜中も眠れずに奇声を発したり、職員を呼びつけて種々の訴えをするようになった。睡眠薬を相当量投与されていたが、寝付けないようで、ある日の夜中、大きな音を立て、激しい調子で訴えをはじめた。他の囚人にも動揺が広がり、獄舎に緊張が走った。

その時、三十一房の隣人が、大声で、「うるせーんだよ。言いたいことがあったら裁判所で言え。昼間寝ているからあんたは眠ることができないんだ。みんな寝ているんだから静かにしろ。先生方を煩《わずら》わせるんじゃない」と叫んだ。

これで、三十五房の囚人は静かになった。深夜にもかかわらず、当直の幹部職員が訪ねてきて、「ありがとうございます」と隣人に深々と頭を下げ、お礼を言った。

隣人は、「先生、あの人はもう限界だと思います。そろそろ医療房に移してあげたらいいんじゃないですか」と静かに言った。それからしばらくすると医務担当の職員が来て、三十五房の囚人を担架で連れ去った。

保釈になった後、私がいちばん最初に買い求めた本はこの隣人の書いた獄中手記だった。その本の中で、隣人がソ連・東欧崩壊を真摯《しんし》に考察し、自らの過去にそれを重ね合わせ、新しい世界観を作ろうとする努力が感じられた。私もモスクワ国立大学と東京大学で、哲学や思想に関連する講義をしていたので、隣人の思索が過去の哲学・思想史の成果を踏まえ、とても真剣で、高い水準のものであることがわかった。

私は外交官として二十年間を過ごしたので、ものの考え方は保守的だ。政治的に三十一房の隣人とは考えを異にする。しかし、私にとって重要なのは、あの閉ざされた空間のなかで、真摯に自分と、そして歴史と向い合う三十一房の隣人の姿なのだ。一言もことばを交わさなかったが、私は獄中でこの隣人から多くのことを学んだ。

看守が、「面会。お母さんだよ」と言うと、「おふくろ。すぐに行きます」と言って、独房から廊下を小走りに面会場の方へ向かって行くうれしそうな隣人の後姿を私は一生忘れることはないと思う。

保釈拒否の理由

さて、公判で検察側の証人調べが終わると、普通、弁護側は被告人の保釈手続きに入る。私の場合、六月十七日に杉山晋輔《しんすけ》外務省元条約課長の証人調べが終ったので、弁護人が直ちに保釈手続きに着手しようとしたが、私がそれにストップをかけた。理由は二つある。一つは心情、もう一つは理屈の問題だった。

心情として、鈴木宗男氏のことがあった。外務省が対露外交に鈴木氏を巻き込むことがなければ、そして一部外務省員が、種々の情報操作工作で同氏を陥《おとし》れることがなければ、鈴木宗男氏が国策捜査の対象となり、逮捕され、長期勾留されることにはならなかった。結果から判断するならば、私は鈴木氏に災いをもたらした側の一員だ。それに私のようなインドアー派と異なり、鈴木氏は外で快活に動き回ることが好きだ。勾留生活は心理的に私の数倍もこたえている筈《はず》だ。私は盟友が苦しんでいるのに、自分だけ楽になりたいとは思わなかった。

理屈の問題として、そもそも保釈を私の方からお願いするのは筋が違うと考えた。刑事訴訟法では、勾留は起訴から二カ月で、特に継続の必要がある場合にだけ、具体的理由を付した裁判所の決定にもとづき、一カ月ごとに更新される（同法第六〇条二）。私は背任、偽計業務妨害の二事件について、それぞれ勾留がなされているので、毎月二回、勾留更新簿に指印を押す。東京地方裁判所の勾留更新決定に異議があるときは即時抗告を行い東京高等裁判所の判断を仰ぐ。高裁の決定が憲法違反、判例違反の場合には最高裁判所に特別抗告をする道も制度的に担保されている。

私が勾留更新をされる理由は、罪証隠滅と逃亡の恐れがあるということだが、私には罪証隠滅も逃亡もする意思がない。従って、このような勾留更新の決定は事実誤認に基づくものなのである。だから、更新がなされるたびに、つまり月二回、即時抗告を行うべきなのだ。もちろん高裁が棄却するのは目に見えている。その場合、人身の自由は憲法で保障された基本権中の基本権という理由で毎回最高裁判所に特別抗告する。このような形で刑事訴訟法というルールブックに書かれた規則に従い、徹底的に筋を通すべきというのが私の考えだった。

現状では、罪状を認めない被告人を検察は極力拘置所にとどめようとする。被告人が容疑を否認した場合、初公判まで保釈が認められることはまずない。初公判後も、被告人・弁護人が検察側が証拠として請求した供述調書に同意しないならば、検察側請求の証人が法廷で証言を終えるまでは保釈が認められることもほとんどない。被告人が否認で筋を通すならば、一年以上、勾留されることは今や「常識」なのである。長期勾留という形で被告人を「人質」にすることで、検察は自らに有利な状況を作ろうとしている。事実、長期勾留に対する恐れから、無実の罪を認めたり、あるいは自己に不利な供述調書を証拠として認める事例はいくらでもある。

もっとも、国際スタンダードでは、このような「人質裁判」が横行するのは国家権力が弱っていることの証左である。強い国家は無理はしないものだ。私は「人質裁判」に現れた日本の現政権の「弱さ」をきちんと記録に残したいと考えた。

現状の「人質裁判」がいかに理不尽であるかを示すためには、このように本来の筋を通し、勾留更新決定を撤回させる努力を続け、その記録をきちんと残しておくべきなのだ。さらに、勾留理由について裁判所にはいつでも公開の席で開示する義務があるので、勾留理由開示公判を頻繁に行い、私が勾留を続けられている理由を記録に残しておくようにする。そのために第一審の間、身柄がずっと拘束されていても構わない。獄中で読まなくてはならない本はたくさんあるし、それに学生時代からサンスクリット語とアルバニア語を勉強したかったので、あと二年くらい勾留されるならばその夢もかなえられると考えたのである。

私は、また、現状の保釈制度を被勾留者が安易に用いてはならないと考えていた。裁判所にお願いして、逃げない担保として保釈金を積み、移動も制限され、しかも保釈後は面会や電話はもとより、第三者を通じての伝言のやりとりもできない人物が指定される。このような状況に、わざわざ自ら陥ることもあるまい。

こうした私の理屈に対して、弁護人は次のように述べた。

「確かに理屈としては、佐藤さんの言うことは筋が通っています。しかし、法実務の世界の運用には馴染《なじ》みません」

「先生、法曹村の掟《おきて》とは別次元での話です。国際スタンダードで私の言っていることは筋が通っています。一見、法律専門家には馬鹿《ばか》げて見えることでも、ここで筋を通しておけば、後で必ず役に立ちます。この経緯をきちんと残し、ロンドンのアムネスティインターナショナル本部に送り、日本の人質裁判が国際人権スタンダードからいかにずれているかを訴えれば、それなりの効果はあります」

そう熱弁を振るう私をなだめるかのように、弁護人はこう言った。

「佐藤さんの理屈はよくわかります。しかし、それは裁判所を不必要に刺激するので公判戦術上得策でありません」

外交村には外交村の掟が、特殊情報の世界にはインテリジェンスの掟があることを私はよく理解している。掟は法律よりも重要なことがある。私はこの問題でこれ以上自説には固執せず、法曹村の掟を尊重することにした。

友遠方より来たる

二〇〇三年八月二十九日、鈴木宗男氏が保釈となった。

これを機会に弁護人は保釈手続きに入ることを私に勧めたが、もう少し考えてみることにした。その頃、ゴロデッキー教授からメッセージが入った。十月六日、証言台に立つ日の前後数日、東京に滞在するので、是非とも私と会って話したいという。イスラエル関係者からのメッセージをことづかっているとのことだった。

十月六日の法廷で、手錠・捕縄、「囚人服」姿の私をゴロデッキー教授に見せ、その翌々日くらいに娑婆《しゃば》に出ることにした。十月八日は母の誕生日なので、私の出所と母の誕生日を同時に祝うことができる。

十月六日午前十時、拘置所職員二名にはさまれ私は被告席に座り、ゴロデッキー証人を待っていた。木口信之裁判長が開廷を宣言し、「証人をお呼びしてください」と言った。

被告人席の左後の扉が開き、証人が入廷する。私とゴロデッキー教授の目があった。軽く会釈《えしやく》をした。旅の疲れが出ているのだろうか、それとも緊張で昨晩眠ることができなかったのだろうか、教授の両目は充血していた。

法廷通訳が国際情勢や政治についてあまり明るくないようなので、意思疎通《そつう》にときどき齟齬《そご》があったが、大室征男主任弁護人の見事な手さばきで、背任事件について事実関係が次々と明らかにされていった。

午前中の尋問が終わり、私の手に手錠がかけられそうになる様子を見て、ゴロデッキー教授が思わず「佐藤さん」と声をかけてきた。これも規則違反だが、同行の拘置所職員は特に注意をしなかった。

私は無言で首を二回縦に振った。

ゴロデツキー教授の証言と前島陽氏の証言は多くの点で異なっている。前島証言では、国際学会のプログラムが直前までわからなかったということになっているが、ゴロデツキー教授は、開催の一カ月から三週間前に決定し、その時点で前島氏に連絡したと証言した。

前島氏は、ゴロデツキー教授の経歴について知らないと述べ、また同教授が駐露大使候補になっていることも佐藤被告人から聞いただけで検証の方法がなかったと証言した。ゴロデツキー証言によれば、九九年六月、前島氏が同僚二名とイスラエルに出張し、同教授と懇談した際に、ゴロデツキー教授自身から経歴と駐露大使候補になったいきさつについて聞いているとのことだった。

また、ゴロデツキー教授の証言で、死海、ゴラン高原への旅行は学会発表と一体のプログラムとしてテルアビブ大学が計画したもので、観光ではなく視察で、死海はイスラエルの南、ゴラン高原は北にあるので日程が二日必要だったのであり、学会参加者中四、五名は直接帰国したが、それ以外の人々はこの二日間の視察に参加したことも明らかになった。この視察についても、ゴロデツキー教授は前島氏に三週間前に連絡したと述べた。

さらに、ゴロデッキー教授は、同教授の日本への招待とテルアビブ国際学会についても佐藤被告人は被告人やゴロデッキー教授の利益のために働いていたのではなく、日本政府の利益のために働いていたと明確に証言したのである。

保釈と別れ

ゴロデッキー教授の姿を目の当たりにし、声を聞いて、私は外に出たいとの思いを強めた。被告人席は背もたれのないベンチでできている。そのすぐ後ろが弁護人席だ。裁判長が閉廷を宣言し、私に手錠がかけられる短い時間に私は後ろを振り向き弁護人に「保釈手続きを急いでください。お願いします」ともう一度念を押した。

拘置所に戻ると独房の整理を始めた。何か淋しい感じがする。京都で過ごした学生時代、私は日清《にっしん》戦争のときに建った木造家屋の八畳間に神学部、大学院の六年間下宿したが、そこを去るときの気持ちに似ていた。

それから両隣の確定死刑囚に対しても、私だけが自由な身になるのが申し訳ないような気がした。また、拘置所の職員たちと別れるのも何か淋しい。監獄の看守というと、乱暴な人たちという印象が強いが、私の知る限りそれは事実と異なる。もちろん囚人と看守が激しく言い合うこともあるし、乱暴な口をきく看守もいる。しかし、私の経験では、拘置所の職員たちは、すました顔で大使館のパーティーに集まる外交官や政府高官や霞《かすみ》が関《せき》の官僚たちよりも人間を人物本位で見ることのできる人々だった。被疑者や被告人が外でどのような犯罪を起こしたかは、拘置所職員にとっては本質的問題ではないようだ。檻《おり》の中での各人の生き方、それに対する看守の共感・反感が彼らの基準になっているように私には思えた。

裁判所への護送の途中、ある老看守が、「ここにはいろいろな人が来るからね。俺たちは人間《ひと》を見る眼だけは肥えるからね。若い看守でやたら怒鳴りあげるのは、ここに来ている人たちのことが怖いからなんだよ。人間を見る眼がついてくると怒鳴らなくなるよ」と述べていたことが印象的だった。

特に私たちの階の責任者である担当の先生は、囚人の話をよく聞き、時に他の職員が規則を厳格に解釈して、「独房内で所持する下着の数が一枚多い」とか「歩くときは背筋を伸ばせ」とか言って囚人に気合いを入れていると、「そんなにガチャガチャ言わなくていいじゃないですか」と間に入ったり、拘置所職員のミスで食後に薬が配られなかったり、物品の配布が遅れたりしたときにはミスをした職員と共に囚人に頭を下げて歩いていた。

私の経験は独房、しかも接見等禁止措置がついた被告人や確定死刑囚という要注意人物の多い環境だったので、拘置所職員も特に気を遣っていたのかもしれない。雑居房では全く別の世界が存在するのであろう。しかし、世間で伝えられる拘置所職員の姿は、あまりに実像からかけ離れている。

十月八日の昼食は、麦飯、牛蒡汁《ごぼうじる》、鯖《さば》の塩焼き、イカとキムチの和《あ》え物だった。昼食後、昼寝をしていると「ガチャ」と独房の鍵《かぎ》が開いた。担当が「保釈決定通知がきたよ。急いで」と言った。

まず、部屋の寝具と座布団《ざぶとん》の廃棄願の書類を書き、段ボール二箱に荷物をまとめた。担当が台車を押し、私の荷物を載せる。エレベーターで地下に下りる。拘置所のエレベーターには、ゴリラが暴れても壊れないような中扉がついており、四人を奥に乗せ、中扉を閉めて隔離してから移動することになっているが、担当は中扉を閉めなかった。

エレベーターの中で担当が、「規則とはいえ、いろいろキツイことを言ってすみませんでした。外に出てからは是非活躍してください。楽しみにしています」と言って深々と頭を下げた。

私も頭を下げ、「なにをおっしゃいますか。こちらこそたいへんお世話になりました。感謝しています」と答えた。

地階で、再び空港のチェックインカウンターのようなところに案内された。担当は無言で去っていった。一年五カ月前、ニコニコと私を迎えてくれた年輩の職員がカウンターの中に立っていた。

「番号、氏名」

「一〇九五番、佐藤優」

「長かったですね。今日で保釈になります。接見等禁止が最後まで解けなかったんですね。手紙がたくさんきていますから受け取る手続をして下さい」

私はいくつもの書類に指印を押し、手紙を受け取った。それから、万年筆、財布、懐中時計、更に領置金を受け取った。その後、ゴザの上にすわり、拘置所に預けていた衣類、書籍、ノートを受け取った。預けてある品物ひとつひとつとリストをチェックしていく。これは若い職員が対応した。書籍とノートの数が多いのでだいぶ時間がかかった。若い職員が「これで終わりです。出口はあちらです。段ボール箱はもっていかれて結構です」と言ったところに、先程ニコニコと笑っていた年輩の職員が近寄ってきて、「実は佐藤さんの出所を聞きつけてだいぶマスコミが集まってきています。写真を撮られたりするとよくないので、裏口から出ましょう。誰か車で迎えにきていますか」と尋ねた。

私は同志社大学神学部の同窓生の名前をあげた。それから私は待合いボックスに案内された。ずいぶん長い時間待たされたような気がした。

「一〇九五番、出てきて」

大きな声がした。私は待合いボックスの外に出た。荷物は職員によって既に車に運び込まれていた。職員三人に誘導されて、工事現場の通用門を抜けると友人が運転する車が待っていた。他に四、五人職員がいた。職員の一人が言った。

「通用門に回ったことを気付いているカメラマンがいるかもしれませんが、全力で振り切れば写らないと思います。急いでください」

「先生、ほんとうにどうもありがとうございます」

車は走り出した。職員たちが手を振っている。途中、記者たちがたむろする場所を車が通り、カメラマンが一斉にシャッターを切った。車は小菅《こすげ》インターに入った。注意深く後ろを振り向いたが、誰も追ってこない。

このようにして、十月八日夕刻、私は保釈になった。保釈金は六百万円だった。西村検事と弁護人が早期保釈を勧め、被告人である私がそれに抵抗するという「奇妙な保釈闘争」もこれで終わりになった。

勾留《こうりゅう》日数は鈴木宗男氏より七十五日多い五百十二日だった。

「国家秘密」という壁

保釈されてから、「世界がいままでと違って見えませんか」とか「人間が信じられなくなったのではないでしょうか」という質問をされることがある。私には、世界は逮捕された二〇〇二年五月十四日から二〇〇三年十月八日はつながっていて、特に変わったようには見えない。また、私が信頼していた人々は、日本人であれ外国人であれ、以前とまったく同じように私と付き合ってくれるので、特に人間が信じられなくなるということもない。

ただし、しばらくの間、蛍光灯をつけたままでないと夜、熟睡することができず、また、聴力が以前よりもよくなり、特に外を歩く人の靴音で誰であるかを判別できるようになった。拘置所で靴音で看守、雑役担当の懲役囚を判別する習慣が身についてしまったためだ。

現役時代には、仕事の関係で付き合いたくない人々とも付き合わなくてはならなかったが、これで人間関係を一回リセットできるので、実に爽快《そうかい》な気分だった。

公判闘争にエネルギーの四分の一、残りは読書、思索、著述と気の合う人々と話をすることに使うようになった。ようやく自分の好きなことを中心に生活を組み立てることができそうだ。これからは人間関係を広げずに、静かに国内亡命者として生きていこうと思った。もはや時代に積極的に関与していくことはないが、時代を見る眼だけは持ち続けたいというのが私の考えだった。

保釈後、「この事件を通じて現在の日本がよく見えてくるので面白い」という話をしていたら、新聞記者、テレビ記者から週刊誌・月刊誌の記者、編集者、ノンフィクション作家、小説家、学者と私の公判を支援するネットワークが広がっていった。

ただし、私はできるだけ人脈を広げないようにした。また、公判は徐々に「劇場」と化していったのだが、私は「劇場」での演技に過度に熱中しないように注意した。ゲームとしての裁判とそれに絡《から》む社会的活動が楽しくなりすぎると再び「できること」と「好きなこと」の乖離《かいり》が生じ、現役外交官時代と同じ生き方を繰り返すことになりかねないと思ったからだ。

さて、その後「劇場」では二回ほど当初のシナリオから外れる場面があった。一つ目は川口順子《よりこ》外務大臣による書簡問題、二つ目は東郷和彦氏の出廷拒否問題だ。

公判では、私がチームリーダーをつとめた「ロシア情報収集・分析チーム」の活動が重要な争点になる筈《はず》だった。

ゴロデツキー教授夫妻の日本招聘《しょうへい》、テルアビブ国際学会への学者等の派遣、国後島《くなしり》ディーゼル発電機供与事業への私の関与は、そもそも「チーム」の活動の一部であり、その意味で正当な業務活動の一環だった。また、私と前島陽ロシア支援室総務班長、東郷和彦欧州局長、鈴木宗男衆議院議員との人間関係についても、この「チーム」の活動が職務上どのような意味をもっていたかを論じないとわからない。

○三年十月九日、この点について、私の活動を最もよく知る中野潤也証人（元分析第一課総務班長）に弁護側が質問をしたところ、中野証人は、質問の内容が刑事訴訟法第一四四条に抵触する国家秘密にあたる可能性があるとして証言を拒否した。同条では「公務員又は公務員であった者が知り得た事実について、本人又は当該公務所から職務上の秘密に関するものであることを申し立てたときは、当該監督官庁の承諾がなければ証人としてこれを尋問することはできない。但《ただ》し、当該監督官庁は、国の重大な利益を害する場合を除いては、承諾を拒むことができない」と規定している。中野氏の対応は、一つの見識で、「チーム」の活動について外務大臣の承認が得られればほんとうのことを話すという意思表示である。

これに対して、同年十二月八日付で川口順子外務大臣から書簡の形で回答がなされた。〈「外務省において、被告人佐藤優を中心とするロシア情報収集・分析チームという組織が存在したか」については、外務省の具体的な情報収集活動に関する職務上の秘密に当たるものであり、右を対外的に開示することは、国の重大な利益を害することとなるため、右事項につき当省職員を証人として尋問することについては承諾致しかねます〉

これによって弁護側は「チーム」の任務や活動について証人尋問を行うことが不可能になった。

川口外相のこの対応はフェアでない。捜査段階で、外務省は私の「チーム」に関する資料や情報を検察庁に提供した。さらに検察側の攻撃ラウンドでは、ロシア支援室長をつとめたことのある外務省現職幹部が「チーム」について証言している。

倉井高志証人は「ロシア情報収集・分析チーム」が外務省に存在したこと、同「チーム」に関しては外務省の「決裁書が存在する」こと、更に同決裁書には「それまでの通常の業務ではなかなか行い得ないようなロシアに関する情報収集などを行うというようなことが記載されていたと思います」と述べた（二〇〇三年四月十六日）。また、渡邉正人証人も「チーム」の決裁書が存在したこととその任務について「通常のルーチンの業務とは別に情報収集でいろいろ活躍しているというような話はあったと思います」と証言（二〇〇三年五月七日）した。

外務省の現職課長がこのような証言をしたことは、公判段階になっても「チーム」に関する事項が「国の重大な利益を害する秘密」として取り扱われていなかったことを意味する。それが弁護側の反証段階になって、突然、「国家秘密」に指定されたのである。これで、法廷で「チーム」について真相を明らかにする道も閉ざされてしまった。

東郷氏の「心変わり」

二〇〇四年春、私と弁護団はそれぞれ別の情報源から東郷和彦元欧州局長がオランダ・ライデン大学の研究所で客員研究員として勤務している事実をつかんだ。

東郷氏は自分の連絡先と研究プロジェクトに関する情報をライデン大学の公式ホーム

ページに掲載していた。弁護人はライデン大学学長に手紙を送り、弁護人が東郷氏と面会する希望をもっていることを伝えた。しばらくすると東郷氏の代理人（弁護士）が私の弁護人と接触を求めてきた。弁護人が東郷氏の代理人と何回か協議した結果、東郷氏が帰国し、証言する意向をもっていることが明らかになった。

裁判所は、東郷氏が証言を行う公判の期日を五月二十四日に定めたが、代理人から東郷氏は五月二十五日に自ら主催する国際シンポジウムがあるために、この時期に帰国することは不可能だとの連絡があった。ここまで事態は順調に進んだ。

しかし、その後、想定外の番狂わせがあった。初公判から〇四年三月まで私の公判を実質的に取り仕切ったのは西村尚芳《ひさよし》検事で、その上司は鈴木宗男氏を取り調べた検察官のひとりである水野谷幸夫東京地検特別公判部副部長だった。だが、春の人事異動で西村氏は水戸に、水野谷氏は札幌に異動してしまったのだ。その後、吉田正喜検事が私の公判を取り仕切るようになった。

五月十日、東郷氏の代理人が東京地検を訪れ、吉田検事と面会し、〇二年の捜査当時に東郷氏がロンドンで検察官面前調書を取られた際、東郷氏の立場が参考人なのか被疑者なのかはっきりしないので、念のため背任事件と東郷氏の関連について知りたいと端的に尋ねた。

これに対し、吉田検事は「東郷については共犯者の位置付けであり、東郷が帰国して証言した場合の検察官の姿勢については文字通り何も言えない」と発言、その結果、東郷氏は身の危険を感じ、出廷しないとの決断をした。

検察官が東郷氏を共犯者であると位置付けるならば、被疑者として取り調べるのが筋であり、本人が日本国内にいなくても起訴すべきである。これまで放置していたにもかかわらず、東郷氏が出廷の意向を明らかにした途端、同氏の代理人に「東郷については共犯者の位置付けである」と伝えた。そして、その結果、東郷氏が翻意したのであるから、吉田正喜検事の態度は、捜査における怠慢、被告人・弁護人の防御権に対する侵害、より大上段に構えるならば、憲法で定める「法の下の平等」に反する行為だ。

私の弁護団や友人たち、支援者たちも、東郷氏の「心変わり」に憤慨した。しかし、私だって帰国して証人になれば逮捕される恐れがあるということならば、きっと海外にとどまるであろう。それに東郷和彦氏には家族に対する責任がある。さらに祖父の東郷茂徳《しげのり》元外相、父親の東郷文彦元外務事務次官という家系に対する想《おも》いも強い。

東郷氏は外務省現執行部に対しては反感をいだいている。しかし、私と前島氏だけが刑事責任を追及されたことで、外務省という組織が本丸への被害を食い止めた形になっているこの事件の公判で、仮に東郷氏が証言台に立てば、本丸が傷つくことになりかねない。そこに東郷氏の躊躇《ちゅうちょ》があった。東郷ファミリーの一員として、外務省と全面対決することは先祖に対して申し訳ないという気持ちなのだろう。東郷氏は心優しき人であり、出廷しないとの決断により、私を守りきれなくなったことで、苦しんでいることもよくわかる。だから私は東郷氏の決断を尊重することにした。

〇四年六月二十九日の公判で私は次のような陳述を行った。

〈東郷さんはほんとうは日本に帰ってきたいのでしょう。私は、東郷さんが元気で、身柄を拘束されるということにもならず、刑事被告人となることもなく、自由に活動できていることを、とてもよいことと思うのです。この国策捜査には私は必然性があったと思います。しかし、国策捜査の直接の犠牲となる人間の数は、少なければ少ないほどよいと思うのです。

ただ、こだわりがあるのは、歴史に対する証言です。二十六年経《た》てば、あの当時の関係文書が外交史料館から出てきます。そのときに、東郷さん、あなたが証言していないと歴史の前でどういうふうに評価されることになるか、それを考えておられますかと訊《き》きたいんです。それと同時に、東郷さんは東郷さんの考えで、自分の幸福を追求する権利があると思います。東郷さんが自分の幸せのために、家族の幸せのために、一つの決断をしたということならば、それが私にとって不利になっても、私はそれを歓迎し、支持したい。これが正直な気持ちです〉

これは今も私の本心である。

論告求刑

二〇〇四年十月十二日、検察官が約三時間に及ぶ論告求刑を行った。論告の中から興味深い部分を抜き出してみたい。

〈ゴロデツキー夫妻招聘及び国際学術会議参加は、被告人が、ゴロデツキーとの個人的関係を構築することにより外務省内における自らのロシア専門家としての評価を高め、将来の人事面での優遇をも意図したものである。被告人は、その各費用につき委員会資金を使用することが協定に違反することを熟知しながら、前島に指示し、これを実行させたものであって、被告人が本件犯行の主犯であることに疑念の余地はなく、しかも、有能な後輩外交官をも犯罪に巻き込んだ点も厳しく弾呵《だんか》すべきであって、被告人の刑責は極めて重大である。（中略）

被告人は、北方四島の事情に精通した三井物産に本件工事を受注させることが日本の国益にかなうと考えた旨《むね》供述している。仮にそのような考えがあったとしても、本件違法行為を何らに正当化するものでないことは明らかであり、これをもって酌量すべき事情であったとは言い難い。また、三井物産が本件工事を受注できたのは、何よりも、被告人において、鈴木議員から、同社に北方四島発電施設設置工事を受注させることについて、その了解を取り付けたこと、さらに、前島に対して本件工事の積算価格を漏洩《ろうえい》するように指示したことによるのであって、被告人の役割は重要かつ不可欠なものであったと言わざるを得ず、被告人の刑責は極めて重要である。（中略）
加えて、官と財との悪《あ》しき癒着《ゆちゃく》が白日のもととして露《さら》されたことで国民の外交行政、対ロシア外交に不信の思いを抱かせたことは、極めて重大であり、これにより日本の対外的信義・信用が著しく損なわれたことも疑いのないことであり、その社会的影響も極めて深刻である。被告人には反省の情が認められない。被告人は、当公判廷において、公訴事実の全《すべ》てを否認して執拗《しつよう》に争っているもので、その応訴態度に照らせば、反省の情を認めることはできない〉
検察の論告のうち「被告人には反省の情を認めることができない」という部分については、私の認識と完全に一致している。
西村検事の事前予告通り、求刑は懲役二年六カ月だった。

被告人最終陳述

十一月十日、弁護人が最終弁論を行った。検察官の論告と全面的に対峙《たいじ》し、朗読時間は四時間以上に及んだ。当初、私は長大な被告人最終陳述を行う予定で、四百字詰め原稿用紙三百枚程度の原稿を準備していたが、最終弁論の内容と重複箇所が多いので、方針を全面的に変更し、ごく簡潔な陳述を行うことにした。法廷で次のような文章を読み上げた。

〈ただいまの弁護人による最終弁論は、私の言いたいことを法律専門家の視点から的確に指摘しています。私は自己の良心に照らして罪を犯した覚えはありません。この点については、二〇〇二年九月十七日の初公判における罪状認否から私の態度は一貫しています。

私は最終陳述の機会に、弁護人からの弁論との重複を避けつつ、以下四点について、簡潔に意見を述べさせていただきたいと思います。

第一点目は、今回の国策捜査が何故《なにゆえ》に必要とされたかということです。

今から約二百年前にドイツの哲学者ヘーゲルは『精神現象学』を発表し、この本は現在も哲学や思想に関心をもつ人々の間で読み継がれています。この本でヘーゲルは、同じ出来事でも、当事者にとってはこう見えるものが、学術的訓練を積んだ観察者の目からは別に見えるということを巧みに説明しています。

私は、かび臭い自殺防止用監視装置のついた特別独房の中で、弁護人から差し入れてもらったヘーゲル『精神現象学』を、厳しい取り調べが続く間も、何度も読み直し、私自身の周辺に起きた出来事をできるだけ自分の利害関係から切り離して理解するようにつとめました。その結果、私は以下のような結論を得ました。

私が逮捕されたのは、私が鈴木宗男氏と親しかったからである。検察は私の逮捕を突破口に外務省と鈴木氏を結びつける事件を作りたかった。ここまでの結論を導くことはそれ程難しくありませんでした。問題は何故に鈴木宗男氏が国策捜査の対象になったかということです。このことについて解明しない限り、今回の国策捜査を理解することはできません。この点について、本日は時間的制約があるので、細かい論理展開や実証については省き、端的に結論を述べます。

小泉政権成立後、日本は本格的な構造転換を遂げようとしています。内政的には、ケインズ型公平配分政策からハイエク型傾斜配分、新自由主義への転換です。外交的には、ナショナリズムの強化です。鈴木宗男氏は、内政では、地方の声を自らの政治力をもって中央に反映させ、再分配を担保する公平配分論者で、外交的には、アメリカ、ロシア、中国との関係をバランスよく発展させるためには、日本人が排外主義的なナショナリズムに走ることは却《かえ》って国益を毀損《きそん》すると考える国際協調主義的な日本の愛国者でした。鈴木宗男氏という政治家を断罪する中で、日本はハイエク型新自由主義と排外主義的なナショナリズムへの転換を行っていったのです。

国策捜査が行われる場合には、その歴史的必然性があります。当事者である検察官も被告人もその歴史的必然性にはなかなか気付かずに、歴史の駒《こま》としての役割を果たしているのでしょう。

もっとも、国策捜査に歴史的必然性があるということと、自ら行っていない犯罪を呑《の》み込むということは全く別の問題です。私は無罪です。

第二点目には、国策捜査とマスメディアの関係についてです。

弁護人が最終弁論の冒頭で強調したように、国策捜査を展開する上ではマスメディアの支援が決定的に重要です。仮に政官の関係に不正や疑惑があるならば、それを徹底的に暴《あば》くのはマスメディアの責務です。ジャーナリストの職業的良心とは『国民の知る権利』に奉仕するために事案の真相に肉迫していくことだと思います。

しかし、あの熱気の中で、メディアスクラムが組まれ、私と鈴木宗男氏の関係について、『佐藤は鈴木宗男の運転手をしている』、『外務省には出勤せずに鈴木事務所で勤務している』、『外務省の機密費を横領し、それが鈴木宗男に流れている』などの疑惑報道がなされました。私は日本の運転免許証をもっていませんし、その他の疑惑にしても、もしそれが事実ならば職務専心義務違反、横領などで厳しく責任を追及されるべき筋合いの話です。しかし、そのような事実はなかったので、当然のことながら、刑事責任の追及もなされませんでした。しかし、一旦《いったん》報道された内容は後で訂正されません。大多数の国民には、自己増殖した報道による私や鈴木氏に関する『巨悪のイメージ』と、その『巨悪』を捜査当局が十分に摘発しなかったことに対する憤《いきどお》りだけが残ります。

『国民の知る権利』とは正しい情報を受ける権利も含みます。正しくない情報の集積は国民の苛立《いらだ》ちを強めます。閉塞《へいそく》した時代状況の中、『対象はよくわからないが、何かに対して怒っている人々』が、政治扇動家（デマゴーグ）に操作されやすくなるということは、歴史が示しています。

第三点目には、今回の国策捜査で真の勝利者は誰だったかということです。真の勝利者は、竹内行夫外務事務次官をはじめとする現外務省執行部の人たちです。外務官僚は、外交政策の遂行に資するためだけでなく、外務官僚にとって都合のよい状況を作り出すために鈴木宗男氏の政治力を最大限に活用しました。しかし、ひとたび鈴木氏が外務省にとって厄介な存在になると、それをありとあらゆる方法を用いて排除しました。

外務省は検察庁に対しては、背任にしても偽計業務妨害にしても、私の個人犯罪として事態を収拾すべく全力を尽くして協力し、その工作は成功しました。しかし、歴史の真実は、この事件を巡る外交文書が公開される今から二十六年後に明らかになります。そのとき、本法廷での私の供述と、検察側証人として出廷した外務省関係者の証言のどちらが正しかったかについて、歴史家が正当な評価を下すことができると私は確信しています。

私の事件では、テルアビブ国際学会への学者などの派遣について、外務省事務方のナンバー・ワン、ナンバー・ツーである事務次官、外務審議官の決裁サインのある決裁書が外務省から消え去ってしまうという不思議なことも起きています。

外務省から本事件や鈴木宗男氏、東郷和彦氏、私に関連する文書が消え去ってしまわない限り、真実は必ず明らかになると確信しています。

第四点目に、今回の国策捜査が日本外交にどのような実害をもたらしたかということです。

検察官は、論告で、『国民の外交行政、対ロシア外交に不信の思いを抱かせた』、『日本の対外的信義・信用が著しく損なわれた』と私を糾弾しましたが、私はそのことばをそっくりそのまま検察官にお返しします。私の理解では、正当に業務を遂行する特殊情報を担当する外交官を国策捜査で逮捕したことにより、『日本の対外的信義・信用が著しく損なわれた』のです。

保釈後、私のところへは、様々な形で複数の外国の政府関係者、民間の人々から連絡がありました。いずれの人々も『よく頑張って筋を通した。あなたがきちんとしていたから、外交上の実害がミニマムだった』と言っていました。保釈後、外務省員からも『あなたが違法行為なんかしていないことはよくわかっている。力になれなくて済まない』という涙声の電話を現職管理職の人々を含め、いくつも受けました。

ときの内閣総理大臣、外務省幹部の命に従い、組織の明示的な決裁を受け、その時点では官邸、外務省が評価した業務が二年後には犯罪として摘発されるような状況が許されるならば、誰も少しでもリスクがあると思われる仕事はしません。また、上司の命令に従っても、組織も当時の上司も下僚を守らず、組織防衛のために下僚に対する攻撃に加担する、あるいは当時の上司は外国に逃亡してしまうという外務省文化が私の事件を巡って露呈したことには大きな意味があると思います。

このような状況では、誰もが国際政治のプロとして『こうしたらよい』と感じたとしても、それを口に出すことがなくなります。そして組織に不作為体質が蔓延《まんえん》します。不作為による国益の損失は見えにくいのです。そしてこの様な状況が数年続くと、日本外交の基礎体力が著しく低下します。

北方領土交渉、日朝国交正常化交渉を本気でまとめあげようとするならば、そこには政治の力が不可欠です。しかし、政官関係について、今も確立した『ゲームのルール』はありません。私や東郷和彦氏たちが鈴木宗男氏と持っていたような政官の緊密な関係は、今も見えない形ですが、役者を替えて外務省と政界の間に存在していると私は確信しています。それは外交を進める上で不可避なのです。

私の事件から、外務省の同僚、とくに若い世代の同僚が多くの教訓を学び取ってくれることを期待します。そのために被告人質問の機会には、あえて参考に資することを多く述べた次第です。

私の最終陳述は以上です。

この機会を与えていただいた裁判長に感謝します〉

八月の人事異動で、裁判長は木口信之氏から安井久治氏に替わった。安井裁判長は、結審を宣言し、判決は翌二〇〇五年二月十七日に言い渡すと述べた。

公判の後、支援者たちと有楽町のビアホール「ニュー・トーキョー」に行ってビールを飲んだ。勾留《こうりゅう》中、裁判所から拘置所に移送される途中、ブラインドの隙間《すきま》から「ニュー・トーキョー」が見えるといつもビールが飲みたくなったものだ。

みんなはジョッキに入った生ビールを注文したが、私はチェコから直輸入された緑色のビンに入った「ピルスナー・ウルケル」を注文した。ロシア人はチェコビールが好きだ。モスクワでコペンハーゲンの外交官専用通信販売店から「ピルスナー・ウルケル」を大量に注文して、ロシアの政治家や高級官僚のマンションを夜訪れて話を聞くときの土産にしたことを思い出した。

チェコビールを飲みながら、私は「所与の条件下、やれるだけのことはやった。これでいいんだ」と自分に言い聞かせた。

判決

二〇〇五年二月十七日、木曜日、午前十時。東京地方裁判所四〇六号法廷で、判決が言い渡された。約四十席の傍聴席は満席で、十数人が法廷に入れずに廊下で待っている。

冒頭、テレビ撮影が行われるが被告人の姿は撮《うつ》さないという申し合わせが裁判所と司法記者クラブの間でなされている由《よし》で、私はしばらくの間、証人控え室で待機した。

証人控え室は窓のない三畳くらいの殺風景な部屋で、机の上に朱肉箱が二つ置いてある。その内、ひとつの蓋《ふた》が割れて、紅《あか》い朱肉が見える。勾留期間中はいつも黒い「朱肉」で指印を押していたことを思い出した。判決で実刑が言い渡されれば、即日収監され、また黒い「朱肉」の世界に戻ることになると思うと憂鬱《ゆううつ》だ。証人控え室には大きな時計がかかっており、午前十時を少し回ったところで裁判所職員が「開廷です」と言って私を呼びにきた。

法廷に入り、被告席に座ると、安井久治裁判長が「今日は判決を言い渡しますので、前に出てきてください」と言う。私は裁判長の前に立った。

「主文、背任、偽計業務妨害被告事件につき、被告人を懲役二年六月に処する」

そこで安井裁判長が一呼吸置いた。その時間は一秒もなかったであろうが、三十分くらいに感じた。実刑で再び裁判所地下の仮監《かりかん》に収容されるのだろうか。明日、東京拘置所に下着類を差し入れてもらっても週末にかかり、受け取りは月曜になるので、今着ているスーツとワイシャツで四日も過ごすのは嫌だと思った。裁判長が続ける。

「この裁判が確定した日から四年間その刑の執行を猶予《ゆうよ》します。あなたはだいぶ長く勾留されていたので未決勾留日数中二百五十日を刑に参入します。訴訟費用は被告人の負担とします。それではこの後、理由を読み上げます。長くなるので席に戻ってください」

新聞記者たちが外に飛び出していく。私は被告席に戻り、鞄《かばん》からノートとボールペンを取り出し、安井裁判長の話を注意深く聞いた。当初、細かくメモをとっていたが、途中でやめた。なぜなら安井裁判長の説明は検察官の論告求刑の内容の繰り返しであり、その論理構成を私は熟知しているからだ。

この裁判は二年五カ月の長期裁判になった。私の裁判は三人の裁判官による合議制で進められたが、裁判長も右陪席裁判官も途中で交替になった。終始、私の裁判に従事したのは、左陪席の鈴木涼子裁判官だけだ。安井裁判長が温厚な顔つきで理由を述べているのに較《くら》べ、鈴木裁判官は明らかに不機嫌な表情をしてすわっている。この事件について熟知する鈴木裁判官は内心でどう思っているのだろうかと私は興味をもった。

さて、前島氏は懲役一年六月、執行猶予三年、三井物産の飯野氏、島嵜氏は懲役一年、執行猶予三年であった。三名を執行猶予とする理由は、「罪を認め、深く反省しているので、もう一度、社会的に活躍するチャンスを与える」ということであった。私の場合、罪を犯した覚えは全くなく、従って反省もしていない。強いて言うならば「悪かった、悪かった、運が悪かった」ということだ。

安井裁判長がどのような論理構成で私を執行猶予にしたのだろうか。裁判所の時計が午前十一時五十分を回った頃、安井裁判長の声が大きくなり、口調も少しゆっくりになり、以下のように述べた。

「被告人はいずれの事実についても公判廷において自己を正当化する供述に終始しており、その刑事責任を自覚し、その重さに真摯《しんし》に思いを致しているとは認めがたい。他方、本件背任罪の実行行為を行ったのは前島であること。偽計業務妨害の犯行において実行行為の多くを行ったのは三井物産の社員である共犯者らであること。被告人は偽計業務妨害の犯行に関しては特に経済的利益を得ていないものと認められ、また、各背任の犯行においても被告人が積極的に支援事業を利用して私的な経済的利益を得ようとしていたとは認められないこと。各背任の犯行については各決裁書の決裁手続に関与した外務省の幹部職員の一部もまた委員会資金の支出につき協定解釈上問題があるにもかかわらず種々の思惑からそれを容認する姿勢を示しており、そこには鈴木（宗男）議員の影響が相当及んでいたことなどもうかがわれ、こうした被告人の責任のみに帰し得ない状況の存在が各事件の発生に寄与したことも否定できず（中略）、被告人に前科前歴はなく、これまで日本のロシア外交に熱心に取り組んできたのであるがロシアとの外交等に対する思い入れの強さが本件のような犯行に結びついた面は否定できないこと等、被告人にとって酌《く》むべき事情も認められる。そこで、以上の諸事情を総合考慮し、被告人に対してはその刑事責任の重さから主文の刑を量定した上、今一度社会内でやり直しの機会を与えるのが相当と認め、その刑の執行を猶予することとし、主文のとおり量刑した」「対ロシア外交等への思い入れの強さが事件を引き起こした」という評価は客観的に見て正しい。二〇〇〇年までに是が非でも北方領土問題を解決し、日露平和条約を締結するという国家目標に真摯に取り組んだが故《ゆえ》に私たちは「国家の罠《わな》」にとらわれてしまったのだ。

最後に安井裁判長は私の方を見て「もう一度前に出てきてください」と言った。私は裁判長の前に出て安井氏の眼を見つめた。安井氏は私に軽く会釈《えしやく》してから次のように述べた。

「裁判所は有罪という判断をしましたので、あなたの主張を採用することにはなりませんでした。判決に不服があれば東京高等裁判所に控訴することができます。その場合は十四日以内に手続きをしてください」

私は黙って頷《うなず》いた。安井裁判長は閉廷を宣言した。私は大室征男主任弁護人、緑川由香弁護人に「即日控訴の手続きをとってください」と依頼した。

あとがき

今から思えば五百十二日間の独房生活は、読書と思索にとって最良の環境だった。学術書を中心に二百二十冊を読み、思索ノートは六十二冊になった。その中で繰り返し読んだのが、『聖書』（新共同訳、日本聖書協会）、『太平記』（長谷川端《ただし》訳、新編日本古典文学全集五十四―五十七巻、小学館）、ヘーゲル『精神現象学』（樫山欽四郎《かしやまきんしろう》訳、平凡社ライブラリー）だった。

『精神現象学』からは、当事者にとって深刻に見える問題が、学術的訓練を積んだ者にとっては滑稽《こっけい》に見えることもあるという、ユーモアの精神を学んだ。

『聖書』について、私は神学部時代から新約聖書にはかなり親しんできたが、旧約聖書と旧約聖書続編は、今回、獄中ではじめて本格的に読んだ。独房で所持できる書籍は三冊以内であるが、『聖書』は別枠（拘置所用語では「冊数外《さつすうがい》」と言い、宗教経典、辞書、学習書は特別の許可を得て七冊まで所持できる）なので、いつも手許《てもと》に置き、毎日、預言書に目を通した。ヨブ、エゼキエルなどイスラエルの預言者が時空を超え、独房に現れ、私の目の前で話しているような印象をもった。

本書のタイトルをどのようにしようかと思案しているときに、新潮社の伊藤幸人氏（出版企画部長）が、旧約聖書「コヘレトの言葉（伝道の書）」第九章十一―十二節、

太陽の下、再び私は見た。
足の速い者が競争に、強い者が戦いに
必ずしも勝つとはいえない。
知恵があるといってパンにありつくのでも
聡明《そうめい》だからといって富を得るのでも
知識があるといって好意をもたれるのでもない。
時と機会はだれにも臨むが
人間がその時を知らないだけだ。
魚が運悪く網にかかったり
鳥が罠《わな》にかかったりするように
人間も突然不運に見舞われ、罠にかかる。

を読み上げ、「佐藤さん、『国家の罠』というタイトルはどうですか」と尋ねてきた。私は「是非それでお願いします。私の心象風景とも完全に合致しています」と答えた。

サブタイトルの『外務省のラスプーチンと呼ばれて』についても私には全く違和感がない。因《ちな》みにラスプーチンについて、日本ではロシア皇室を背後で操り、ロシア帝国を崩壊に導いた「怪僧」というステロタイプが流布《るふ》されているが、ロシアでは民衆の声を体現した平和主義者だったという見方もある。ラスプーチン神話の謎《なぞ》解きをしたエドワード・ラジンスキー『真説ラスプーチン』（沼野充義／望月哲男訳、ＮＨＫ出版）にはなかなか説得力がある。

　本書を書き進めるにあたって私が参考にしたのは『太平記』だ。南北朝の混乱した状況を、特定の政治的立場から人物や出来事を評価するのではなく、事実の細部にこだわり、描くという方法に共感を覚えた。また、楠木正成《くすのきまさしげ》、高師直《こうのもろなお》など失意の内にたおれた人々が天狗《てんぐ》や妖怪《ようかい》になり、現実の政局に影響を与えている様子もおもしろい。しかも『太平記』では、現在、すなわち南北朝時代の事件を記述する中で、三国志、インド仏教の物語が、ときに変形を加えた上で言及されているが、この衒学《げんがく》的な雰囲気も私には魅力的だ。『太平記』の世界像に照らすならば、私や鈴木宗男氏は「天狗」という表象で描かれたのであろうと思う。

　天狗は世のため人のためによかれと思って事を進め、それは確かに成果をあげるのだが、当時のエリート官僚に認められなかった。以下の物語はその典型だ（『今昔物語』巻二十本朝付仏法「天狗を祭る僧、内裏に参りて現《うつつ》に追わるること」）。その昔、円融天皇が病気になったとき、高位官職についていた僧侶《そうりょ》たちが加持祈禱《かじきとう》をするのだが、一向に病状が回復しない。奈良の高山に身分は高くないが能力をもった上人《しょうにん》がいるとの噂《うわさ》を聞きつけ、宮廷がこの上人に祈禱を依頼する。祈禱は効果を発揮し、天皇は回復する。上人は天皇に感謝されるが、面子《メンツ》を潰《つぶ》された官僚僧は、一致団結して、この上人を呪《のろ》い倒す。上人は呪いに苦しみ七転八倒し、最後に「私は天狗の手先でした。今回で懲《こ》り懲《ご》りしました。助けてください」と命乞《ご》いをする。上人は投獄される。

馬場あき子氏はこの物語について「巷《ちまた》の上人の分限は、けっして官僧の権威を超えてはならないのであり、その不文律の掟《おきて》のなかで、官僧は安んじて修法の儀式と威厳を飾ったのである。（中略）この高山の上人の話は、こうした時代に実力派の巷の上人が、天狗の一党として葬《ほうむ》り去られた迫害の説話のようにみられる。天狗もまた鬼と同じように、うっかり心を許して貴顕の門に出入りすると、善意はおおかた迫害をもって報いられようというようなことが結果となりかねなかったのである」（『鬼の研究』、ちくま文庫、二百三十一―二百三十二頁《ページ》）と論評する。

しかし、困難な外交交渉を遂行するために、日本国家が天狗の力を必要とする状況は今後も生じるであろう。そして、天狗の善意が再び国策捜査によって報いられることもあろう。これについては「運が悪かった」と言って諦《あきら》めるしかない。それでも誰かが国益のために天狗の機能を果たさなくてはならないのである。少なくとも私はそう考えている。過去の天狗が自らの失敗について記録を残しておけば、未来の天狗はそれを参考にして、少なくとも同じ轍《てつ》は踏まないであろう。これが私が回想録を執筆するに至った主な動機である。

このような動機は獄中からもっていたが、二人の編集者との出会いがなければ、私がこの具体的作業に着手することにはならなかったであろう。一人は前出の伊藤幸人氏である。伊藤氏には、私がモスクワに勤務していた頃から十年以上お世話になっている。特に同氏が「フォーサイト」誌編集長をつとめていた時期には、定期的に意見交換をし、知的に大いに啓発された。本文にも記したが、私の接見等禁止措置は保釈まで解除されず、二〇〇三年十月八日の保釈時に「接見等禁止解除時交付」との付箋《ふせん》が貼附《ちょうふ》された大量の手紙を受け取った。その中に伊藤氏からの手紙（二〇〇二年九月二十日付）もあった。そこには、「新聞で貴兄が自らの立場を明確に述べられ、無罪を堂々と主張されたと知り、頑張っておられるんだなと安心しました。新聞では断片的な情報しか掲載していないので不明な点も多いのですが、罪になることをした覚えはないと明言されたとありました。いつか申し上げたように、貴兄の精神的・肉体的タフネスに深い敬意を覚えます」と記されていた。

伊藤氏には私の回りで生じた状況について説明しておきたいと思い、保釈後、それ程時間を置かずしてお目にかかった。しかし、その時点ではまだ回想を本にするという気持ちは固まらなかった。私に「最後の一押し」をした編集者は岩波書店の馬場公彦氏（学術一般書編集部編集長）だ。本文にも書いたが、私は岩波書店が発行する『世界』誌の世界論壇月評にロシアの新聞論調をまとめた記事を逮捕直前まで連載していたが、馬場氏がその担当をつとめていた。逮捕後、弁護人を通じて『史記列伝』（岩波文庫）を差し入れてくれたのも馬場氏である。馬場氏は大学・大学院で哲学を専攻した関係もあり、以前から私と話が嚙《か》み合った。馬場氏から「佐藤さんが体験したことは日本のナショナリズムについて考えるよい材料となるので、是非、本にまとめるべきだ。時代に対する責任を放棄してはならない」と諭された。インテリジェンスの世界には、所属組織の利害関係を超える相互尊敬と助け合いの文化が存在するが、それと同様の文化を編集者の世界にも感じた。

実際に執筆を進める上では、伊藤氏の他、新潮社出版企画部ノンフィクション編集部の加藤新氏（編集長）、原宏介氏の御指導を受けた。新潮社出版企画部のよいチームと巡り会えたことに感謝している。また、東京大学名誉教授の和田春樹氏、ノンフィクション作家の魚住昭氏、上越教育大学助教授の下里俊行氏には原稿の一部を読んでいただき、貴重な助言を得た。この場を借りて感謝申し上げる。その他にも多くの友人たちの御厚情を得て、本書は日の目を見ることになった。本来ならば氏名を明記して謝意を表したいのだが、刑事被告人である私との関係が明らかになることで、迷惑をかけたくないのでこのような中途半端《はんぱ》な形でお礼の気持ちを伝える失礼をお許し願いたい。

二〇〇五年三月

佐藤　優

文庫版あとがき――国内亡命者として

本書『国家の罠《わな》―外務省のラスプーチンと呼ばれて』を上梓《じょうし》したことで、結果から見るならば私の人生は大きく転換することになった。

本書を書いた時点での動機は二つあった。

第一の動機は、私が逮捕された背任、偽計業務妨害という事件について、真相が何であったかということについて説明することだ。実はこのことは東京拘置所の独房にいるときから考えていた。二〇〇二年五月十四日に逮捕された直後から、外務省の若い後輩たちは、自らのリスクを省みずに私を支え、具体的に行動してくれた。五百十二日間の独房生活で、私が心身に変調を来《きた》さなかったのも、心底信頼できる仲間がいたからだった。この人々にいったい何があったのか、そして私の失敗を繰り返さないためにはどうすればよいかについて伝えたかった。獄中でノートに四百字詰め原稿用紙に換算すれば二千枚くらいのメモを書きためていた。保釈になった後、このメモを再構成して、ワープロに打って、簡易製本をして世話になった後輩たちに配ろうと考えていた。事実、二〇〇三年十月八日、東京拘置所から保釈になった後、しばらくの間、毎日キーボードを叩《たた》いて原稿を作っていたのだが、二週間くらい経《た》ったところで文章を先に進めることができなくなってしまった。その理由は、私の説明責任を外務省関係者に限るという発想自体に、私の外務官僚としての思考の硬直化が現れているということに気づいたからだ。

私を支えてくれたのは、外務省の後輩たちだけではない。特に同志社大学神学部の同窓生である滝田敏幸氏（当時千葉県印西《いんざい》市議、現千葉県議、自民党）と阿部修一氏（民間会社員）の二人が、私が逮捕されたその日の夜に連絡をとり、「佐藤優支援会」を立ち上げてくれた。支援会は、私の獄中生活、公判闘争を精神的、物質的に支えてくれた。滝田氏は、年齢は私と同じであるが、現役で同志社大学神学部に一九七八年に入学しているので（私は一浪して一九七九年に入学）、学年は一年先輩だった。当時、神学部は一学年四十名程度、その内、常時、大学に通っているのは数名だった。滝田氏は、神学部自治会委員長をつとめた学生運動活動家で、私はそのシンパだったので、学生時代はそれこそ毎日のように一緒に遊び歩いていた。

私が同志社に在学したのは、学部が一九七九〜一九八三年、大学院が一九八三〜一九八五年のことだ。当時、東京では学園紛争は既に過去のものになってしまっていたが、京都の雰囲気は異なっていた。特にわが同志社は、古代の生態系が残っている南太平洋のガラパゴス諸島になぞらえて「同志社ガラパゴス」と揶揄《やゆ》されるくらい新左翼系学生運動の力が強かった。その中で、神学部自治会だけは他の学生運動と一線を画していた。

共産主義者同盟（ブント）の系譜を引く文学部、法学部、経済学部、商学部、工学部の五学部自治会が赤旗を掲げ、赤いヘルメットを被《かぶ》っているのに対し、神学部自治会は黒旗を掲げていた。黒旗の上に古代教会のシンボルである魚の絵を描き、その魚の腹にギリシア語でキリストという文字が白いペンキで書かれていた。神学生はめったにヘルメットを被らなかったが、被るときも赤ではなく黒だった。

学生時代、私は滝田氏たちとマルクス、レーニンなどの共産主義文献とともに、バクーニンやクロポトキンなどの無政府主義文献、オルテガ、ベルジャーエフ、聖書など通常左翼系の学生運動活動家が関心を示さない文献を真剣に読んで、考え、行動した。この時期の詳しいことは、近く上梓される『私のマルクス』（文藝春秋）に記すので、興味のある方は参照していただきたいが、学生時代に濃密な時間を神学部で送った昔の友人たちが私の支援の中心になってくれた。滝田氏のオーガナイザーとしての能力は卓越していた。阿部氏は私が大学院を卒業した年に入学してきたので、私の学生時代に直接の付き合いはなかった。モスクワに勤務していた時期、休暇で一時帰国した際、神学部自治会の常任委員会メンバーと会食したときに少し話をしたことがあるだけだった。滝田氏が電話で、「佐藤優支援会を立ち上げるので手伝ってくれ」と阿部氏に要請すると、阿部氏は、何ら躊躇《ちゅうちょ》することなく「わかりました」と答えたということだ。二人が中心になって支援会を組織してくれたことはとても心強かった。同時に滝田氏は自民党の地方政治家になっていたので、迷惑をかけることになると心配し、獄中から弁護士を通じ、「選挙に不利益になるならいつでも手を引いてくれ」と何度もメッセージを伝えたが、滝田氏からは「俺の後援会は盤石だから不安はない。とにかく佐藤が気の済むかたちで闘争をすればよい。俺たちはひたすら佐藤を信じる」という返事が返ってきた。

二〇〇三年十月八日に私は保釈になった。拘置所には阿部氏が車で迎えに来てくれた。埼玉県与野市（現さいたま市）の実家に夕刻戻った。夜の八時過ぎに滝田氏が訪ねてきた。

「滝田、いろいろありがとう。迷惑をかけて済まなかった」

「いいよ。全然、迷惑とは思っていないよ。佐藤が捕まったおかげで、神学部時代の友だちと連絡を回復することになった」

「こんなことになってみんな驚いただろう」

「そりゃ驚いた。僕たちはすぐに二つのことは確実だと思った。一つ目は、佐藤がなにかとてつもないことをしでかしたということだ。二つ目は、佐藤がしでかしたことが、女連れでイスラエルに観光旅行に行ったとか、公金を不正使用したといった類《たぐい》の話ではないことだ。この二つのことを確信した」

「僕がカネ絡《がら》みの事件を起こしたとは思わなかったのか」

「まったく思わなかった。二十歳くらいまでに身についた性格はそう簡単に変わるはずがない。佐藤の性格はマスコミよりも俺たちの方がよく知っている」

「それで僕が何をしでかしたと思ったのかい」

「それはわからない。何か大きなことがあったのは間違いない。それについて檻《おり》から出てきてから佐藤に聞きたいと思った。それまでは新聞、テレビ、週刊誌が何を書こうとも、誰が何を言おうとも、信じないことにした。マスコミよりも友だちを信じるのは当たり前のことだ」

「当たり前だけど難しい。滝田や阿部さんにはほんとうに世話になった。感謝している。ただ、事情を説明するといっても、外交秘密もあるし、北方領土交渉やインテリジェンスのかなり込み入った話もある」

「それならば、無理して説明する必要はないよ。ただ、僕にも佐藤が外交官としてどういう経験をしたかについては、純粋な好奇心から知りたい。だから、いつか話すことができるときが来たら、話せる範囲で何があったかを教えて欲しい」

当初、私は外務省の後輩に宛《あ》てた覚え書きを一カ月くらいで書き上げ、それから外交秘密やインテリジェンスに関する話に触れない範囲で、何があったかについて記した長い手紙を滝田氏に宛てて書いて、それを関係者の間で回覧してもらおうと考えた。しかし、それは外務省外で私を支援してくれた人々を軽く見るようで、失礼である。また、そのような形で二つの記録をつくると事件をめぐって二つの物語ができてしまう危険があると思うようになり、そこで当初予定していた覚え書きを書き進めることができなくなってしまったのである。工夫をすれば、外交秘密に触れないでも回想録を執筆することはできるはずだと思い直し、もう一度、最初から原稿を作り直したのである。

本書を書いた第二の動機は、鎮魂である。狭義《きょうぎ》においては鈴木宗男《むねお》氏の魂をなんとしても慰める必要があると思った。鈴木氏は洞察力に優れ、実行力をもった政治家である。私が経験したなかで、鈴木氏が嘘《うそ》をついたことはないし、約束したことは守った。同時に有力政治家特有の激しさをもっていた。その鈴木氏を外務省は、国益の観点から外交政策を推進するために最大限活用したのみならず、予算、定員など外務省の自己保全のためにも利用した。複数の外務省幹部が「浮くも沈むも鈴木大臣と一緒です」と誓いの言葉を口にして、文字通り土下座する姿を私は何度も目《ま》のあたりにした。高級料亭やレストランでの飲食、享楽《きょうらく》の代金を鈴木宗男事務所につけ回し、また、すこしでもよいポストを手に入れたり、ライバルを蹴落《けお》とすために、多くの外務官僚が鈴木氏に擦り寄った。この醜悪なドラマを私は何度も目撃した。

二〇〇一年に小泉純一郎政権が成立し、田中眞紀子《まきこ》女史が外務大臣に就任すると、田中女史と外務官僚の間で本格的な戦争が始まった。この過程で外務官僚は自己保身の観点から鈴木氏に対する依存度を一層強めるのである。本書で詳しく記したが、二〇〇二年一月末に田中女史が外務大臣から更迭《こうてつ》された後、鈴木氏の外務省に対する影響力がかつてなく強まることは客観的に明らかだった。

このときの竹内行夫《ゆきお》外務事務次官を中心とする外務省執行部は、鈴木氏を追い落とすために、ありとあらゆる画策を行った。特に悪質だったのが外交秘密文書の日本共産党への流出である。この点については、当時、共産党側で鈴木宗男攻撃の司令塔にいた筆《ふで》坂秀世《さかひでよ》氏が私にこう証言した。

〈**佐藤**　2回目の質問が、1週間後の（佐藤註　二〇〇二年）2月20日ですね。

筆坂　この日は午前中が鈴木さんの参考人質問で、午後が政府質問だった。その朝、佐々木憲昭議員宛に**茶封筒が届いたんです。「親展」**としてあり、**差出人はなしで、赤坂郵便局の消印が押してあった。**

佐藤　普通郵便ですか、速達ですか？

筆坂　速達だった。佐々木さんの秘書は「親展」だからいったん憲昭さんの机の上に置いたけど、ちょっと気になって開けてみたわけです。そして、どうも今日の質問内容と関係がありそうだと思って、僕の秘書に電話を寄こした。国対メンバーは判断できなかったが、僕らは読んで**すぐ本物とわかりました。**報償費（機密費）問題のときに見たのと**同じ書式**で、**同じマル秘のハンコが押して**ある。**間違いなく外務省の文書**だと。それは、憲昭さんが準備していた対政府の質問の中身を裏付ける内部文書でした。

　僕はすぐに憲昭さんを呼んで、鈴木さんへの質問を全部変えて、ここを読み上げて鈴木さんに聞け、次はここだと、必死になって赤線を引いた。なんせもう質問の10分くらい前でしたから。憲昭さんはそれを手に鈴木さんに質問したんです。

　僕らは、外務省にずっとその関連資料を要求して質問を準備していた。だからすぐ呑《の》み込めたんです。逆に言うと、**日本共産党が次に何をやるか、いちばんよく知っていたのが外務省**（笑）。資料を要求し、レク（説明）を受けるわけだから、外務省は憲昭さんが何をしたいか、手に取るようにわかっていたわけです。

　後で判明したことですが、じつは民主党の河村《かわむら》たかし議員のところにも同じものが届いていた。しかし河村さんは、いきなり内部資料を見せられたって、何のことかよくわからなかったんじゃないですか。

佐藤　それは、後でバレたとき共産党だけに渡したとなると公安警察が動きますからね。外務省内部に共産党のシンパがいるんじゃないかと、面倒な話になる。だから、**正義の告発者を装うための保険として民主党にも送ったんでしょう**。非常に興味深い話です。

　官僚には、越えたらいけない線というものがやっぱりあるんですよ。革命と反革命の一線は越えたらいけない線で、一度越えてゴチャゴチャになると、もうわけがわからなくなってしまう。この**共産党へのタレコミで、以後なんでもありになった**。ポストモダン的といったら衒学《げんがく》的すぎるかな。少なくとも外務省はカオスを作り出す才能がある。

外務省と比べると防衛省なんか、かわいそうですよ。中国潜水艦の火災事故に関するリーク情報が読売新聞に掲載されると警務隊が犯人捜しをして、被疑者を締め上げて、そのうち名前が週刊誌にまで載ってしまう。外務省でマル秘文書を流した人物は、ろくな調査も受けずに、今もちゃんと組織のなかで生き残っているんです。しかもこれらの**マル秘文書を手に入れることができるのはヒラ事務官ではなく幹部だ**。

筆坂　外務省の悪巧みはものすごい。まず鈴木さんと田中さんをケンカさせて、田中さんは外務大臣解任。その後は鈴木さんにターゲットを絞って集中砲火を浴びせる。共産党に内部資料を渡して攻撃させ、検察まで動かす。要するに**外務省は、田中眞紀子さんも鈴木宗男さんも、どっちも切り捨てたんですね**。〉（鈴木宗男／佐藤優『反省—私たちはなぜ失敗したのか?』アスコム、二〇〇七年、一七四〜一七六頁）

日本政府の一機関である外務省が、鈴木宗男潰《つぶ》しのために革命政党である日本共産党を利用したこの瞬間に日本外務省は内側から崩壊したのである。外務省に頼まれ、北方領土問題で政治的リスクを負い、多大な労力と政治資金を使った政治家が、国賊、売国奴として整理されてしまうことは理不尽だ。このような境遇に遭った人の怨念《おんねん》は必ず形になって現れる。『今昔物語』を読むと死霊《しりょう》も恐ろしいが、生霊はもっと恐ろしい。このままでは鈴木宗男氏の生霊が霞が関や永田町周辺を浮遊し、日本外交に大きな災いをもたらすことになると私は本気で心配した。

ここで東京拘置所の独房で読んだ『太平記』の情景がよみがえってきた。建武《けんむ》の中興に着手したが、足利尊氏《あしかがたかうじ》たちによって京都を追われ、吉野山に朝廷を構えた後醍醐《ごだいご》天皇は、『太平記』巻第二十一「後醍醐天皇崩御の事」によれば、一三三九年九月十九日(延元《えんげん》四年八月十六日)、〈玉骨《ぎょくこつ》はたとひ南山の苔《こけ》に埋《うづ》むるとも、霊魄《れいはく》は常に北闕《ほっけつ》の天に臨まんと思ふなり(我が亡骸《なきがら》はたとい吉野山の苔に埋もれても、我が霊魂は常に北方の皇居の空を望んでいようと思うのである)〉(『太平記③　新編日本古典文学全集五十六』小学館、一九九七年、二九頁)と言い残して崩御された。通常、天皇の廟《びょう》は南向きに作られるが、後醍醐天皇廟だけは北向きに作られている。「いまにみていろ」という思いが籠《こ》もっているのだ。京都の北朝では後醍醐天皇の霊魂を慰めるために天竜寺《てんりゅうじ》を建立する。しかし、この程度のことで後醍醐天皇の怒りは収まらず、京都では天災地変が続く。朝廷や幕府が当時の有識者と検討したところ、後醍醐天皇をはじめとする南朝の人々の業績が正当に評価されていないため、それが怨念となり、天災地変を引き起こしているのだという結論になった。そして、南禅寺《なんぜんじ》の僧侶を中心とする当時の有識者グループによって書かれ、編纂《へんさん》されたのが『太平記』なのである。

『太平記』は、異常なほど細部にこだわり、基本的に北朝側、足利幕府側の視座に立って書かれた物語であるにもかかわらず、後醍醐天皇、大塔宮《おおとうのみや》、楠木正成《くすのきまさしげ》など現体制に抗《あらが》った南朝側の人々の業績についても詳細に記されている。真実を詳細に記述し、歴史に残すことが鎮魂で、それによって、地上に起きる災厄を防ぐことができると『太平記』の著者は考えたのである。

本書を書いている過程で、かつての盟友であったが、鈴木宗男バッシングが始まってから態度を豹変《ひょうへん》し、国策捜査で私が逮捕される前後に検察側に迎合し、私の犯罪を立証するのに協力した人々に対して、私はまったく腹が立たなかった。また、私を叩く記事を書いた新聞や雑誌の記者に対してもまったく腹が立たなかった。東京拘置所で、弁護士との面会に行く途中、私を連行する若い看守が「佐藤さんはいつも平静ですが、かつての仲間の掌返《てのひらがえ》しに遭って、腹を立てないんですか」と聞かれた。私が「仕方ないですよ。こういう状況になれば」と淡々と答えると、看守は怪訝《けげん》そうな顔をしていた。保釈後、滝田敏幸氏からも、「佐藤、怒りを抑える必要はないよ。ストイックになってストレスを内側にため込まず、感情をもっと表に出せ」と言われたが、私は「ほんとうに怒ってなんかいないんだよ」と答えた。怒りは判断力を狂わせるので、極力もたないようにするという計算が私の内部にあったことも確かだが、それだけでない「何か」が確かにあった。その「何か」を当初、言葉で説明することができなかったのであるが、最近、おぼろげながらその「何か」が見えてきた。「人間の生命は一つであるが、魂は複数ある」とどうも私は考えているようなのである。従って、かつて肝胆相照らし、北方領土の現地工作やクレムリン（ロシア大統領府）へのロビー活動を行っていたときと、鬼の東京地検特捜部の検察官を前にしたときに、かつての盟友たちの中でそれぞれ別の魂が働いたのでこのようなことになったのだと認識し、納得しているのである。だから腹も立たないのだ。

これは私の中にある沖縄《おきなわ》性と密接に関係しているのだと思う。沖縄には独特の人間観がある。一人の人間に魂が複数あるのだ。その一つひとつの魂が個性をもっており、それぞれの生命をもっている。一人の人間は複数の魂に従って、いくつもの人生を送ることができる。複数の魂によって多元性が保証されている。魂の数だけ、真理もあることになる。これに関連して、作家で臨済宗福聚寺副住職の玄侑宗久《げんゆうそうきゅう》氏が興味深いことを述べている。

〈だいたい、魂が一つしかないということ自体、西洋的な見方にすぎない。ユングもその見方はむしろ世界の少数派だと書いている。沖縄では一人の人間に魂は六つ、ラオスに行けばなんと魂は三十二あるという。なぜ三十二なのかは皆目分からないが、それほどあると、なんだか「ゆとり」を感じてしまう。

以前、沖縄でユタの人に見てもらったとき、「あらっ、あなた（魂を）一つ落としているわ」と言われた。そして「高い木から落ちたことがなかったか」と訊《き》かれた。そういえば、私は京都の禅の専門道場での修行時代に、栗《くり》の木の枝おろしをやっている最中に、七メートルほど落ちたことがあった。「落ちました」と答えると、「じゃ、住所を書いて」。私が書いた住所の紙にユタは手を当て「ここよ、ここに魂がある」と言う。呼び戻す儀式をしてもらうと、本当に海の向こうから何かが飛んでくる感じがした。その後、痛かった腰が治ったり、確かに体調が良くなった。この体験を科学的に説明しようとすれば、精神的な暗示とかなにかあるのだろうが、それよりも率直に魂が戻ったと考えた方が楽しい。

要するに、土地土地によって、魂のことを語るレトリックがあり、その土地ではその土地に根ざした真理があるのだろう。真理は一つではないと思いたい。

現代の日本人は、「真理は一つだ」という言葉にあまりにも弱い。

真理は一つ、個性は一つ、魂は一つ。商売の仕方ですら一つに統一しようというグローバライゼーションが進行中だ。なんでも一つのものに収斂《しゅうれん》させたいと、現代人は考えがちだ。

だが、ことによると、魂は六個かもしれないし、三十二個かもしれないのだ。そう考えた方が人生は豊かになるのではないか。宗教者としては、その豊かさの方を尊びたい。〉（玄侑宗久「江原啓之ブームに喝！」、「文藝春秋」、二〇〇七年五月号）

ユタとは在野の女性のシャーマンである。死者との交信、霊的観点からの土地に関するアドバイス、結婚、進学、就職などのありとあらゆる人生相談に応じる。沖縄のユタ（霊媒）が言うとおり、一人の人間には六つの魂があるのだ。これは私の実感にも合致する。自らを省みてみても、私には、ナショナリストとしての魂、知識人としての魂、キリスト教徒としての魂があった。外交官、特にインテリジェンス（特殊情報活動）という国益上必要だが汚い仕事に従事するときは、ナショナリストとしての魂が活動していた。モスクワ国立大学哲学部や東京大学教養学部で教鞭《きょうべん》をとっていたとき、また、国内外の学会に参加するとき、モスクワやプラハで学者たちと歓談するとき、仕事から帰ってきた後、深夜から未明にかけて哲学書や神学書と向かい合うときには知識人としての魂が機能していた。そして、人生の岐路に立ったときには、その選択をキリスト教徒としての魂を基準に行っていた。これら複数の魂は私の中で、区別されているが分離されずに存在している。沖縄の伝統に従うならば、他にもまだ私自身が気づいていない魂が三つ残っているはずだ。残る三つの魂が睡《ねむ》ったまま私の人生が終わってしまうかもしれないし、あるいはその内、いくつかの魂が頭をもたげ、私の人生に大きな影響を与えるかもしれない。

いずれにせよ、私の中に魂が複数あるということが見えた瞬間に、私の内側から猛烈に「書きたい」という意欲が生まれてきたのである。本書を書いた時点では、表現という仕事の恐ろしさに私は気づいていなかった。当然、職業作家になるなどという発想もなかった。本書に続く書きおろし第二作で、二〇〇六年に第五回新潮ドキュメント賞、二〇〇七年に第三十八回大宅《おおや》壮一ノンフィクション賞をいただいた『自壊する帝国』（新潮社、二〇〇六年）を書き終えた時点での「書き続ける理由」についての私の認識は次のようなものだった。

〈前著『国家の罠《わな》―外務省のラスプーチンと呼ばれて』を昨二〇〇五年三月に上梓《じょうし》したとき、私はこの本が読書界に広く受け入れられることにはならないと予測していた。東京地方検察庁特別捜査部が無謬《むびゅう》であるとの神話は根強く、また川口順子外相―竹内行夫事務次官時代に外務省が執拗《しつよう》に展開した「鈴木宗男―佐藤優が私的外交を展開し、日本の国益を毀損《きそん》した」という宣伝・煽動《せんどう》の力を侮《あなど》ることができないと考えていたからだ。

しかし、私の予想は外れ、『国家の罠』はベストセラーになり、新聞、雑誌、テレビ、ラジオやブログなど、さまざまな媒体で取り上げられただけではなく、第五十九回毎日新聞出版文化賞特別賞を受賞するという想定外の事態まで起きた。また、私の著作により、「国策捜査」という業界用語が市民権を得たというのも不思議な感じがする。

『国家の罠』の読者から手紙や口頭で多くの感想や意見を聞かせていただいた。その中で、『国家の罠』で書かれた以前の、私のモスクワ時代の活動に対する関心が強いことを知って驚いた。最初、モスクワ時代の回想録を書くつもりはなく、中世ラテン語の勉強やチェコ・プロテスタント神学書の翻訳に取り組もうと思っていたのだが、読者との双方向性を維持したくなり、回想録執筆に取りかかった。〉（『自壊する帝国』、四一一頁）

この時点では、このような不十分な言葉でしか「書き続ける理由」を説明できなかったが、『自壊する帝国』を執筆した動機は、本書を読んだ読者に対する説明責任を果たすということだけでなく私がソ連崩壊前後に出会い、国家や民族について真剣に考え、歴史の目に見えない大きな力の前で潰されていった人々への鎮魂なのである。この鎮魂作業はまだ続く。本書と『自壊する帝国』との関連では、ソ連崩壊のシナリオを描いたエリツィン政権初期の智恵袋であったブルブリス氏、更に北方領土交渉に政治生命を賭《と》した橋本龍太郎氏、小渕《おぶち》恵三氏、森喜朗《よしろう》氏の魂を慰める作品を新潮社から上梓したいと考えている。二作品になるか、三作品になるか今のところ私には像が見えてこないが、ブルブリスについては既に原稿を少しずつ書き進めている。

さて、私が抱えている刑事裁判の現状について少し説明しておきたい。

本書は、二〇〇五年二月十七日、私に懲役二年六月、執行猶予《ゆうよ》四年間の判決が言い渡され、法廷で私が〈大室征男主任弁護人、緑川由香弁護人に「即日控訴《こうそ》の手続きをとってください」と依頼した〉（五〇三頁）ところで終わっている。私の控訴審は二〇〇六年二月二十五日に東京高等裁判所の刑事第五部で開始された。この種の控訴審では、珍しく実質的な審理が行われた。しかし、結果から見るならば、実質審理は私にとって肯定的意味をもたなかった。二〇〇七年一月三十一日、高橋省吾裁判長は、私に控訴棄却を言い渡した。

もちろん私は即日上告の手続きをとった。闘いはまだ続いているのである。しかし、歴史的にこの実質審理には大きな意味があったと私は考える。なぜなら、控訴審において、当時、アメリカに在住していた東郷和彦氏が一時帰国し、二〇〇六年六月二十一日（弁護側主尋問）と七月三十一日（検察側反対尋問）に証言を行ったからだ。私の主観的な想いを極力排除するために、東郷氏の著書から引用する。

〈佐藤氏が告発されたのは、「日ロ支援協定」に基づき対ロシア支援に使われるべき資金を、海外の専門家の日本招聘《しょうへい》や国際会議への日本人派遣のための費用に不正支出させたという背任罪であった。

六月二十一日の法廷では、最初に弁護人からの質問に答え、〇二年五月に私が出国にいたった事情や、その後の外国での生活について若干説明した後で、私は佐藤氏の事件について、次のように述べた。

「支出は外務省が組織として実行したものであり、そのことによって佐藤氏が罪に問われることはあり得ません」

それは、ロンドンでの取調べ以来、私の一貫して、説明してきたことだった。さらに、こう続けた。

「今回起訴された案件は、外務省の中で、明確な決裁書に従って実施されたものであります。問題となった招聘や派遣については、それが何を目的としたものなのか、実施の責任を持っている欧亜局（〇一年一月、欧州局に組織改編）からの正確な記述があり、かつ、その実施が日ロ支援協定に基づいて適法であるか否かについては、その唯一《ゆいいつ》の判断権者である条約局（現国際法局）長の決裁がとられている――」

少々、専門的な話になったので、ここで簡単に説明しておくことにする。

日本政府の中で、国際法や国際条約についての最終的な解釈権は外務省の条約局長が持っている。そして、この権限は、憲法をはじめとする国内法について内閣法制局長官が持っている権限と同等の、極めて強いものである。日ロ支援協定も国際条約の一つであるから、当然、この協定に基づいて実施される案件が、適法であるかどうかの判断は、条約局長に委《ゆだ》ねられることになる。

「そうやって、正確な情報に基づいて条約局長が決裁をした上で実施された案件について、その実施に際してメカニズムの一端を担《にな》っていたに過ぎない佐藤氏が、その責任を問われることはありえません」

私は、そう断言した。

一方、「当時、外務省に大きな影響力を持っていた鈴木宗男衆議院議員の圧力によりこの案件に対する判断が歪《ゆが》められたのではないか」という質問も受けた。

これに対して私は、鈴木氏によるいわゆる「風圧」というものがどのようなものであったかということを説明した上で、その可能性を完全に否定する証言を行った。

さらに、弁護人から、「佐藤優氏が自分の利益を図るためにこれらの事件を起こしたという指摘についてどう思うか」と尋ねられた。

私は、少し考えを整理してから、こう答えた。

「佐藤優氏は、公《おおやけ》のため、日本の国のためにどうしたらよいかについて不眠不休で仕事をし、その献身ぶりは余人の及ぶところではありません。その政策目標を余りにも追求するが故に、時に外務省内外の人間関係の面で難しい問題が生じたこともありましたが、私は彼より十五歳年上で一緒にロシアをやってきた者として、この点について十分に指導できなかったことを申し訳なく思います。しかし、彼が、私益を求めたり、そのために法を犯してなにかをやろうということは絶対に無いと思います」〈東郷和彦『北方領土交渉秘録　失われた五度の機会』新潮社、二〇〇七年、一五～一七頁〉

支援委員会を統括する欧州局長がこのように真実を証言しても、裁判所は耳を傾けなかった。政治裁判とはそのようなものである。私にからむ事件はいずれも二〇〇〇年に発生したから、二〇三〇年になれば、関連文書が公開される。これらの文書と東郷氏の証言を突き合わせれば、検察、裁判所の判断よりも私や東郷氏の主張の方が歴史の真実に合致していることは明らかなので、東郷氏が真実を証言し、それが記録に残ったことで私の目的は達したと言える。

二〇〇四年六月二十九日、東京地方裁判所で行われた被告人質問の席で、私は東郷氏にこう訴えた。

〈東郷さんはほんとうは日本に帰ってきたいのでしょう。私は、東郷さんが元気で、身柄を拘束されるということにもならず、刑事被告人となることもなく、自由に活動できていることを、とてもよいことと思うのです。この国策捜査には私は必然性があったと思います。しかし、国策捜査の直接の犠牲となる人間の数は、少なければ少ないほどよいと思うのです。

ただ、こだわりがあるのは、歴史に対する証言です。二十六年経《た》てば、あの当時の関係文書が外交史料館から出てきます。そのときに、東郷さん、あなたが証言していないと歴史の前でどういうふうに評価されることになるか、それを考えておられますかと訊きたいんです。それと同時に、東郷さんは東郷さんの考えで、自分の幸福を追求する権利があると思います。東郷さんが自分の幸せのために、家族の幸せのために、一つの決断をしたということならば、それが私にとって不利になっても、私はそれを歓迎し、支持したい。これが正直な気持ちです〉（本書、四九〇頁）

その時点で、私は東郷氏が法廷で私のために証言をすることはもとより、もう二度と東郷氏と顔をあわせることも口をきくこともないと思っていた。東郷氏は私と連絡を回復したときの様子をこう記す。

〈〇六年四月二十日朝、私は、不安と期待の入り交じった気持ちで、電話をした。

何回かの呼び出し音の後で、電話が繋《つな》がった。

「もしもし、こちら……」

そう私が切り出したのに対して、懐《なつ》かしい声が聞こえてきた。

「いやー、東郷さん！」

実に不思議な瞬間であった。その一瞬で、四年の歳月と、音信不通と、ためらいと懸念《けねん》など、すべて吹き飛んでしまった。〉（『北方領土交渉秘録』、七四頁）

私も東郷氏との友情を回復できてほんとうに嬉《うれ》しかった。それと同時に東郷氏が「歴史に対する証言」を行ったことも嬉しかった。私たちの友情は、もう生涯崩れずに続くと思う。

本書の意義について、私なりの見方を記したい。以前から行われていた国策捜査の実状が国民の前に明らかにされたことには歴史的意義がある。この点での最大の功労者は私を取り調べた西村尚芳《ひさよし》東京地方検察庁特別捜査部検事（現最高検察庁検事）である。

〈国策捜査は「時代のけじめ」をつけるために必要だというのは西村氏がはじめに使ったフレーズである。私はこのフレーズが気に入った。

「これは国策捜査なんだから。あなたが捕まった理由は簡単。あなたと鈴木宗男をつなげる事件を作るため。国策捜査は『時代のけじめ』をつけるために必要なんです。時代を転換するために、何か象徴的な事件を作り出して、それを断罪するのです」

「見事僕はそれに当たってしまったわけだ」

「そういうこと。運が悪かったとしかいえない」

「しかし、僕が悪運を引き寄せた面もある。今まで、普通に行われてきた、否《いな》、それよりも評価、奨励されてきた価値が、ある時点から逆転するわけか」

「そういうこと。評価の基準が変わるんだ。何かハードルが下がってくるんだ」

「僕からすると、事後法で裁かれている感じがする」

「しかし、法律はもともとある。その適用基準が変わってくるんだ。特に政治家に対する国策捜査は近年驚くほどハードルが下がってきているんだ。一昔前ならば、鈴木さんが貰《もら》った数百万円程度なんか誰も問題にしなかった。しかし、特捜の僕たちも驚くほどのスピードで、ハードルが下がっていくんだ。今や政治家に対しての適用基準の方が一般国民に対してよりも厳しくなっている。時代の変化としか言えない」

「そうだろうか。あなたたち（検察）が恣《し》意的に適用基準を下げて事件を作り出しているのではないだろうか」

「そうじゃない。実のところ、僕たちは適用基準を決められない。時々の一般国民の基準で適用基準は決めなくてはならない。僕たちは、法律専門家であっても、感覚は一般国民の正義と同じで、その基準で事件に対処しなくてはならない。外務省の人たちと話していて感じるのは、外務省の人たちの基準が一般国民から乖離《かいり》しすぎているということだ。機密費で競走馬を買ったという事件もそうだし、鈴木さんとあなたの関係についても、一般国民の感覚からは大きくズレている。それを断罪するのが僕たちの仕事なんだ」

「一般国民の目線で判断するならば、それは結局、ワイドショーと週刊誌の論調で事件ができていくことになるよ」

「そういうことなのだと思う。それが今の日本の現実なんだよ」〉（本書、三六六〜三六七頁）

西村氏のこの発言は、国策捜査の現状と特捜検察の問題点、メディアの機能の本質を見事に衝《つ》いている。あの密室（取調室）の中で、西村氏は人間として私に真剣に向かい合ったのである。もちろん、私も人間として誠実に西村氏と対峙《たいじ》した。しかし、私たちは、国策捜査というこのゲームで和解することができない敵であった。

〈結局、私は西村氏と一度も握手をしなかった。なぜならば国策捜査というこのゲームで、西村氏はあくまでも私の敵で、敵と和解する余地が私にはなかったからである。しかし、西村尚芳検事は、誠実で優れた、実に尊敬に値する敵であった。〉（本書、四五二頁）

敵に対して尊敬の気持ちを抱くことは、インテリジェンスの世界ではごく普通にあることだ。しかし、尊敬と友情は全く別の概念である。とりあえずは、そう割り切っているのであるが、どうしてもそこに収まりきれない要素がある。『国家の罠』が読書界に広く受け入れられることになって、西村氏が検察庁で不利な取り扱いを受けるのではないかということが気になったし、今も気になっている。〈今年（二〇〇六年）、西村氏が水戸地方検察庁からエリートポストである最高検察庁の検事に異動したという話を聞いてほっとした。それと同時に上司の命令を「ワン！」といって聞くような者だけが出世する霞が関（中央官庁）文化の中で、西村氏のような職人を評価する検察庁という組織は、外務省と異なり、まだまだ潜在力があるので、侮ってはならないと気を引き締めた〉（佐藤優『獄中記』岩波書店、二〇〇六年、四五八頁）と記したが、中央官庁の人事当局は狡猾《こうかつ》なので、世間の注目を集めた「問題官僚」については、一旦《いったん》、よいポストをあてがい、その後、左遷《させん》させるということはよくある。今後、西村氏が順調に幹部に出世していくかどうかは、検察組織の健全度を示すリトマス試験紙であると私は考えている。

さて、鈴木宗男氏を標的とした国策捜査は、時代の転換を作り出すことができたのであろうか。ある程度まで時代の転換を作り出すことに成功したのだと思う。公共事業を通じ、パターナリズム（親分子分関係）で、政治権力によって富を再分配する田中角栄型政治は、鈴木宗男事件で基本的に終焉《しゅうえん》した。そして、弱肉強食の新自由主義が日本を席捲《せっけん》した。その結果、深刻な社会的格差が生じ、貧困問題が出現している。二〇〇七年七月の参議院選挙における連立与党（自民党・公明党）の敗北、同年九月十二日に安倍《あべ》晋三《しんぞう》内閣総理大臣が突然辞任したことも、その背景には新自由主義政策に対する、明確な理論化された言葉にはなっていないが、国民の不満があると私は見ている。本書で、私は新自由主義とナショナリズムという〈本来、両立しえない二つの目標を掲げ、現在日本の政策転換が進められているように私には思えてならない。この絶対矛盾が自己同一を達成し、新たなパラダイムを構築するのであろうか。それとも、この矛盾が解消されず、現在断罪されつつある鈴木氏に代表される公平配分路線、国際協調的愛国主義の価値がもう一度見直されることになるのか。この点について最終回答を出すのは時期尚早だ〉（本書、三八二頁）と指摘したが、本書を上梓してから二年半で、新自由主義的改革路線は抜本的に見直されるようになったのである。

歴史を繰り返すことはできない。「あのとき、こうしていればよかった」とか「あの事件にさえ巻き込まれなければこんなことにはならなかった」と考えても、それは思考実験の上では意味があっても、現実性を欠く。鈴木宗男氏も私も、過去に過度にとらわれず、現実的な選択をした。

鈴木氏はあくまでも政治の世界にとどまるという選択をした。二〇〇三年七月九日、獄中で鈴木氏は、盟友で歌手の松山千春氏からファックスのメッセージを受け取った。そこにはこう記されていた。

〈権力に近づくと権力の中からしか物事が見えなくなり、権力から遠のくと更に権力に憧《あこが》れを持ってしまう。権力闘争はもう終りです。小泉政権が誕生した時に終ったのです。**今求められているのは国民の目線で物事を見つめ、何が幸せか、その為《ため》には何をすべきか、その上で我国の将来を語る事が出来る政治家です。**俺は宗男さんに期待します。又、それが出来なかったら基礎票の3万票だけになってしまいます。宗男さんに連いて来る人達は、宗男さんが何をやっても言っても連いて来ます。でも3万票なんです。ペコペコ握手をいくら頑張っても4万5万です。次の戦いはどうしても勝ちたいです。浮動票を取りこんで——今までの宗男さんのスタイルでは無く、新しい政策を全面に押し出した、悪名でも知名度を生かし、10万票を取りに行きましょう。

やれると思います。我々が求める活路はそこに有るのだと思います。北海道のコンサートを前に――松山千春（原文ママ）〉（『反省―私たちはなぜ失敗したのか?』、二七七〜二七八頁）

保釈後、鈴木氏は、北海道内をくまなく歩き、新自由主義的改革がもたらす災厄を皮膚感覚でとらえた。それと同時に、権力に近づけば、自らが理想とする形で北海道を豊かに出来るという旧経世会《けいせいかい》的なパターナリズムが機能する基盤がもはや存在せず、新しい政治運動と理論が必要であると痛感した。そこで北海道の地域的利益に徹底的にこだわり、アイヌ人の先住民族としての権利を確立することを政策綱領に打ち出し本格的な地域政党新党「大地」を創設した。アイヌ人は北海道、北方四島、千島列島、樺太《からふと》の先住民族である。アイヌ人の先住民族としての権利を確立することで、アイヌ民族の歴史的故郷としての北方四島の返還をロシアに対して要求し、サハリン（樺太）大陸棚の天然ガス・石油開発に参入していこうとするのが鈴木氏の戦略だ。二〇〇五年九月十一日の衆議院選挙で、新党「大地」は四十三万票を獲得して、鈴木氏は国会に返り咲いた。国策捜査で刑事被告人とされたにもかかわらず、北海道の有権者は鈴木氏を自らの代表に選出したのである。この結果、東京地検特捜部が考える正義と北海道の有権者が考える正義が異なることが明白になった。

鈴木氏の国会議員への返り咲き、私の作品を支持する読者が生まれたことは、特捜検察の正義に翳《かげ》りが生じたことに他ならない。この現実に現下司法の根源的危機があるのだと私は思う。国策捜査の標的とされた私からすれば、「無理な事件を創り上げるからこういうことになるのだ」ということだが、当事者である私にはどうしても私情が混入するので、検察問題についてはこのくらいにする。

ところで私の取った選択は鈴木宗男氏と根本的に異なるものだった。ひとことで言うと、国家や政治に関与する公的世界からの退却である。今後の人生についての保釈直後の認識は次のようなものだった。

〈現役時代には、仕事の関係で付き合いたくない人々とも付き合わなくてはならなかったが、これで人間関係を一回リセットできるので、実に爽快《そうかい》な気分だった。

公判闘争にエネルギーの四分の一、残りは読書、思索、著述と気の合う人々と話をすることに使うようになった。ようやく自分の好きなことを中心に生活を組み立てることができそうだ。これからは人間関係を広げずに、静かに国内亡命者として生きていこうと思った。もはや時代に積極的に関与していくことはないが、時代を見る眼だけは持ち続けたいというのが私の考えだった。〉（本書、四八四頁）

国内亡命というのは、ソ連の知識人が、体制に対する積極的協力はしないが、当局と過度の軋轢《あつれき》を引き起こすような政治的、社会的活動を行わずに、直接面会したり、手紙のやりとりをする「目に見える」、具体的人間関係のなかで、ソ連国家と社会に対する批判を深めていった現象を指す。プーチン政権下のロシアでも国内亡命者が数多く存在する。

しかし、結果から見るならば、私はこの考えを貫き通すことができなかった。政策提言にかかわる論考を発表することで、私が「時代に積極的に関与」していることは紛れもない事実だからだ。観察者に徹しきれなかったのは、私の性格の弱さに起因するのだと思っている。しかし、「国内亡命者」としての精神は今後も持ち続けたいと思う。すなわち時の政府の政策、また与野党を問わず、具体的な政治活動とは、常に一線を画し、党派性から自由な是々非々の立場で表現活動を続けていきたいと考えている。先に述べた私の中にある三つの魂との関係でいうならば、「キリスト教徒としての魂」、「知識人としての魂」を基本に据えて作家活動を行なうということだ。これらの魂は、いずれも現実の国家や政治運動と一体となることを原理的に忌避する。そして、よき日本人であるという「ナショナリストとしての魂」を、外交官という視座からではなく、国家権力を背景にもたない大多数の日本人と同じ視座に立って発言していきたいと考えている。そして、外交官時代とは別の形態で、私の愛する日本国家と日本人のためにお仕えしたいと考えている。

末筆になるが、『国家の罠』の文庫化にあたって、いつも私の執筆活動を支えてくださる新潮社の伊藤幸人氏、加藤新氏、原宏介氏とともに文庫作成のプロである西村博一氏のお世話になった。また、作家の川上弘美さんが解説を書いてくださった。この場を借りて謝意を表明します。

起訴休職外務事務官・作家　佐藤　優

（二〇〇七年九月十五日脱稿）

解説　求める人

川上弘美

さて、わたしはこの本を読んで、はじめて「外務省キャリア」と「外務省ノンキャリア」という言葉を知りました（意味をはっきり知った、というのではなく、そもそものような言葉があることを、はじめて知った、のです）。

国策捜査、というものが存在することも、はじめて知りました。

人が逮捕状を読み上げられて逮捕される時に、その様子が「弁解録取書」という書面にまとめられる、ということをはじめて知りました。

また、その文案に対して、逮捕された人は押印《おういん》をするのだけれど、その際もう印鑑は使えず、指印を押すのだ、ということを、はじめて知りました。

また、その時に使う朱肉は朱色のものではなく、黒い、ということも、はじめて知りました。

情報。官僚と政治家。検察。外交。そんなふうな言葉が具体的にあらわれる世界について、ものを書く、ということを職業とする者の中で、わたしほど通暁《つうぎょう》していない人間は、なかなかいないと思います。自慢しても、いいくらいです。

それなのに、今、身のほどしらずにもこの本の解説を書いている。申し訳ないようなことですが、でも、門外漢のわたしにこの本の解説を書くというご縁がめぐって来たことに一つだけ理由があるとすれば、きっとわたしがこの本を読んで、「いい本だな」と思ったから、なのだと思います。

情報の世界に不案内でも、世界の政治情勢にうとくとも、ほんものの外交官を一人も知らなくとも、わたしはごく単純に、ごく素朴に、「ああ、本らしい本を読んだなあ。読んでよかったなあ」と思ったのでした。

国後島《くなしり》のいわゆる「ムネオハウス」と、アフガニスタン復興支援会議へのNGO出席問題をめぐっての、国会での鈴木宗男《むねお》と共産党のやりとり、辻元清美《つじもときよみ》の追及。「通暁していない」わたしも、その時の国会中継には、固唾《かたず》をのんで見入ったものでした。読者の多くも、きっとそうだったことだろうと思います。有名な、有名な、事件です。

本書は、その鈴木宗男の「懐刀《ふところがたな》」であったノンキャリア外交官佐藤優《まさる》が、事件の前後のいきさつと、逮捕されてからの拘置所内での検察官とのやりとり、そして事件の全《ぜん》貌《ぼう》にかんする自身の分析を、克明に書いた作品です。

いい本である理由のまず第一は、この「克明さ」によるものです。

克明とは「こまかく丹念なこと」です。なにしろ「通暁していない」第一人者のわたしなのですが、まず、外交官が外国でいったい何をするのか、ということの一端を、この本によってこまかく知ることができました。

ソ連共産党高官の机には電話が十台近く置かれていて、そのうちの三、四台は交換手を通さない直接電話である。秘密警察用の電話、友人用の電話、家族用の電話、愛人用の電話をそれぞれ使いわける。という文章を読んだ時には、びっくりしました。

エリツィンのサウナ政治、にも、驚きました。くわしくはぜひ本文を読んでいただきたいのでここには書きませんが、まあロシアの政治家って体力が必要なんだなあと、ため息をつきながらも、笑ったことでした。

「行儀が悪い」という言葉の使いかたにも、おおっ、と思いました。政治の世界の、符丁に近い用語です。なんとおおらかな味のある言葉でしょう。今度わたしも、誰かに謂《い》われのない雑言をたたかれたりしたら、「ほんとにお行儀が悪いんだから」とつぶやいてみよう、と思いました。さぞすっきりすることでしょう。

こまかく、とは言っても、かなりはしょって書いてあるはずです。それなのに、目の前に、近い過去の出来事がくっきりと現れる。

文章を書く力のある人だなあ、と思ったのです。実際の事物の周辺、を書くのは、うそごと、を書くことよりも、もしかしたら難しいのではないか、とわたしは思っています。どこを省略してどこをくわしく書くのかという選択に、センスが必要なのです。この作者には、センスがある。

その、実のある克明な書きように、胸のすく思いだったのです。

本の後半には、拘置所に入ってからの作者と検察官とのやりとり、それから、この事件を作者のやりかたでさまざまに解析してみたその過程と結論、が書かれています。なぜ作者は国策捜査を受けたのか、考えつづけます。

その書きようが、とても明晰《めいせき》なのです。

いい本だと思う、第二の理由は、これです。

作者も書いているように、この本の内容の是非は、時がたつことによってしか明らかになることがありません。たとえば、外務官僚の一部のおこないが腐りきっている、ということがこの本には書いてあります。ひとたび検察が罪人をつくり出そうとしたら、なんぴともそれを逃れることはできない、ということも。鈴木宗男と作者佐藤優が、ロシアと日本の国交の場において、どのように誠実に仕事をしてきたか、ということも。

この本には作者佐藤優自身の目を通したそのような事々が書かれているわけですから、本来ならば読者であるわたしは、作者の視線に沿って「官僚って、いやあね」「検察って、手ごわいなあ」「鈴木宗男がすごく好きになってしまったかも」と思ってもいいはずなのです。

本というものは、それがいい文章で書かれていれば、おおかたの読者は語り手に感情移入する、の法則があります。

けれど、わたしは読みながら、

「それはそうだろうな。でもわたしは、ここに書いてあることは、全部うのみにしないでいよう。うのみにするかわりに、しっかり覚えておこう。そして時々思い出そう。新聞を注意して読んでみよう。そうすると、いつか本当にわたしにもいろいろなことがわかるかもしれない」

と思ったのでした。

うのみにしない、と書きました。ともかく、いろんなことをうのみにしない方がいいよ。作者はこの本の中で、さまざまに声を変えてそう言っているように、わたしには思えたのです。絶対的に正しいことは、ない。絶対的に間違ったことも、ない。あるのは、立場や目的や品性の違い、その他。

多面的にものごとを見ることが、なにしろ、大事なことなのですよ。

ぜんたいの記述を通じて、そんな作者の声が、わたしの頭の中には、鳴り響きつづけていたのです。ずいぶんと激しい告発をおこなっている本なのに、不思議なことでした。

その告発自体をまるのみにしてはいけない、と、行間から語りかけてくるなんて。この本の明晰さは、行間から語りかけるその作者の声を書きとめえたところにあると、わたしは思うのです。

第六章に、拘置所の新獄舎の、もみの木の話が書かれています。自然に触れる機会のほとんどない新獄舎の外廊下に、ゴムの木ともみの木の鉢植えが交互に置かれたのです。植木は拘置所の住人たちに大きな安らぎを与えます。けれど九月にもみの木が撤去されました。隣の房の住人が、「あの木はもう戻ってこないんですか」と、淋《さみ》しそうな声で職員に言っているのを、作者は聞きます。

「私ももみの木に情が移っていたので、その淋しさがよくわかった」

作者は書いています。

隣人は、確定死刑囚なのです。死刑の是非について、作者はこの本の中では一言もふれていません。自分の考えを示唆《しさ》することさえしていません。けれど、作者が死刑制度というものについて深く考えていることが、この部分、そしてわずかに漏れ聞こえる隣人の声や気配の描写の部分から、はっきりとわかります。

はっきりわかることは、他にもあります。

「私は組織人です。(中略)私個人の希望はありません。国益のために私をどう使ったらいいかというのは組織の考えることです。ただし、私にはプライドはありません。侮辱されようとどうしようとそれが組織として国益に適《かな》うと考えれば、それでよいのです」

「そもそも外交の世界に純粋な人道支援など存在しない。どの国も人道支援の名の下で自国の国益を推進しているのである」

「商社員というのは、役人さんが思っているよりもずっとナショナリストなんですよ。商売の中で日本が小馬鹿《こばか》にされているようなことがあると心底腹が立つんです。それに商売を通じて、日の丸をロシアにあげたいと思うんですよ」

最初の文章は作者個人の言葉です。次の文章は外交論。最後のものは三井物産社員の言葉です。主体も異なるし、それぞれの主体の考えも異なるかもしれない三つの文章ですけれど、この三つに共通するのは、ある「美学」ともいえるものです。

自己本位ではなく、誰かのため、何かのために、尽くしたり行動したりすることが、人にはできるのだ、ということ。

その時、自己憐憫《れんびん》や感傷という感情を持つべきではない、ということ。

おこないが、結果的に何かを助けているようにみえたとしても、それを祭りあげて「美しいおこない」にしてしまうべきではない、ということ。

そんな「美学」が、はっきりとにじみ出ているように、わたしには思えるのです。その美学の存在が、この本が「いい本」である、第三の理由です。

文章の主体が違うから、ますますその美学は強調されるように思えます。主体は違うけれど、この文章を書くことを選択したのは、作者です。その美学のふくまれている言葉をくみたてたのは、作者です。書かないでいることも選べたのに。

もっと言うならば、この本ぜんたいが、美学に貫かれているのです。拘置所で作者と対峙《たいじ》する西村検察官。盟友鈴木宗男。ソ連時代の共産党高官イリイン。登場する主要な人たちは、みな、自己憐憫におちいらず、感傷におぼれず、自分の仕事の目的を遂行することに関してゆるぎがありません。

いさぎよい。

一言でいえば、そういうことなのかもしれません。

実際に、この事件によって作者の周囲にあらわれたさまざまな人々は、たまたまほんとうに皆いさぎよかった、というだけのことなのかもしれません。けれど、やはりそれだけではない、のではないか。

何より、作者が、この人たちを、そういう美学を通して見ようとしている。

そんなふうに、わたしは感じたのです。さらに言うならば、そのような美学を持つにあたっての、善美なるものを、作者は人間の中にみつけようと志向している。強く志向している。それゆえに、どんなふうに解釈してもその美学からこぼれ落ちてしまう人々や出来事に対して、作者は、ものすごく厳しい。

作者は、理想を追い求める人なのだ、とわたしは思います。理想、といっても、それが単純な「いいもの」と、一言で言葉にできるものではないことは、この本を読めばじゅうぶんにわかります。

その上で、この世界に存在する「善きもの」を、どうしようもなく作者は求めているように、思えてならないのです。

いろいろ書きましたけれど、そんな「行間の裏」みたいなことを読みとらなくとも、この本はほんとうに面白い本です。事の進み方にわくわくするし、食べ物はおいしそうに描かれているし（中でも、緊迫する情勢の中で「てんや」に入って海鮮かき揚げ丼《どん》を食べるところがわたしは好きです）、このごろの政治家の収賄罪《しゅうわいざい》などの収賄額が以前よりもずっと少ないのに以前より大きく騒がれる理由もわかったし、なぜロシアの要人たちの挨拶《あいさつ》があんなに情熱的なみぶりを伴うかということも、わかりました。

最後に、わたしと同じことが心配でたまらない読者の方々のために。

東郷元外務省欧亜局長は、２００６年の控訴審《こうそしん》において、弁護側証人として出廷してくれています（『反省―私たちはなぜ失敗したのか?』アスコム　佐藤優・鈴木宗男共著より）。それから、西村検事は、２００６年現在、水戸地方検察庁から最高検察庁検事に異動になりました（『獄中記』岩波書店　佐藤優著より）。さらに、本文庫の「文庫版あとがき」にも、このことに関する経緯はくわしく述べられています。ほんとうに、ほっとしました。

（平成十九年九月、小説家）

この作品は平成十七年三月新潮社より刊行された。

白洲次郎著

プリンシプルのない日本

あの「風の男」の肉声がここに！　日本人の本質をズバリと突く痛快な叱責の数々。その人物像をストレートに伝える、唯一の直言集。

畠山清行著　保阪正康編

秘録　陸軍中野学校

日本諜報の原点がここにある――昭和十三年、秘密裏に誕生した工作員養成機関の実態とは。その全貌と情報戦の真実に迫った傑作実録。

吉村　昭著

大本営が震えた日

開戦を指令した極秘命令書の敵中紛失、南下輸送船団の隠密作戦。太平洋戦争開戦前夜に大本営を震撼させた恐るべき事件の全容――。

鳥飼玖美子著

歴史をかえた誤訳

原爆投下は、日本側のポツダム宣言をめぐるたった一語の誤訳が原因だった――。外交の舞台裏で、ねじ曲げられた数々の事実とは!?

城山三郎著

雄気堂々（上・下）

一農夫の出身でありながら、近代日本最大の経済人となった渋沢栄一のダイナミックな人間形成のドラマを、維新の激動の中に描く。

城山三郎著

男子の本懐

〈金解禁〉を遂行した浜口雄幸と井上準之助。性格も境遇も正反対の二人の男が、いかにして一つの政策に生命を賭したかを描く長編。

城山三郎著
無所属の時間で生きる
どこにも関係のない、どこにも属さない一人の人間として過ごす。そんな時間の大切さを厳しい批評眼と暖かい人生観で綴った随筆集。

城山三郎著
少しだけ、無理をして生きる
著者が魅了され、小説の題材にもなった人々の生き様から浮かび上がる、真の人間の魅力、そしてリーダーとは。生前の貴重な講演録。

城山三郎著
よみがえる力は、どこに
「負けない人間」の姿を語り、人がよみがえる力を語る。困難な時代を生きてきた著者が語る「人生の真実」とは。感銘の講演録他。

加藤陽子著
それでも、日本人は「戦争」を選んだ
小林秀雄賞受賞
日清戦争から太平洋戦争まで多大な犠牲を払い列強に挑んだ日本。開戦の論理を繰り返し正当化したものは何か。白熱の近現代史講義。

NHKスペシャル取材班著
日本海軍400時間の証言
—軍令部・参謀たちが語った敗戦—
開戦の真相、特攻への道、戦犯裁判。「海軍反省会」録音に刻まれた肉声から、海軍、そして日本組織の本質的な問題点が浮かび上がる。

NHKスペシャル取材班編著
日本人はなぜ戦争へと向かったのか
—外交・陸軍編—
肉声証言テープ等の新資料、国内外の研究成果をもとに、開戦へと向かった日本を徹底検証。列強の動きを読み違えた開戦前夜の真相。

新潮文庫最新刊

朝吹真理子著
TIMELESS
お互い恋愛感情をもたないうみとアミ。ふたりは〝交配〟のため、結婚をした――。今を生きる人びとの心の縁《よすが》となる、圧巻の長編。

安部公房著
飛ぶ男
安部公房の遺作が待望の文庫化！　飛ぶ男の出現、２発の銃弾、男性不信の女、妙な癖をもつ中学教師。鬼才が最期に創造した世界。

西村京太郎著
土佐くろしお鉄道殺人事件
宿毛へ走る特急「あしずり九号」で起きたコロナ担当大臣の毒殺事件を発端に続発する事件。しかし、容疑者には完璧なアリバイがあった。

紺野天龍著
幽世《かくりよ》の薬剤師6
感染怪異「幽世の薬師」となった空洞淵は金糸雀を救う薬を処方するが……。現役薬剤師が描く異世界×医療×ファンタジー、第１部完。

J・バブリッツ
宮脇裕子訳
わたしの名前を消さないで
殺された少女と発見者の女性。交わりえないはずの二人の孤独な日々を死んだ少女の視点から描く、深遠なサスペンス・ストーリー。

浅倉秋成・大前粟生
新名智・結城真一郎
佐原ひかり・石田夏穂著
杉井光
嘘があふれた世界で
嘘があふれた世界で、画面の向こうにいる特別なあなたへ。最注目作家７名が〝今を生きる私たち〟を切り取る競作アンソロジー！

国《こっ》家《か》の罠《わな》

―外務省のラスプーチンと呼ばれて―

新潮文庫　さ－62－1

平成十九年十一月一日 発行
令和 六 年二月二十日 二十五刷

著者　佐《さ》藤《とう》優《まさる》

発行者　佐藤隆信
発行所　株式会社 新潮社
郵便番号 一六二―八七一一
東京都新宿区矢来町七一
電話 編集部(〇三)三二六六―五四四〇
読者係(〇三)三二六六―五一一一
https://www.shinchosha.co.jp

価格はカバーに表示してあります。

乱丁・落丁本は、ご面倒ですが小社読者係宛ご送付ください。送料小社負担にてお取替えいたします。

印刷・株式会社光邦　製本・加藤製本株式会社

ISBN978-4-10-133171-3 C0195